**FOLIO
JUNIOR**

Vango

Timothée de Fombelle

Tome 2
Un prince sans royaume

GALLIMARD JEUNESSE

1918. À trois ans, Vango est déposé par la mer sur une plage des îles Éoliennes, en Sicile, avec Mademoiselle, sa nourrice, qui prétend ne rien savoir de leur passé. Il grandit là, à l'abri du monde, grimpant sur les falaises au milieu des oiseaux.

À dix ans, il découvre, accroché à une île voisine, le monastère invisible que le moine Zefiro a fondé pour protéger quelques dizaines d'hommes, loin des dictatures ou des mafias qui les traquent. Vango se fait accepter par la communauté, vit entre son île et le monastère. Mais, trois ans plus tard, alors qu'il annonce à Zefiro qu'il veut devenir moine, celui-ci le pousse dehors pour découvrir le monde avant de s'engager.

Il passe donc l'année 1929 dans l'équipage du dirigeable Graf Zeppelin, auprès du commandant Hugo Eckener, et rencontre à bord une jeune fille, Ethel, qui voyage avec son frère. À peine jeté dans le monde, comme si son destin le rattrapait, Vango se sent poursuivi par des forces inconnues qui veulent sa mort et l'éloignent pour longtemps d'Ethel.

Quelques années plus tard, au moment où il va devenir prêtre au pied de la cathédrale de Paris, Vango est accusé d'un crime qu'il n'a pas commis. La course folle reprend. Le commissaire Boulard et ses hommes s'ajoutent au nombre de ses poursuivants. Désormais, Vango vit une existence de fugitif à travers l'Europe, cherchant dans ses origines les raisons de cette haine qui est à ses trousses.

De son côté, le père Zefiro a quitté son monastère et combat le marchand d'armes Voloï Viktor, pour tenir une promesse faite à trois amis, vingt ans plus tôt, dans les tranchées de Verdun.

Au milieu de ce tourbillon, Vango finit par apprendre le drame expliquant son arrivée en Sicile quand il était enfant : ses parents ont été tués dans leur bateau au large des îles par trois hommes menés par un certain Cafarello. Vango et sa nourrice en ont réchappé. Trahissant ses complices, coulant le bateau, Cafarello a disparu avec la plus grosse partie d'un mystérieux trésor qui était à bord.

Vango repart à l'aventure pour percer le grand secret de sa vie.

VANGO

Tome 2

Mais mon cœur est comme un piano précieux
fermé à double tour, dont on aurait perdu la clef.

Anton Tchekhov

Première partie

1

Au commencement de tout

Lakehurst, New Jersey, 1ᵉʳ septembre 1929

Un rectangle de blé écrasé leur faisait un lit à baldaquin.

Ils étaient allongés l'un près de l'autre. Les quatre côtés de ce lit étaient drapés de l'or des blés. Partout ailleurs les champs infinis se tenaient bien debout sous le soleil. On voyait le dirigeable posé sur la terre à deux kilomètres de là, comme une goutte d'argent tombée dans l'herbe.

Elle avait peut-être douze ans et lui quatorze. Elle l'avait suivi en courant à travers les blés qui se refermaient derrière eux.

– Va-t'en ! criait-il.

Elle ne comprenait pas où il allait.

Ils étaient maintenant blottis sur le sol, face à face. Elle pleurait.

– On se cache ? Pourquoi se cacher ?

Vango posa deux doigts sur la bouche d'Ethel.

– Chut… Il est là. Il me suit.

Les épis ne bruissaient même pas. Le silence était absolu. Mais il y avait la note continue de l'été, cette note grave qu'on pourrait appeler le bruit du soleil. Vango avait le regard fou.

– Dis-moi ce qui se passe…, murmura-t-elle.

La terre desséchée buvait le petit trait de larme d'Ethel.

– Il n'y a personne… Je ne te reconnais plus, Vango. Qu'est-ce que tu as ?

Ethel ne le connaissait que depuis vingt jours à peine, mais il lui semblait que cette rencontre était au commencement de tout et que, de son existence entière, elle n'avait jamais connu quelqu'un d'autre.

Vingt jours. Une éternité passée ensemble. N'avaient-ils pas eu le temps de faire le tour du monde ?

Ils en avaient même oublié les autres passagers du Graf Zeppelin, la foule à chaque escale, les journaux du monde entier qui parlaient de l'aventure du grand dirigeable, le magnésium des flashes en pluie blanche sur eux…

Dans leur esprit, c'était comme s'ils avaient volé seuls pendant tout ce temps. De New York à l'Allemagne, puis sans escale jusqu'au Japon. Après cinq jours à se perdre dans Tokyo, ils avaient enjambé en trois jours le Pacifique, ils avaient survolé dans un essaim de petits avions la baie de San Francisco au coucher du soleil, ils avaient été ovationnés à Los Angeles, à Chicago, et s'étaient enfin posés à Lakehurst tout près de New York.

Il fallait au moins une vie entière pour cela. Ou peut-être deux vies collées l'une à l'autre ?

– Je t'en supplie, souffla-t-elle. Dis-moi de quoi tu as peur. Je peux t'aider.

Il appuya à nouveau sa main ouverte sur les lèvres d'Ethel. Il venait d'entendre un craquement, comme le déclic d'une arme qu'on charge.

– Il est là.

– Qui ?

Ethel se laissa glisser sur le dos.

Vango n'était plus le même.

Trois semaines plus tôt, ils ne se connaissaient même pas. C'était dans le ciel de New York, la première nuit du voyage. Ethel aurait aimé y être à nouveau et tout revivre éternellement, seconde après seconde, en commençant par les premiers mots :

– Tu ne parles jamais ?

Bien sûr, elle n'avait rien dit, c'était sa réponse à toutes les questions du monde depuis cinq ans. Elle s'était penchée avec son verre d'eau à la fenêtre. Ils étaient cent mètres au-dessus des plus hauts gratte-ciel. La nuit verticale étincelait sous eux. Elle ne chercha même pas à savoir qui s'adressait à elle.

– Je t'ai vue avec ton frère, dit-il. Tu ne dis jamais un mot. Il s'occupe bien de toi pourtant.

Cette fois, en tournant la tête, il découvrit ses yeux verts posés sur lui.

Tous les autres passagers dormaient. Elle était sortie de sa cabine pour boire de l'eau et elle avait trouvé ce garçon, assis dans l'ombre, dans la petite cuisine du dirigeable. Il épluchait des pommes de terre. Il devait travailler là comme garçon de cuisine.

Elle alla vers la porte pour sortir et rejoindre sa cabine. Elle entendit une dernière fois :

– Si tu veux, je suis là. Je reste là. Si tu ne dors pas, je m'appelle Vango.

Ces derniers mots étranges l'arrêtèrent dans son élan. Elle se les répéta.

« Et si je m'endors, est-ce qu'il s'appellera encore Vango ? » pensa-t-elle. Elle le regarda à nouveau, malgré elle. Elle vit qu'il épluchait ses pommes de terre comme des pierres précieuses, avec huit faces parfaites. Elle vit surtout qu'il ne ressemblait à rien ni personne de ce qu'elle connaissait. Elle sortit de la pièce.

Le zeppelin était déjà loin de la côte. Manhattan n'était qu'un souvenir lumineux dans le ciel.

Vango dit :

– Moi aussi, tu sais, j'ai prononcé très peu de mots dans ma vie. C'est ton silence qui me rend bavard.

Elle fit un sourire qui la trahissait.

Parce que, oui, elle était revenue quelques minutes plus tard dans la cuisine. Elle s'était assise sur une caisse, comme si elle ne le voyait pas. Il chantonnait quelque chose dans une langue inconnue.

Vango ne se souvenait même plus de ce qu'il raconta pour meubler la nuit. Mais il ne cessa pas de parler jusqu'au matin. Il était peut-être parti de la pomme de terre qu'il tenait entre ses doigts. Bouillie, sautée, rôtie, râpée, compotée, la pomme de terre l'émerveillait. Il la faisait même cuire parfois dans une boule d'argile qu'il brisait ensuite avec une pierre, comme un œuf. De la pomme de terre, il avait donc sûrement roulé vers l'œuf, puis vers la poule, et tout ce qui hante la basse-cour, parfume le potager ou le magasin des épices, tombe des arbres fruitiers avec un bruit d'automne. Il avait parlé de l'explosion des châtaignes, du chuintement des champignons dans la poêle. Elle écoutait. Il avait fait sentir le bocal des vanilles. Et il avait entendu le premier son de sa bouche, quand elle avait approché son visage pour respirer. Comme le gémissement d'un enfant qui se retourne dans son sommeil.

Ils s'étaient même regardés une seconde en silence. Elle paraissait surprise.

Vango continua donc. Plus tard, il vit que le petit fagot de cannelle mouillait les yeux de la jeune fille, et que même l'odeur âcre du levain sur la planche faisait se lever quelque chose d'autre dans ses souvenirs.

Il la voyait se fendiller.

Le lendemain, en passant le trente-cinquième méridien, Ethel avait dit son premier mot :

– Baleine.

Et il y avait bien sous eux une île blanche qui dérivait et que même les pilotes du zeppelin n'avaient pas vue. Une île blanche qui devenait grise quand elle se soulevait de l'écume.

Après ce mot, il y eut le mot « tartine », le mot « Vango », et d'autres de ce genre, ces sons qui remplissent les yeux et la bouche. Cela dura presque deux semaines. Ethel sentit revenir la vie, comme on recouvre la vue. Son frère Paul, attablé avec les autres passagers, la regardait guérir. Il n'avait plus entendu le timbre grave de la voix d'Ethel depuis la mort de leurs parents.

Mais, pendant ce tour du monde, juste avant de quitter le Japon, le 21 août, c'est dans le regard de Vango qu'elle vit quelque chose se fêler. Que s'était-il passé ce soir-là ?

Ethel se rappela soudain que les rêves avaient une fin.

Maintenant, ils étaient allongés dans cette cage de blé et de soleil. Ils auraient dû se sentir si proches, tous les deux, d'être enfin si loin des autres, ce matin-là. Mais elle percevait surtout le tremblement de la main de Vango quand elle approchait héroïquement la sienne.

– Le ballon va partir. Il faut que tu y ailles, chuchota Vango.

– Et toi ?

– Je te rejoindrai.

– Je reste avec toi.

– Va-t'en.

Elle se redressa. Vango lui attrapa le bras.

– Marche en te baissant vers le dernier rang de blé, là-bas. Puis cours jusqu'au zeppelin.

– Qu'est-ce que c'est ?

Un objet avait glissé par terre, derrière Vango.

Il le ramassa sur le sol et le remit sous sa ceinture dans son dos. C'était un revolver.

– Tu deviens fou, dit Ethel.

Vango aurait préféré l'être. Il aurait aimé avoir tout inventé. Que l'ennemi invisible qui avait tenté de le tuer, par trois fois depuis une semaine, n'ait jamais existé et que les cheveux d'Ethel puissent balayer ces ombres en embuscade autour de lui.

Alors Ethel se détacha de ses mains. Elle s'éloigna un peu et murmura :

– Tu m'as promis. Tu te rappelleras ?

Il acquiesça, les yeux perdus.

Elle disparut dans la forêt de blés.

Quand elle eut marché dix minutes, les cheveux collés aux joues et aux yeux, elle entendit deux coups de feu lointains, derrière elle. Elle se retourna. La flaque d'or était immobile, comme à marée basse. Ethel ne savait même plus d'où elle était partie, ni d'où avait surgi ce bruit.

De l'autre côté, le hurlement de la corne du dirigeable l'appelait. Ethel tourna sur elle-même, incapable de décider ce qu'elle devait faire puis, pensant au regard suppliant de Vango, elle se remit en marche vers le zeppelin.

La voix du commandant Eckener faisait vibrer les vitres de la cuisine.

— Où est-il, le Piccolo ? Qu'est-ce que vous en avez fait ?

Le cuisinier Otto Manz haussa les épaules et fit disparaître tous ses mentons dans son col. Il se lamentait :

— À minuit encore, il était là, il me préparait une sauce. Goûtez-moi ça.

Il tendit une cuillère en bois fumante que Hugo Eckener repoussa.

— Je ne vous parle pas de vos sauces ! Je vous demande où est Vango.

La cuisine était à l'avant du dirigeable. Le géant de toile tirait sur ses amarres. Il s'apprêtait à quitter l'Amérique. On aurait pu aligner dans son corps dix caravelles comme celles de Christophe Colomb.

Un officier pilote apparut à la porte.

— Il manque aussi deux passagers.

— Qui ? rugit Eckener.

— Ma petite sœur, Ethel, dit un homme de vingt ans, entré derrière l'officier.

– Ce n'est pas une colonie de vacances, nom de Dieu ! C'est le premier tour du monde dans les airs ! Et nous avons une heure de retard. Où sont ces gamins ?

– Là ! cria le cuisinier en regardant par la fenêtre.

Ethel venait de fendre la foule qui entourait le ballon. Son frère, Paul, se précipita vers la fenêtre. Elle était seule.

– Faites-la monter ! ordonna le commandant.

On la hissa en lui tendant les mains parce qu'il n'y avait déjà plus l'escalier d'accès. Paul l'accueillit sur le seuil.

– Où étais-tu ?

Ethel mit les poings dans ses poches. Elle regardait son frère. Elle se sentait en équilibre sur un passage étroit. À cet instant, elle pouvait choisir de replonger dans le bloc de silence où elle avait vécu avant Vango, elle pouvait aussi s'aventurer seule sur un nouveau chemin.

Paul sentait ce vertige de la jeune fille et la regardait comme une chatte sur une verrière fragile, qu'on n'ose même pas appeler.

– Je me promenais, dit Ethel.

Eckener surgit à cet instant.

– Et Vango ?

– Je ne sais pas, répondit Ethel. Je ne suis pas la gardienne de Vango. Il n'est pas là ?

– Non, il n'est pas là ! dit le commandant. Et il n'y sera plus jamais. On part.

– Vous n'allez pas partir sans Vango ? s'écria le cuisinier.

– Il est viré. C'est fini. On s'en va…

La voix d'Eckener s'était brisée. Ethel détourna les yeux. Les ordres rebondissaient vers la cabine de pilotage. Otto Manz se laissa tomber contre la cloison.

– Vango ? Mais vous n'êtes pas sérieux ?

– Je n'ai pas l'air sérieux ? hurla Eckener, les sourcils en bataille.

Le cuisinier, la cuillère en bois toujours à la main, dit en s'étranglant :

– Goûtez au moins sa sauce…

Comme si le goût de la truffe pouvait renverser le destin. Mais Eckener avait déjà disparu. On entendit alors résonner la voix de Kubis, le maître d'hôtel :

– Le voilà !

Ethel bondit dans le couloir, vers la salle à manger. Elle poussa les voyageurs qui s'agglutinaient à la fenêtre. Elle fouilla du regard la prairie, couverte de soldats et de badauds.

– Le voilà, répéta Kubis, à la lucarne voisine.

Ethel vit alors, un peu plus loin, un homme qui courait en faisant de grands gestes.

– C'est M. Antonov.

Boris Petrovitch Antonov manquait aussi à l'appel.

– Il est blessé.

Il avait enveloppé son genou dans un foulard et il boitait.

Cette fois, on remit en place l'escalier de bois blanc pour l'aider à embarquer. Le retardataire expliqua qu'il avait glissé dans un terrier de renard en s'éloignant pour prendre une photo.

Ses yeux ne quittaient pas ceux d'Ethel.

Boris Antonov avait des petites lunettes en fil de fer et un teint de cierge. Il voyageait avec le docteur Kakline, un savant russe, envoyé officiel de Moscou pour surveiller la traversée de l'Union soviétique. Quinze jours plus tôt, Eckener avait décidé de contourner par le nord la ville de

19

Moscou où des dizaines de milliers de personnes attendaient inutilement. Le docteur Kakline s'était mis dans des colères sibériennes. Mais il en aurait fallu davantage pour déraciner Hugo Eckener.

Kakline s'occupait maintenant de son compatriote Antonov. Il ne regardait même pas son genou dont le pansement était taché de sang. Il l'assaillait de questions à mi-voix. Kakline avait l'air satisfait de l'issue de cette aventure. Il disait «*Da, da, da…*» et pinçait la joue de Boris Antonov comme celle d'un bon soldat.

Tous les voyageurs sentirent la poussée de l'envol. C'était le moment le plus émouvant. Cet instant où le navire volant s'arrachait des cris de la foule et gagnait lentement les couches silencieuses de l'air.

Le vieil Eckener était dans son petit fauteuil de bois à tribord, près des vitres de la cabine de pilotage. Un peu de tristesse voilait ses yeux bleus. Il pensait à Vango, ce garçon de quatorze ans, qui venait de passer presque un an à bord du Graf Zeppelin. Très tôt, il avait deviné le destin insaisissable de celui qu'il appelait Piccolo. Mais il n'avait pu s'empêcher de s'attacher à lui. Depuis le début, il redoutait le jour où Vango se volatiliserait.

Eckener regardait les blés. Le ballon s'était déjà élevé de deux cents mètres. Il avait laissé derrière lui la fourmilière des hangars de Lakehurst. Il n'y avait plus que les blés. Et quand il vit, en dessous de lui, la brume légère, l'étendue jaune, la course d'un enfant parmi les épis, Eckener retrouva son sourire. Il rangea cette vision avec toutes les autres… Le Sahara qui se jette dans l'océan du haut des falaises, le quadrillage des jardins de Hokkaido au Japon, la pleine lune sur les forêts noires de Sibérie. À chaque fois : le miracle. C'était comme si, pendant tout l'été, on avait oublié de moissonner pour rendre possible le sillon d'un enfant courant sous le ballon en fendant les blés.

Ethel était dans sa cabine. Penchée au carreau, elle ne quittait pas des yeux ce point qui se déplaçait sur la terre, sous elle. Ses mains étaient posées sur la vitre. La course folle du point bleu perdait lentement du terrain sur l'ombre du ballon. Ethel, le cœur battant, se penchait toujours plus pour ne pas le perdre de vue.

— Vango, chuchota-t-elle.

Au même instant, derrière la cloison, debout dans la cabine voisine, le docteur Kakline laissa tomber sa coupe de champagne.

Le cristal explosa sur l'angle d'une tablette. Ce qui fit se redresser, à côté de lui, son camarade Antonov.

— Tu es bien sûr de ce que tu m'as dit ? murmura Kakline en entrouvrant la fenêtre avec les doigts.

— Pourquoi ? demanda Boris Antonov.

— Je t'ai posé une question, dit Kakline qui observait toujours le sol.

Boris bredouilla :

— Je… Je n'ai pas eu le temps d'aller jusqu'au corps. Mais…

— Comment ?

— Mais je l'ai vu tomber.

— Tu n'as pas vérifié ?

— Le zeppelin allait partir sans moi…

Le point bleu disparut. Kakline serra les dents.

— Incapable !

Épuisé, les jambes fouettées par sa course dans le champ, Vango s'arrêta. Il se courba et mit les mains sur ses genoux en suffoquant. Le ronflement des moteurs s'éloignait. Vango se redressa lentement. Des yeux, il ne lâcha plus l'horizon jusqu'au retour du silence.

2
Le cadavre du Blue Comet

Au même endroit, sept ans plus tard, mai 1936

Des entrepôts déjà rouillés remplaçaient les champs de blé, mais Vango reconnut la terre noire entre ses doigts. Il s'était accroupi à l'endroit précis où il avait vu disparaître Ethel des années auparavant.

La fuite avait commencé là.

Sept ans plus tard, il ne connaissait toujours pas le visage de ses ennemis.

Le jour n'était pas encore levé. Vango était arrivé à New York par la mer, la veille au soir, avec un billet de troisième classe. Il avait filé vers Lakehurst où devait se poser pour la première fois le Hindenburg, nouveau monstre volant de la maison Zeppelin.

Vango voulait parler à Hugo Eckener.

Il y a des hommes dont l'agenda s'affiche en lettres capitales sur les kiosques. Pour savoir où les trouver, il suffit d'écouter crier les vendeurs de journaux dans la rue : « Eckener à New York avec son Hindenburg ! Demandez le *Post* ! »

Venu de Sicile, Vango avait pris le bateau au Havre avec

Ethel. La jeune fille l'avait quitté pour rejoindre l'Écosse pendant l'escale de Southampton. Vango, lui, était parti vers l'Amérique.

Ethel ne comprenait pas pourquoi il l'abandonnait là, sur le quai, alors qu'ils s'étaient perdus si longtemps. Elle grelottait sous la pluie. Il n'était même pas capable de dire ce qu'il allait faire. Cette fois, il n'avait rien promis, il se taisait, les cheveux ruisselants. Ethel lui tourna le dos. La corne du bateau sonnait la fin de l'escale.

Pas d'adieux. La même scène, éternellement. Il se souviendrait toujours avoir vu sous la capuche du manteau d'Ethel, dans ses yeux, une sorte de menace. Elle ne promettait rien non plus.

À l'ouest, la nuit s'accrochait encore. Le dirigeable n'arriverait pas avant une ou deux heures. Il faisait frais. Au loin, le champ d'atterrissage était désert. Vango s'allongea sous les dernières étoiles.

À travers la vitre d'une baraque en tôle, un homme en noir l'espionnait.

Des mouettes silencieuses tournaient au-dessus de Vango. Déjà, sur le pont du paquebot *Normandie*, à l'approche des côtes, de petites escadrilles veillaient sur lui comme elles auraient suivi le laboureur ou le chalut. Elles l'avaient maintenant retrouvé, malgré l'obscurité, au milieu de ces hangars très éloignés de la mer. Cinq ou six mouettes qui jouaient les oiseaux de nuit. Vango s'endormit, hypnotisé par le clignotement des ailes blanches.

L'homme en noir attendit un peu et sortit de sa cachette, enveloppé dans un manteau de brigand. Il s'approcha du garçon, se pencha vers son visage endormi. Les oiseaux inquiets resserrèrent leur surveillance. L'homme leva les yeux vers cette ronde de nuit, puis il dénoua les chaussures de Vango. Il les mit dans ses poches à gibier et s'en alla.

Quand la lumière du jour le réveilla, Vango crut qu'un orage allait éclater. À travers ses paupières entrouvertes, il voyait passer un ciel de tempête. Il se hissa sur les coudes, découvrit que ses chaussures n'étaient plus là. Il fouilla l'herbe autour de lui. Il vérifia sa ceinture et sentit sous ses doigts le bourrelet de tissu qu'il cherchait avec les pierres précieuses. On ne lui avait donc volé que ses vieilles chaussures. Rien d'autre.

Il bascula la tête pour mesurer la menace. Le ciel gris et ses reflets de mercure traînaient avec eux un ronflement. Mais ce ciel était poussé par quatre moteurs énormes, il devait contenir plus de cent personnes… C'était le dirigeable Hindenburg qui arrivait d'Europe.

Vango se leva, ébloui. Quand il avait voyagé à bord du Graf Zeppelin avec Ethel, en 1929, il n'aurait jamais pu imaginer qu'un jour, le commandant Eckener ferait monter dans les airs un dirigeable infiniment plus grand et lourd, avec un fumoir à porte tournante et un piano en aluminium tendu de cuir jaune. Mais les rêves d'Eckener auraient pu faire s'envoler des montagnes.

Vango courait pieds nus vers le champ d'atterrissage.

Il y avait une foule dense autour des barrières. Des colonnes de curieux continuaient à affluer. Passant au milieu d'eux, Vango ne reconnaissait pas l'exaltation qu'il avait vue autrefois. Quelque chose semblait ternir la joie folle, enfantine, qu'il avait toujours connue près du zeppelin. On entendait autour de lui un silence surprenant dans lequel résonnaient les ordres donnés aux marins qui se mettaient en place pour attraper les cordes du ballon.

Vango savait ce qui avait changé.

Quelques semaines plus tôt, on avait beaucoup parlé de la propagande déversée sur l'Allemagne par le nouveau ballon Hindenburg. Les tracts à l'effigie de Hitler jetés sur toutes les provinces, les haut-parleurs hurlant des chants nazis : ce barnum effrayant avait sali l'image du dirigeable, jusqu'en Amérique. Et, malgré les embruns de la traversée, le cercle qui entourait la croix gammée sur le flanc du zeppelin luisait déjà de la couleur du sang.

Le ballon s'était immobilisé. La passerelle sortit de ses entrailles. Vango reconnut le capitaine Lehmann qui se posta à l'entrée pour saluer ceux qui commençaient à descendre. Quand ils apparaissaient en haut des marches, les passagers jetaient sur la foule un œil d'aventuriers victorieux. Et même avec leurs chemises blanches sans un pli, leurs impeccables coiffures ou leurs escarpins perchés, ils avaient en effet l'air différents du reste de l'humanité, comme revenus d'un autre monde.

C'était le sortilège de cette machine volante.

Vango avait décidé de laisser se disperser les gens avant d'approcher Hugo Eckener.

Une femme blonde était en train de descendre l'escalier. Elle était suivie de deux jeunes gens qui ressemblaient à des grooms d'hôtel, portant ses valises et ses fourrures. Vango la suivit des yeux. À mille dollars le billet, il était rare de voyager en zeppelin avec ses valets de pied. On les faisait plutôt suivre dans les soutes d'un cargo avec la cage des perruches et les douze malles de garde-robe.

Un autre passager lui vola aussitôt la vedette en attirant les photographes. On murmurait son nom. C'était un chanteur célèbre qui revenait d'une tournée européenne. Il avait sur les lèvres un sourire de réclame. Vango fut emporté sans s'en rendre compte par la cohue. Pris dans le tourbillon des journalistes et des curieux, il se sentit presque décoller du sol. Un barrage de policiers essayait de protéger l'idole, mais la mêlée glissait sur ce cordon et tournait autour avec violence.

Vango se laissa entraîner comme un bouchon de liège. Au milieu de cette bagarre, un visage surgit et disparut aussitôt.

Sidéré, Vango avait juste eu le temps de le reconnaître. Il donna des coups de coude dans tous les sens pour remonter le courant. Le visage restait précisément gravé dans sa mémoire.

L'homme avait taillé sa moustache en forme de crocs, ses favoris cachaient une partie de ses joues, il portait un feutre brun sur les yeux, mais c'était lui.

Zefiro.

Vango avait reconnu son ami, le père Zefiro, supérieur du monastère invisible de l'île d'Arkudah, qui, depuis des mois, avait mystérieusement abandonné les siens sans laisser d'adresse.

– Le padre ! murmura Vango.

Il reçut deux coups sur la tête et se laissa glisser sur le sol.

Il ne put alors compter que sur le phénomène sur lequel travaillait au même moment, quelques kilomètres plus à l'ouest, dans l'Indiana, l'ingénieur John W. Chamberlain, libérateur des ménagères, qui finissait de construire la

27

première machine à laver entièrement automatique : cette force qu'on appelle centrifuge. Le tourbillon emporta lentement Vango vers l'extérieur et le fit rouler dans l'herbe, plus blanc que blanc.

En rouvrant les yeux, il vit un manteau passer derrière une automobile. Vango reconnut le chapeau de feutre et se lança à sa poursuite.

Zefiro… Il ne pouvait pas le laisser à nouveau disparaître.

Des autobus Chevrolet se remplissaient de passagers. Vango s'approcha. Il vit Zefiro suivre en courant une belle voiture à capote mauve puis sauter dans un des bus. Vango monta dans le suivant. Le convoi était ralenti par le flot des piétons. Les Klaxon retentissaient et les bus jaunes se balançaient, secoués par la piste irrégulière. Une fois sortis de l'étendue d'herbe, ils retrouvèrent les délices de l'asphalte.

Son voisin de banquette regardait avec méfiance les pieds déchaussés de Vango. L'homme gardait les mains plaquées contre ses poches, de peur qu'on ne lui vole sa montre à gousset. Le voyageur ne pouvait imaginer que ce mendiant aux pieds nus, Vango, avait sur lui, cousu à la ceinture, un sachet de rubis qui suffisait à racheter toutes les usines de souliers de la côte est.

Le trajet ne dura pas longtemps. À sept heures quinze du matin, les Chevrolet jaunes arrivèrent devant la gare de Lakehurst. Quelques passagers en descendirent. Vango repéra parmi eux le chapeau de feutre et le manteau. Il suivit. Sous l'horloge de la gare était rangée l'automobile mauve.

Zefiro l'examina et pressa le pas. Elle était vide. Il entra dans le hall, inspecta du regard la salle d'attente et passa sur le quai. Des coups de sifflet résonnaient dans toute la gare. Le Blue Comet était sur la première voie. Il s'en allait, enveloppé de vapeur.

C'était un magnifique train bleu, beau comme un jouet, avec les fenêtres laquées de jaune crème. Quand Vango surgit sur le quai, il eut seulement le temps de voir le padre sauter dans le train en marche. Vango bouscula le chef de gare qui se mettait en travers de son chemin. Il courut, toujours pieds nus. Deux autres employés traversèrent les voies pour essayer de l'attraper.

– On ne monte pas en marche, monsieur !

Le dernier wagon était loin devant lui. Des nappes de fumée empêchaient de voir où s'arrêtait le quai. Vango accéléra encore et sauta sur le tampon arrière du wagon. Il était temps. Le quai s'était dérobé sous ses pieds.

Au même instant, l'automobile mauve rutilante explosa d'un coup sous l'horloge. Une immense déflagration fit sauter toutes les vitres de la gare.

Vango s'accrochait à son train, laissant derrière lui un vacarme de cris et de sifflets. Il vit seulement la fumée noire qui se soulevait derrière les quais.

Vango ne comprenait rien. Depuis ses quatorze ans, il avait l'impression de tirer derrière lui une longue traîne de dangers et de drames. Le monde explosait après son passage. Il ne laissait que des cendres.

Une nuit, pendant la traversée en paquebot, il était resté trois heures sous la pluie, sur le pont désert, les bras tendus vers le ciel, croyant qu'il pourrait se laver de cette malédiction. Deux vieilles femmes étaient venues le ramasser le matin. C'étaient deux veuves danoises qui voyageaient ensemble. Elles le grondèrent et lui laissèrent toute la journée leur cabine pour qu'il se réchauffe.

– Idiot ! Irresponsable !

Elles lui firent boire du thé jusqu'à le faire éclater et lui frottèrent le dos avec des cataplasmes de moutarde chaude.

– Écervelé !

Jamais la colère de quelqu'un n'avait fait autant de bien à Vango.

Le Blue Comet était un train luxueux qui rejoignait New York à vive allure. Il avait eu son heure de gloire. La grande crise de 1929 avait rendu ses trajets moins fréquents mais, ce matin-là, tous les sièges étaient occupés. Vango traversa les wagons les uns après les autres. Il portait une casquette grise en velours. Il avait retiré sa veste qu'il tenait sur son bras. Impossible de le remarquer, à condition de ne pas regarder ses pieds.

Personne à bord ne s'était rendu compte de l'explosion. Les passagers lisaient en silence ou dormaient, appuyés contre les vitres.

Vango cherchait le père Zefiro. La dernière fois qu'il l'avait croisé, dans la gare d'Austerlitz, à Paris, le padre ne l'avait même pas reconnu. Depuis ce jour, l'homme n'avait plus donné signe de vie, porté disparu pour le monde.

Tout près de là, dans le wagon de tête, une femme se prélassait sur une banquette de première classe. Elle avait privatisé les deux compartiments du fond et posté un homme armé dans le couloir. Même le contrôleur avait reçu d'elle une liasse de dollars pour qu'on ne la dérange pas. Elle portait une fourrure angora sur son épaule et la caressait parfois avec l'oreille.

C'était la femme aux deux grooms. Elle les avait laissés dans le compartiment voisin auprès des hommes en complet-veston qui lui servaient de gardes du corps. En face d'elle, sur la banquette, deux autres gaillards patientaient dans le même uniforme, le chapeau sur les genoux.

– Je m'absente pendant deux mois, maugréait-elle, et rien n'a avancé ?

Les deux hommes ne bougeaient pas.

– Répondez, Dorgelès !

Celui qui s'appelait Dorgelès ne répondit pas, mais son énorme voisin entrouvrit la bouche.

Elle lança un « Ksss… » sauvage pour le faire taire. Ce qui fit onduler, sur son épaule, la fourrure de laquelle jaillirent deux yeux bleus. C'était un chat. Elle pencha lentement la tête pour le rendormir.

Dorgelès savait de quoi était capable celui qui se cachait sous ce déguisement de femme. Il fallait calmer Voloï Viktor.

– Madame Victoria… Nous allons le trouver. Nous savons qu'il vous cherche. C'est lui qui viendra à nous.

Elle agita la main comme si la voix de Dorgelès risquait encore de réveiller le chat. Puis elle chuchota :

– Je ne dors plus un instant. Je sais que Zefiro me suit… Je sens son odeur.

– Faites-nous confiance. Nous sommes là pour vous protéger.

– Vous sentez, Dorgelès ? Cette odeur de soufre ?

Elle délirait.

– Vous devez nous faire confiance. Vous vous mettez en danger en changeant si souvent de programme…

– Sentez, Dorgelès…

Il n'avait jamais été prévu que Voloï Viktor voyage en zeppelin. Ni maintenant en train. D'une méfiance maladive, il avait soudainement fait arrêter sa grosse voiture mauve devant la gare pour prendre le Blue Comet.

– Je le sentais, couina Mme Victoria, je le sentais derrière moi. Toujours. Zefiro veut ma peau.

– Vous n'aviez rien à craindre dans cette automobile. Il vous a même ratée au Sky Plaza, au mois de mai.

Elle pointa un ongle bleu sur Dorgelès.

– C'est vous qui l'avez raté au Sky Plaza ! Vous !

Le chat émit un feulement. Dorgelès baissa les yeux. Il se souvenait du soir, à New York, où il s'était retrouvé saucissonné dans le coffre de sa voiture avant même de s'en rendre compte.

À côté de lui, dans le compartiment, le grand Bob Almond, un Américain de Chicago qui n'avait pas été recruté pour la qualité de sa conversation, commençait à charcuter son chapeau avec ses doigts.

– Tu peux rejoindre les autres, dit Dorgelès.

Bob se leva, écrasa sa tête sur le plafond. Il fit une petite courbette polie, et se cogna la nuque contre le filet à bagages en se redressant.

Quand il fut enfin sorti, Mme Victoria leva les yeux au ciel.

– Je ne prendrais même pas celui-là pour racler mes bottes à la chasse. Vous les choisissez comment, vos primates ?

Ils restèrent quelques minutes en silence. Mme Victoria posa sa tête contre la vitre. Ses yeux erraient sur le paysage. Comment aurait-on pu reconnaître sous ce masque de femme en pâmoison la folie de Voloï Viktor, marchand d'armes et assassin ?

– J'ai une nouvelle qui va vous intéresser, dit doucement Dorgelès pour se rattraper.

Mme Victoria ne bougea pas. Dorgelès poursuivit :

– Une nouvelle qui date d'hier soir. Vous savez que le compère de Zefiro, celui que nous avons photographié avec lui, a été identifié…

– Il s'appelle Vango Romano, dit-elle, accablée, en sortant un petit nécessaire de maquillage. Vous ne m'apprendrez donc jamais rien de neuf, Dorgelès ?

– Il est arrivé à New York hier soir par la mer.

Cette fois, un peu de curiosité perça sur le visage de Voloï Viktor. Il se regardait dans un miroir bordé de nacre.

– Comment le savez-vous ?

– J'ai un de mes hommes posté à la douane du port.

Voloï Viktor referma le miroir entre ses doigts. Il sortit un carré de cuir de son corsage. Il en tira deux photos, les rapprocha l'une de l'autre.

– Voilà. Vous dites enfin quelque chose qui m'intéresse… Je pense depuis longtemps que c'est par le petit qu'on trouvera le vieux.

Dorgelès ne s'accorda même pas un sourire de satisfaction. Il connaissait trop les revirements de son chef.

– Montrez à chacun de nos hommes cette photo.

Dorgelès acquiesça et se cala au fond de sa banquette.

– Maintenant ! hurla Viktor. Montrez-leur maintenant ! Je veux ce petit…

Dorgelès saisit la photo, se leva et sortit du compartiment.

Il n'y avait plus qu'un wagon à inspecter pour Vango. Une dernière chance de trouver Zefiro. L'ombre du contrôleur surgit devant lui à cet instant. Vango poussa une porte sur sa droite et s'y engouffra avant d'être vu. C'était le cabinet de toilette des premières classes. Un rideau masquait la lucarne. Il faisait presque noir. Vango ferma le loquet. L'oreille collée à la porte, il attendit que le contrôleur s'éloigne.

Lorsqu'il voulut faire un pas en arrière, il sentit une masse molle étendue sur le sol. Il se baissa dans la pénombre et posa sa main sur cette forme. Étouffant un cri avec son poing, il se plaqua contre le mur et arracha d'un coup le rideau.

Il y avait devant lui, entre le lavabo et la cuvette, un corps inanimé, presque nu, recroquevillé, la face contre le sol.

3

Orage sur les rails

– Padre ?

Vango attrapa la tête par les cheveux et la tourna vers la lumière.

Un instant il avait craint que ce soit Zefiro. Il eut honte de se sentir aussi soulagé. Il s'approcha lentement. L'homme était en caleçon et en maillot de corps. On voyait ses côtes se soulever. Il respirait encore. Vango s'était agenouillé à côté de lui. Aucun indice ne permettait de savoir qui il était. L'homme paraissait seulement endormi, la main droite refermée sur quelque chose. Vango se pencha encore. Il tenait entre ses doigts crispés une petite pince métallique.

« Un arracheur de dents ? » pensa Vango.

Il prit l'objet pour y chercher des taches de sang. Rien. Plus les pistes sont rares plus vite galope l'imagination. Vango commençait à envisager la vengeance d'un patient contre son dentiste, et d'autres scénarios macabres. Mais il comprit surtout qu'il lui fallait d'urgence quitter les lieux s'il ne voulait pas être accusé. Il se passa le visage sous l'eau, ouvrit le loquet, prit une profonde inspiration.

Vango poussa la porte.

Devant lui, prêt à entrer, se dressait Bob Almond, le cerbère de Mme Victoria. Vango devint très blanc, écarquilla les yeux.

Bob se tortillait sur le seuil. Son grand corps n'était visiblement pas à l'abri d'un petit besoin.

— Je vais prendre la place, dit-il.

Vango ne bougeait pas. Il tenait la porte bien fermée dans son dos. Bob se pencha sur lui.

— Malade ? demanda-t-il devant la pâleur de son visage.

— Oui, dit Vango. Malade…

Bob renifla un coup, comme s'il cherchait une preuve.

— Très malade, répéta Vango.

Bob Almond recula d'un pas pour éviter une catastrophe. Vango en profita pour bondir à nouveau dans les toilettes et s'y enfermer.

Il fit quelques borborygmes explicites, supplia à travers la porte :

— Revenez dans cinq minutes, je vous en prie.

Il entendit l'homme s'éloigner dans le couloir.

Vango était au fond de ce réduit, grelottant de peur. La nausée commençait à monter tandis qu'il sentait à ses pieds, dans la moiteur de l'air, le corps de l'arracheur de dents se mettre à bouger.

Quand Bob Almond se posa sur la banquette de son compartiment avec ses trois camarades et les deux grooms, il était lui-même étonné de sa patience. Les yeux dans le vague, il repensait à ce qu'il venait de faire. Sa propre délicatesse l'inquiétait. La prochaine fois, parole d'Almond, il enverrait ce type régler ses problèmes sur les rails.

– Dorgelès est passé, dit l'un de ses compères. Il a demandé où tu étais.

Bob ne répondit pas.

– Le patron dit qu'il faut qu'on trouve *ça*.

Bob ne vit même pas le carré de papier glacé qu'on lui tendait. Il était trop concentré sur ses urgences. Il sortit sa montre pour savoir quand il pourrait à nouveau tenter sa chance au lavabo des premières classes.

L'autre continuait :

– C'est la nouvelle cible.

Bob finit par prendre mécaniquement la photo de Vango Romano.

– Je te préviens que madame le veut vivant, précisa son voisin.

– N'en demande pas trop à Bob, dit un des hommes, qui dormait sous son chapeau.

Ils s'esclaffèrent. Pendant cette petite conversation, Bob Almond contemplait la photo. L'image avait eu le temps de faire trois ou quatre fois le tour de son cerveau gauche et elle commençait à lui rappeler confusément quelqu'un.

L'illumination lui vint d'un coup. Il se leva, emboutissant le plafond avec son crâne.

– Fumier !

Un sac de voyage tomba.

Il se précipita hors du compartiment, courut dans le couloir, arriva devant la porte des toilettes qu'il fit sortir de ses gonds d'un coup de botte.

– Fumier.

Dans l'ombre, il découvrit le blanc de deux yeux terrorisés.

Bob souriait. Il le tenait.

Les hommes arrivaient les uns après les autres. Ils virent Bob Almond surgir devant eux, remorquant par les cheveux une pauvre créature. Bob gloussait de joie.

– Le voilà, dit-il avec satisfaction. Appelez Dorgelès ! J'ai trouvé son type.

Mais celui qu'il tenait par le chignon ne ressemblait pas du tout à la photo de Vango. Vêtu seulement d'un caleçon et d'un maillot de corps fanés, il claquait des dents et les mots qu'il cherchait à dire coulaient sur son menton.

Voyant l'ahurissement dans le regard de ses amis, Bob Almond souleva sa prise jusqu'à ses yeux.

– Fumier ! rugit-il.

Il jeta l'homme au sol, retourna fouiller les toilettes.

– Mais où est-il ? Je vous jure que je l'ai vu.

Dorgelès apparut à ce moment-là. Bob hurlait :

– Il faut chercher dans les autres voitures. Il est à bord !

– Qui ?

– Lui !

Bob montra la photo.

– Inspectez tout le train ! ordonna Dorgelès froidement. Et trouvez-moi le contrôleur. Je veux parler au contrôleur.

Tous les hommes détalèrent vers le deuxième wagon.

L'homme en caleçon geignait sur le sol.

Vango marchait entre les rangs de voyageurs. Il ne voulait pas qu'on le remarque. Il se retournait de temps en temps, inquiet. Quand il vit, dix pas derrière lui, l'uniforme du contrôleur, il oublia toute discrétion et se jeta en avant dans l'allée. Le train penchait à cause d'un large tournant. On criait autour de lui. Il passait d'une voiture à l'autre, enjambant le fracas des voies, bousculant ceux qui croisaient son chemin. Une jeune fille atterrit sur les genoux d'un vieux rabbin. Un homme avec un couple de pigeons tomba assis sur sa cage, l'écrasa et libéra les oiseaux.

Dans un déluge de plumes, le contrôleur traversa la volière en se protégeant avec les bras. Il glissa sur une valise, se releva. Il semblait maintenant boiter un peu, la casquette à la main. Jamais, de mémoire de chemin de fer, on n'avait vu autant d'énergie chez un employé pour attraper un resquilleur.

À peine cette tornade fut-elle passée qu'une autre suivit, beaucoup plus rude. Les hommes de Voloï Viktor écrasèrent les débris laissés par les précédents. Personne ne comprenait rien à ce chaos.

Vango abordait déjà la dernière voiture du convoi. Le contrôleur, juste derrière, perdait du terrain sur les gangsters, mais il persistait en traînant sa cheville blessée.

Dorgelès n'avait pas quitté la voiture de première, à l'autre bout du train. Il gardait sa main sur son arme. Il était le seul, avec les deux porteurs de valises, à assurer maintenant la protection de Mme Victoria.

– J'ai payé le contrôleur pour boucler le wagon ! Où est-il, cet abruti ?

Il lança deux fusils aux jeunes grooms pour qu'ils montent la garde avec lui.

Vango arrivait en queue du train. Devant lui, trois portes s'ouvraient sur les voies. L'impasse. Il n'y avait plus rien à faire. Il savait qu'on l'accuserait de l'agression de l'arracheur de dents. Il était habitué. Le train approchait déjà de

New York, il passait sur un talus entre des potagers semés de cabanons gris. Des peupliers tremblaient au passage du Blue Comet.

Un cri. Il n'eut même pas le temps de se retourner. Il vit surgir la silhouette du contrôleur qui le serra dans ses bras et chancela avec lui vers une des portes. Vango se débattait. D'un coup d'épaule, l'autre fit s'ouvrir cette porte. Vango hurla. Le bruit était effrayant. Les rails filaient comme des éclairs. Ils allaient tomber.

Trois hommes venaient d'apparaître derrière eux. Le plus grand avait un colt dans la main droite.

– Ne bougez pas !

Le contrôleur n'hésita pas un instant. Il serra Vango encore plus fort et se jeta avec lui dans le vide.

On les vit rouler et disparaître derrière la butte de terre.

Bob Almond tira les sept coups de son colt au hasard dans les buissons, cria « fumier ! » deux ou trois fois pour le principe, puis il piétina sur le sol une casquette de cheminot avec des étoiles bleues.

À quelques wagons de là, Dorgelès s'égosillait toujours.

– Où est le contrôleur ? Où est le contrôleur ?

Il s'arrêta… Une voix faible lui répondait. Dorgelès baissa les yeux.

– Mais c'est moi… Je suis le contrôleur !

Par terre, l'homme en caleçon tendait la main vers lui. Il rampait comme un ver sur le plancher du couloir.

Vango ouvrit les yeux. Il était allongé au milieu des fraisiers en fleur. Un grand carré qu'il avait écrasé en roulant du haut des voies. Il avait dû perdre connaissance pendant plusieurs minutes. Le soleil frappait fort.

Il entendit un homme derrière lui.

– Je ferais bien de te casser la gueule, petit.

Le petit tourna la tête.

Celui qui était assis là, à peine froissé dans son étroit costume de contrôleur dont il avait défait les ourlets, c'était le beau, le ténébreux père Zefiro. Il était assis sur un seau renversé et il mordait dans une tomate presque verte. Un petit balluchon était posé devant lui.

– Tu m'as tout fait rater.

Il cracha la peau de la tomate.

– Dix-sept ans à le poursuivre ! Une vie !

Zefiro était là, à côté de lui, glacial.

– Une vie entière ! Et des dizaines d'autres, là-bas, dans le monastère invisible, qui sont en danger de mort à cause de toi. Bravo, petit.

Vango ne bougeait pas. Il ne parvenait pas à dire un mot. Il avait peur d'aggraver son cas, de faire encore d'autres victimes en prononçant une parole de travers. De provoquer un raz-de-marée en levant le petit doigt.

– Je t'ai demandé de t'occuper de mes affaires ? demanda Zefiro. J'allais enfin l'avoir !

– Qui ? interrogea Vango d'une voix faible.

– Voloï Viktor.

Vango se sentait perdu.

– Je... suis désolé. Vous non plus, il ne fallait pas vous occuper de moi.

– Ce sont eux qui allaient s'occuper de toi, Vango. Ils te cherchent aussi ! Ils veulent t'épingler à leur mur.

– Moi ?

Comme d'habitude, Vango ne savait plus s'il était la victime ou le coupable.

Ils restèrent ainsi ensemble à écouter le silence.

– Padre…

Zefiro ne répondit pas.

– Padre… vous m'avez sauvé la vie.

– Je le regrette déjà. C'était de la compassion stupide.

Vango baissa la tête. Le padre l'observait du coin de l'œil. Il laissa passer quelques secondes.

– Ils te veulent à cause de moi, dit Zefiro. Parce qu'ils t'ont vu à Paris avec moi. C'est aussi ma faute.

Vango se redressa. Son corps était moulu par la chute qu'il venait de faire. Il demanda :

– L'homme dans le cabinet des premières classes, c'est encore un mauvais coup de Voloï Viktor ?

– Non.

Zefiro haussa les épaules.

– Il me fallait un costume pour atteindre Viktor. On se débrouille comme on peut. Mais j'avais oublié la pince à composter. Je retournais la chercher quand je t'ai vu.

– Padre… Vous avez assommé le contrôleur ?

– C'était un pourri. Il s'est fait payer par Viktor. Je ne cherche pas à me trouver des excuses. J'assume tout. J'ai tenté de piéger deux de ses maisons, le mois dernier. Et ce matin, j'avais mis une bombe à retardement dans sa voiture…

Vango repensa à l'explosion et au nuage noir, lorsque le train avait quitté la gare.

– Tant que Viktor est en vie, expliqua Zefiro, mes frères

moines sont en danger dans leur île. Il cherchera le monastère jusqu'au bout.

Le padre prit une sauterelle entre ses doigts. Il comprenait la confusion de son ami.

– Tu n'es pas sûr de me reconnaître, Vango. Mais il n'y a pourtant qu'un seul padre Zefiro. Le même homme qui a bâti de ses mains le monastère d'Arkudah, qui chante la gloire de Dieu devant un plant de tomates, élève une couvée de moines au milieu de la mer, et qui traque Voloï Viktor. Le même homme, Vango. C'est pour rester cet homme que je fais cela.

Il regarda la sauterelle dans le creux de sa main.

– Et maintenant, dit-il, la même question, toujours… Depuis le premier jour… Qu'est-ce que je vais bien pouvoir faire de toi ?

Vango ferma les yeux. Il pensait au monastère accroché au sommet de l'île.

– Là-bas, ils se demandent tous ce que vous faites. Ils croient que vous êtes devenu fou.

Zefiro laissa s'enfuir la sauterelle, ramassa son balluchon et se leva.

– Je dois éliminer Viktor avant de rentrer à la maison.

Vango se leva aussi.

– On va où ?

Le père Zefiro marchait à grandes enjambées.

Ils s'arrêtèrent. D'un même mouvement, ils regardèrent les pieds nus de Vango.

– Un problème ?

– On me les a volées.

– Volées ?

43

– Oui, pendant que je dormais.

– Les gens sont fous.

Zefiro reprit sa marche le long des potagers fleuris. Il cria :

– Tu as de la chance !

Et, de très loin, il lui lança son sac.

– C'est quoi ?

Vango ouvrit le petit paquet. Enroulée dans quelques vêtements, il y avait une paire de souliers. Vango se dépêcha de les chausser.

– Merci, padre !

– J'espère que ça t'ira.

Vango marmonna pour lui-même :

– Qui peut voler des chaussures ?

– Peut-être quelqu'un qui voulait t'empêcher de le suivre, répondit Zefiro assez bas. Quelqu'un qui ne voulait pas que tu démolisses tout son travail.

Vango s'immobilisa. Il releva la tête, la baissa pour observer les chaussures, la leva encore pour regarder Zefiro au milieu des fleurs de cosmos. Oui, ces chaussures allaient à Vango. Elles lui allaient à merveille puisque c'étaient les siennes.

Zefiro riait.

– Padre…, murmura Vango.

Il ne pouvait pas le croire. Saboteur, poseur de bombe, assommeur de cheminot, voleur de chaussures, c'était beaucoup pour un seul ecclésiastique.

4
Deux vagabonds célestes

Ils s'en allèrent ainsi vers la grande ville. Zefiro boitait un peu. Vango grimpait sur les murets. Ils parlaient ensemble, ils avaient beaucoup à se raconter. On aurait dit deux pèlerins errants qui soulevaient la poussière du chemin, mangeaient les premiers fruits des jardins, se reposaient dans les arbres.

Le temps passa vite. Les maisons commençaient à se serrer autour de la route. Les immeubles grandissaient. Il leur poussait des étages. Les coins de verdure se faisaient plus rares. Les usines bourdonnaient. Les voitures obligeaient les piétons à marcher au fond des fossés. On voyait au loin la ligne bleue des gratte-ciel.

Vango se livra entièrement au padre. Il expliqua ce qu'il était venu faire en Amérique : trouver celui qui avait tué ses parents, tout là-bas, dans ses îles. Giovanni Cafarello. Cet homme qui s'était aussi approprié le mystérieux trésor en tuant l'un de ses complices, Bartolomeo Viaggi.

Zefiro découvrait cette histoire de pirates, de meurtres et de trésor. Une histoire comme celles qu'on raconte aux enfants. Il lui fit répéter le nom du criminel : Cafarello. Quand Vango disait ce mot, on croyait voir une lame d'acier sur sa langue, mais il ajoutait, les yeux brillants :

– Je le trouverai. Il me dira tout.

Et Zefiro comprit son ami. Vango ne désirait pas l'or et les pierres précieuses, ni vraiment le miel de la vengeance. Le seul joyau qu'il voulait, celui que détenait Giovanni Cafarello, c'était le secret de ce bateau, de cet homme et de cette femme qu'il avait fait sombrer au fond de la mer. Car Cafarello savait sûrement qui étaient les parents de Vango, de quelle étoile cet enfant était tombé, étourdi, sur les galets noirs de Sicile.

Vango au fond de lui ne cherchait que ce trésor-là, le secret de sa vie.

Ils s'arrêtaient parfois pour secouer les cerisiers. Ils se remplissaient les poches. Vango racontait à Zefiro ses derniers passages au monastère invisible, les moines désorientés, leur peur de l'avoir perdu à jamais.

– Le frère Marco ne sait pas s'il aura assez de forces pour vous remplacer.

Zefiro avait l'air d'écouter distraitement, mais il ne cessait de prier pour ne pas s'effondrer. Le monastère invisible avait été le combat de sa vie. Il se retrouvait maintenant bandit de grand chemin, père indigne, guerrier.

Parfois, il se cachait derrière une haie, comme s'il cherchait des baies sauvages, mais, quand Vango ne pouvait plus le voir, il se courbait en deux de douleur et de peine. Il avait abandonné tous les siens! Alors, il répétait en boucle les mots les plus simples, les prières de son enfance, et il réapparaissait plus loin, le visage impassible.

Plus tard, le long de leur route, Vango décrivit son existence de fugitif.

On ne le lâchait pas. Jamais. La nuit, le jour, ils étaient là, partout.

– Est-ce qu'ils s'arrêteront un jour, padre ?

Ils avaient même tenté d'écraser ses souvenirs en s'attaquant à la maison de son enfance, dans son île, en emportant sa nourrice, la douce Mademoiselle, arrachée par cette bourrasque. Où était-elle, maintenant ? Où ses mains faisaient-elles leurs tours de magie autour des flammes et des cuillères en bois ? Vango n'avait cessé de se poser la question, malgré sa fuite, malgré ses poursuivants de Londres… Car, même dans les rues de Londres, répétait-il à Zefiro, même dans les forêts des Highlands, il avait entendu les chiens derrière lui.

– Oui, les chiens, je vous jure que je les ai entendus hurler.

– Attention, l'interrompit Zefiro. La peur t'empêche de réfléchir.

Vango s'arrêta.

– Tu te crois poursuivi…, continua Zefiro.

– Quoi ?

Vango avait attrapé le manteau du padre. Il agitait la toile noire dans son poing.

– Vous aussi, vous me traitez de fou ?

C'était le long d'un mur de brique, à l'écart de la route. Les yeux de Vango étaient rouges. Zefiro, d'un geste tranquille, l'attrapa par la mâchoire et le plaqua contre un poteau télégraphique. Il le souleva légèrement pour qu'il soit sur la pointe des orteils, prêt à perdre pied, avec la crainte d'être pendu haut et court.

– Calme-toi, petit.

Il le lâcha brusquement. Vango s'effondra sur le pavé. Zefiro se frotta un peu l'épaule, comme après l'assaut d'un moucheron.

– J'ai dit que la peur t'empêche de réfléchir. Tu vas m'écouter ?

Vango acquiesça en reniflant.

Zefiro fit un pas en arrière, caressa sa moustache.

– Qui te dit que ce sont les mêmes personnes qui te poursuivent dans nos îles, à Londres ou dans les forêts d'Écosse ? Je t'ai expliqué que parmi ceux qui te traquent, il y a maintenant les hommes de Voloï Viktor. Et la police française te cherche aussi. Tu crois à une force obscure, un ennemi unique… Alors, tu n'as plus qu'à courir comme un mouton vers la falaise. Mais si tu te mets à réfléchir, si tu t'arrêtes, tu pourras enfin faire quelque chose.

Zefiro se baissa pour lui tendre la main et l'aider à se relever. Vango se laissa faire.

– Et elle ? Pourquoi tu ne me parles pas plutôt d'elle ?

Vango sursauta.

– Elle ?

Il s'immobilisa. Il n'avait jamais parlé d'elle. Comment Zefiro la connaissait-il ? Il avait l'impression que son secret se répandait autour de lui. Il retenait sa respiration pour ne pas le laisser s'échapper.

– On est presque arrivés, dit Zefiro.

Il souriait discrètement, laissant Vango le rejoindre sur la route.

Il avait posé la question au hasard, sans savoir. Mais cette curiosité le décevait rarement. Il y avait toujours quelque chose à remonter de cet hameçon qu'il lançait parfois. « Et elle ? » Même le plus vertueux de ses moines pâlissait. Et Zefiro était ému de ces yeux tout à coup brouillés, comme l'eau d'un marais, par cette ligne qu'il jetait.

Elle. Pour chacun, même pour Zefiro, les quatre lettres correspondaient à un être précis, parfois très lointain, un rêve, une ombre ou un regret.

Dans le froissement de ces robes autour d'eux, ils se turent jusqu'en plein cœur de la ville.

Le soir même les deux vagabonds installèrent leur campement au-dessus de Manhattan, dans les échafaudages d'une tour. Les nuages descendaient parfois jusque-là. Une résille de planches entourait ce gratte-ciel inachevé. Les ouvriers l'avaient déserté à cause de la chute de l'un des leurs. Zefiro en avait profité.

C'est là qu'ils établirent leur nid, à trois cents mètres au-dessus de la Cinquième Avenue. Il s'était mis à pleuvoir. Vango avait fait du feu dans une cuve en fonte trouvée sur le chantier, mais Zefiro restait sous la pluie de mai au bout d'une poutrelle à regarder la ville.

– Il est là, dit-il à Vango.

– Où ?

Zefiro montra le sommet d'une autre tour juste en face de lui. L'Empire State Building flamboyait sous les projecteurs. Mais ses fenêtres restaient souvent éteintes. Seule une longue rangée de baies vitrées brillait sous sa flèche.

– Il vit là.

Vango s'approcha.

– Il y a deux mois, continua Zefiro, j'ai cru que c'était fait. Je suis arrivé là-haut. Je croyais avoir tout prévu. Voloï

49

Viktor était dans cette suite au dernier étage, mais il s'est passé quelque chose.

– Quoi ?

– J'ai vu quelqu'un…

Vango attendait.

– J'ai vu quelqu'un et je n'ai plus été sûr de rien.

– Qui ?

– Tu ne le connais pas. L'ascenseur s'est arrêté un étage trop tôt, au quatre-vingt-quatrième étage. La porte s'est ouverte. J'étais armé jusqu'aux dents. Il y avait devant moi un homme qui attendait. Quand je l'ai vu, j'ai compris que je n'aurais pas Viktor ce jour-là.

– Dites-moi son nom.

Zefiro hésita.

– Il travaille avec le commissaire Boulard, à Paris… Il s'appelle Augustin Avignon. J'ai su qu'il allait aussi chez Voloï Viktor ou qu'il en revenait.

Vango connaissait ce nom. Ethel lui avait parlé d'Avignon.

Zefiro réfléchit quelques instants. Il reprit :

– L'ascenseur s'est refermé sur moi. Avignon est resté pétrifié sur le palier. Il m'a reconnu, j'en suis sûr. J'ai bloqué la cabine vingt centimètres avant l'étage de Viktor. Il tenait une réunion dans le salon juste devant la porte de l'ascenseur. J'entendais sa voix. Mais cette porte ne s'est jamais ouverte. J'ai redescendu les quatre-vingt-cinq étages. J'ai rangé mon artillerie lourde. Un enfant de la rue me servait de guetteur. Il est resté dans le coin les jours suivants. D'après lui, le lendemain, la protection de Voloï Viktor a été multipliée par dix.

– Alors…

– Avignon a parlé à Viktor. Il est avec eux. Le bras droit du commissaire Boulard est un traître. Je l'avais pressenti depuis longtemps.

– Boulard est au courant ?

– Boulard ? Je ne pouvais pas repartir pour Paris. Je lui ai tout écrit. J'espère que mon message est arrivé jusqu'à lui.

Zefiro regarda la tour illuminée. On voyait bouger le rideau de pluie dans les projecteurs.

– Si j'avais pris le risque de mourir ce soir-là, Avignon aurait pu continuer ses dégâts. Je sais maintenant comment Viktor nous a échappé de si nombreuses fois. Avignon n'était jamais loin.

– Vous avez tenté autre chose ?

– Non. Trois jours après, Voloï Viktor a quitté New York. J'ai attendu son retour jusqu'à ce matin.

Il pleuvait plus fort.

– J'avais un autre plan pour avoir Viktor. Celui-là aurait peut-être marché. Mais il aurait coûté très cher…

Zefiro se mit à rire. Les mouettes étaient de retour. Elles venaient frôler l'échafaudage.

– Regarde. Moi qui croyais que j'avais besoin de très peu pour vivre, cette fois, Vango, je n'ai plus rien du tout. Je ne pourrais même pas rentrer chez moi si je le voulais.

Il sortit une petite pièce de cuivre de sa poche, grande comme un bouton de chemise. Il la posa sur le dos de sa main.

– Même pas de quoi nourrir les oiseaux.

Il la jeta très haut devant lui. Les mouettes piquèrent vers le bas et se perdirent avec elle dans la nuit.

– Venez près du feu, padre.

Zefiro se retourna brusquement comme s'il se réveillait. Il sursauta en voyant le vide en dessous de lui. Lentement, il s'accroupit sur la poutrelle et vint vers Vango.

– Voloï Viktor. Je finis par ne penser qu'à lui, dit Zefiro. Qu'est-ce que je deviendrai quand mon ennemi ne sera plus là ?

Il baissa les yeux vers la rue, deux cents mètres plus bas.

– Et toi, Vango ?

Celui-ci attrapa sa main et l'aida à rejoindre le plancher. Zefiro soupira en le regardant.

– Notre colère nous maintient debout tous les deux. Et qu'est-ce qu'on fera, après ?

Vango ne savait pas répondre. Oui, à quoi ressemblerait la vie d'après ?

Ils se rapprochèrent du feu. D'énormes lettres en ferraille attendaient d'être posées sur la façade. Vango installa son lit sous la voûte du A.

Zefiro se coucha sous deux L renversés qui lui faisaient un toit.

Un jour, ces lettres écriraient un nom au-dessus de la ville. Chaque tour de Manhattan était un monument à la gloire d'un homme. Des années plus tôt, un petit mécanicien du Kansas, Walter Chrysler, s'était construit une tour de près de trois cents mètres pour rappeler au monde entier qu'il était devenu un seigneur en moins de vingt ans. New York dessinait une forêt de pierre et de brique, née de toutes ces légendes.

Un vent léger sifflait dans les échafaudages de bois. Zefiro dormait depuis longtemps. La braise se reflétait sur l'acier de son abri. Dans le brasero, le feu était presque éteint. La nuit masquait le visage du padre.

Vango s'approcha très lentement de lui, le poing serré. Il voulut se pencher mais sentit une pointe venir se glisser le long de sa gorge.

– Ne bouge pas.

Zefiro avait les yeux ouverts. Il se redressa et découvrit Vango.

Le padre tenait toujours la plaque de zinc taillée en pointe contre le cou de son ami.

– Ne t'approche pas comme cela en pleine nuit. Qu'est-ce que tu veux ?

– Votre plan pour Viktor, il coûte vraiment cher ?

– Oui, petit, va te recoucher.

– Combien ?

– Laisse-moi.

Vango ouvrit son poing.

– Est-ce que ça, par exemple, ça suffirait ?

Il avait sur le plat de la main quatre rubis gros comme des pois chiches.

5

Par les biches des champs

De l'autre côté de l'océan,
Everland, Écosse, au même instant, mai 1936

C'était une biche dorée, sans tache, avec des yeux d'enjôleuse. Elle était dans la cuisine. Le jour se levait. Elle buvait du lait dans un grand saladier, et des gouttes blanches s'accrochaient à ses cils. Elle ne voyait pas s'agiter autour d'elle le petit peuple du château qui passait et repassait, jouant le spectacle du matin.

Andreï la regardait avec envie, il était assis sur une chaise dans un coin de la cuisine. Mary lui avait fait retirer ses chaussures et l'avait mis en quarantaine entre les cuivres. Il s'était absenté six mois et débarquait ainsi sans prévenir, au petit matin. Il savait qu'il serait mal accueilli.

– Je veux travailler encore. Je veux parler à M. Paul.

Mais M. Paul, le frère d'Ethel, n'était pas là depuis plusieurs semaines.

La gouvernante, Mary, avait donc fait asseoir Andreï, l'avait grondé comme elle aimait le faire et lui avait pris son gilet pour le laver.

– Je le fais maintenant, dit-elle, parce que tu ne vas

54

sûrement pas rester. Je verrai plus tard si là-haut on veut bien te parler. Mais si c'est le cas, Andrew, tu risques de passer un sale moment.

La biche Lilly était venue boire près de lui. Mary avait demandé à Andreï de la surveiller.

– Elle ne doit pas monter les étages. Ils font n'importe quoi dans cette maison. À Noël, ils ont attaché un cheval au piano du premier.

Andreï ne quittait pas Lilly des yeux. Il ne l'enviait pas seulement pour ce lait qu'elle faisait gicler à chaque coup de langue. Il l'enviait pour tout le reste. La liberté. La vie simple. L'innocence. La bienveillance autour d'elle.

Andreï au contraire sentait autour de lui les mâchoires d'un piège prêt à se refermer. Il pensait à sa famille à Moscou, qui paierait de sa vie pour tout ce qu'il ferait : son petit frère, sa sœur, sa mère et Ivan Ivanovitch, son père, qui aurait tant voulu qu'il soit mécanicien comme lui. Il pensait au terrible Vlad, le vautour dont il croyait sentir les yeux comme deux lames sur sa nuque.

Andreï était là pour trouver Vango et le livrer à Vlad.

Mary avait disparu dans les profondeurs du château. Andreï vit Lilly renverser le bol d'un coup de museau et finir de laper le lait sur les dalles. Elle s'essuya civilement sur sa patte comme avec une serviette en lin, redressa la tête et fila vers la porte de la cuisine.

– Lilly !

Andreï ne savait pas s'il avait le droit de se lever.

– Lilly, viens ici !

De toute évidence, la biche ne comprenait rien à l'accent russe. Elle disparut derrière la porte.

Andreï lui courut après. Ils traversèrent ensemble deux petits salons et un bureau tapissé de livres. La fraîcheur de mai passait par les fenêtres ouvertes. Les parquets tout nus recevaient de grands triangles de soleil. Les tapis étaient étalés sur l'appui des fenêtres. Chaque matin, le château d'Everland bâillait et s'étirait de tout son long.

La petite Lilly gambadait dans ce royaume. Elle glissait sur les seuils en chêne trop bien cirés. Andreï avait pris un peu de retard pour remettre ses chaussures. Il marchait sur la pointe des pieds et l'appelait à voix basse, se retournant sans cesse de peur d'être surpris par Mary.

Il devait garder cette biche, c'était la première mission de son grand retour à Everland. Il était prêt à tout pour cela.

Andreï ralentit lorsqu'il vit Lilly s'arrêter près d'un guéridon sur lequel était posé un petit coffre.

– Voilà, dit-il. Viens là…

Elle le regarda avec cette liberté et cette innocence qu'il admirait quelques instants plus tôt.

– Viens, Lilly, Lillichka…

Il était à trois mètres d'elle. Il se surprenait à sourire bêtement en tendant la main. Mais Lilly souleva le couvercle d'un coup de tête et prit délicatement dans le coffre en cuir trois cigares qu'elle commença à grignoter. Andreï se mordait les lèvres. Le coffre s'était refermé. Lilly avait visiblement ses habitudes. Un bol de lait, trois havanes. *Breakfast time*. La vie simple.

Elle fit une brusque accélération et déboucha dans l'entrée.

Quand Andreï surgit à son tour dans le hall, il vit tout de suite que la promenade n'était pas finie. La biche était plantée devant la volée de marches qui montait à l'étage.

Un escalier d'honneur que dévalait un tapis profond, d'un rouge irrésistible. Lilly, un dernier cigare aux lèvres, jeta sur Andreï un regard satisfait et commença à monter les marches. Il semblait qu'elle était familière des escaliers. Elle parvint sur le palier en quelques enjambées.

Avant d'arriver en haut, Andreï hésita. Ne ferait-il pas mieux de retourner à la cuisine pour trouver Mary, lui demander de l'aide et pleurer dans ses jupes ? Lilly dut sentir cette brusque indécision. Pour couper court à toute idée d'abandon, elle commença à brouter les franges dorées des rideaux, ce qui fit pousser des petits cris à Andreï. Il reprit sa filature.

Lilly s'était hasardée dans le grand couloir. Devant chaque fenêtre, elle ralentissait un peu pour profiter de la chaleur du soleil. Son pelage doré ondulait alors sur ses flancs. Elle soulevait la tête en fermant presque les yeux. On avait l'impression qu'elle allait se coucher là, écrasée de bien-être. Mais un appel mystérieux la remettait chaque fois en mouvement. Au bout du couloir, après avoir humé l'air une dernière fois, elle poussa la porte et disparut.

Andreï resta longtemps derrière cette porte entrebâillée. Il savait que cette escapade était folle. Mais dans les pires folies, il y a toujours ce moment où un retour en arrière s'annonce plus risqué que l'entêtement.

Andreï s'entêta donc.

Il poussa la porte d'un coup, sans réfléchir, et fit le pas de trop.

La scène qu'il découvrit dans cette grande chambre avait tout d'un tableau ancien. La biche était lovée sur le tapis dans un rond de soleil, au pied d'une banquette en soie bleue. Sur cette banquette, deux jeunes gens, une fille et un garçon, épaule contre épaule, regardaient l'animal dont l'apparition avait dû les surprendre.

Mais celle d'Andreï les surprit davantage. Le garçon s'éloigna brusquement de la jeune fille, ramassa des papiers qui traînaient autour d'eux, et resta debout en retrait. Il se mit à rougir terriblement.

La jeune fille, incrédule et très calme, observait le nouveau venu avec un œil glacial.

– Je suis désolé, dit Andreï. Je suis désolé. Je suis désolé.

Ses lèvres continuaient à bouger et semblaient répéter cette phrase jusqu'à l'épuisement.

Ethel ne se redressa même pas. Elle portait des bretelles un peu défaites sur une chemise blanche, un pantalon en tweed usé, et ses pieds étaient nus. Elle avait au poignet un bandeau de soie bleue.

Andreï regarda le garçon qui paraissait vouloir dissimuler ce qu'il avait ramassé. C'était le fils de Peter, l'un des jardiniers d'Everland. Nicholas était un peu plus jeune qu'Andreï, et nettement plus qu'Ethel qui devait avoir presque vingt ans.

Mais quelque chose étonna Andreï beaucoup plus que cette scène. Ce qui l'étonna plus que tout était ce qui se passait à l'intérieur de lui. Derrière la peur, Andreï sentait une sorte de colère, une colère conquérante, invisible, un sentiment qu'il n'avait pas connu depuis longtemps. Pour une fois, il ne tremblait pas seulement de crainte, il tremblait de soif, de faim, de rage. Il comprit qu'il était jaloux. Et, en une fraction de seconde, Ethel lui apparut comme jamais, mystérieuse et belle à périr.

Il resta immobile.

Ethel n'avait pas l'air très disposée à lui faire un numéro de charme. Son regard était las. Ses yeux ne se posaient même pas, ils glissaient au travers de lui, comme si Andreï n'existait pas.

– Qu'est-ce que tu fais là ?

– Je cherchais le petit animal, dit-il dans son anglais hésitant.

– Le petit animal ?

Il désigna Lilly.

– Je vous dérange, ajouta-t-il.

– Pourquoi dis-tu que tu déranges ?

– Je vous…

– Qu'est-ce qui te fait penser que tu déranges ?

Il fit un geste vers la banquette, puis vers le fils de Peter.

Et en croisant le regard du garçon, il eut envie de se battre.

Andreï n'avait jamais aimé la bagarre. Ses parents, pour lui faire lâcher son violon, avaient tenté au moment de ses dix ans de l'envoyer pratiquer la lutte russe, le *sambo*, dans un gymnase de Moscou. Mais il était resté dix mois sur le banc, à écouter les paroles du maître Ochtchepkov.

Il respira un grand coup.

– D'où viens-tu ? dit-elle.

– Du couloir.

– Et avant ?

– De l'escalier.

– Et avant ?

– De la cuisine.

Elle abandonna, regarda le jeune Nicholas à côté d'elle.

59

Ethel sourit devant son air désemparé. Contrairement à lui, elle ne ressentait aucune gêne. Elle se fichait bien de ce qu'on pouvait penser. Mais cet Andreï l'inquiétait pour des raisons plus sérieuses.

– Tu rentres dans ma chambre un matin…

– Je veux travailler.

– Et quand j'avais dix chevaux dans les box cet hiver, avec de la paille à transporter, tu ne voulais pas travailler ?

– J'étais chez mes parents.

« Il ment », pensa-t-elle immédiatement. Mais elle vit aussi que le mot « parents » sonnait juste. Il le prononçait avec douleur, comme elle l'aurait prononcé.

– Je voudrais parler à M. Paul.

– Moi aussi, répondit-elle. Je voudrais bien.

Elle se leva. La biche Lilly se leva en même temps. Elle soupira :

– Mais M. Paul n'est pas là. Descends. Attends-moi en bas.

Il sortit. Le chemin du retour lui parut différent. Et pas seulement parce que, cette fois-là, la biche le suivait.

Rien ne se passa comme il l'avait prévu.

Il ne revit pas Ethel tout de suite, mais on lui rendit sa chambre à côté des écuries où il ne restait qu'un cheval. Mary fit déjeuner Andreï à onze heures à la grande table du personnel, avant les autres, comme un mauvais élève. Dans l'après-midi, il vit Nicholas partir vers le lac. Une heure plus tard, on lui demanda de seller le cheval et de l'attacher près de la tour. À la tombée du jour, une fine silhouette passa au galop en direction du lac. Andreï reconnut Ethel. Il la regarda longtemps s'éloigner.

Vers onze heures du soir, il entendit des sabots sur le pavé. Il se leva et sortit. Il avait laissé une lampe allumée devant le bâtiment. Ethel était là. Elle défaisait la sangle de son cheval. Elle le vit et détourna les yeux. Elle gardait un sourire étrange sur le visage. Andreï voulut l'aider. Elle était dans ses pensées. Elle faillit le bousculer.

Andreï sentit à nouveau cette colère voluptueuse s'emparer de lui. À quoi pensait-elle ? À qui ? D'où venait-elle ?

Il la laissa seule, retourna dans son écurie.

– Tant que Paul n'est pas là, tu peux rester. Je te dirai quand j'aurai besoin de toi. C'est Paul qui décidera de ton sort quand il reviendra.

Ethel venait de rentrer dans la pièce.

Il hocha la tête.

Elle s'approcha de lui et avec sa main souleva un peu le menton d'Andreï pour croiser son regard.

– Je te surveille. Je n'ai jamais compris ce que tu faisais ici.

C'est à ce moment, en relevant les yeux, qu'il vit sur le bandeau qu'elle s'était noué autour du poignet, au milieu de la soie bleue qui luisait dans la lumière, la lettre V et l'étoile couleur de safran.

Il sut qu'elle avait revu Vango.

Paris, rue Jacob, au même instant

– C'est lui.

Mme Boulard avait entendu les coups sur la porte. Elle posa son tricot sur ses genoux.

– C'est ton professeur Raspoutine.

61

Ce monsieur la mettait dans tous ses états. Ne pouvait-il pas utiliser le joli carillon qu'elle avait fait installer à l'entrée ?

— Ne l'appelle pas Raspoutine, dit Auguste Boulard à sa mère. Tu peux aller te coucher, maman. On travaillera dans la salle à manger.

Le commissaire Boulard passa dans le vestibule et ouvrit la porte.

— Cher monsieur, vous êtes pile à l'heure. Comme toujours.

Il était en effet minuit pile. Vlad le vautour se tenait devant lui sur le seuil.

Ils entrèrent dans la salle à manger en faisant grincer le vieux parquet. Le commissaire Boulard alla tirer le rideau de la porte vitrée qui les séparait du salon. À travers la vitre, il fit un sourire forcé à sa mère restée dans son fauteuil. Le rideau se ferma.

Marie-Antoinette Boulard abandonna aussitôt son ouvrage. Elle allait avoir quatre-vingt-sept ans. Ce n'était pas à cet âge qu'on allait se mettre à lui raconter des bobards.

Depuis le premier jour, ces leçons de russe l'inquiétaient. L'histoire avait commencé au mois de mars avec l'arrivée soudaine de M. Vlad. Il était entré dans l'appartement sans crier gare, une barre de fer à la main, alors que le commissaire était dans son bain. Mme Boulard avait tenté de le retenir mais il était arrivé jusqu'à la porte de la salle de bains. Boulard était finalement sorti de l'eau et, après un moment de stupeur, l'avait gentiment conduit jusqu'à la salle à manger pour discuter. Il en était sorti une heure plus tard, avait raccompagné le visiteur, expliquant à sa mère que c'était son professeur de russe.

– De russe ?

– Oui, de russe.

– Mais… Pourquoi de russe ?

– Parce que…

Il fit un petit pas de danse slave.

– C'est intéressant, le russe.

Boulard était toujours enveloppé dans sa serviette mouillée.

– Et ce monsieur est vraiment professeur de russe ? demanda sa mère.

– Vlad ?

– Oui.

– Le meilleur.

Il avait plutôt l'air d'un bûcheron de la Taïga. Avec sa barbe hirsute, elle trouvait qu'il ressemblait aux photos du terrible moine Raspoutine sur lequel on avait raconté tant d'histoires vingt-cinq ans plus tôt.

Et une fois encore, pour la quatrième soirée en deux mois, Raspoutine était là, dans la pièce d'à côté. On entendait des voix sourdes. Mme Boulard s'approcha de la porte et y colla l'oreille.

Les mots qui lui parvenaient étaient incompréhensibles, mais elle crut reconnaître le mot « révolution ». À ce moment précis, on gratta dans le vestibule. Elle se précipita à la porte.

– Qui est-ce ?

– C'est moi.

La porte s'ouvrit sur Blanche Dussac, la gardienne de l'immeuble.

– Alors ?

– Il est là. Raspoutine.

– Je l'ai vu passer devant ma loge. Vous voulez de l'aide ?

Mme Dussac montra qu'elle cachait dans sa chemise de nuit une fourchette à gigot.

– Pas encore. N'intervenez pas encore. Je vous dirai.

– De nouvelles pistes ?

Blanche Dussac était tout émoustillée. Cette histoire la passionnait. De confidente, elle avait gravi les échelons, était passée adjointe de Mme Boulard.

– Il a parlé de révolution.

– Jésus, Marie ! C'est politique.

– Mon fils ne fait pas de politique.

– Marie-Antoinette, connaissez-vous seulement votre fils ?

C'était la première fois qu'elle appelait Mme Boulard par son prénom.

– Je ne sais plus, répondit la mère du commissaire avec un petit sanglot.

– Quand il y a des Russes, c'est toujours politique.

– Mon Dieu.

– Il faut prévenir la police.

– Mais la police, c'est lui. C'est mon fils.

– Oui. C'est vrai. Bon.

– Attendons. La prochaine fois, je me cacherai dans le buffet de la salle à manger. Rentrez chez vous, madame Dussac. Je viendrai vous voir demain.

Blanche Dussac, prise par l'émotion, serra dans ses bras la mère du commissaire.

– Courage. Prenez cela. C'est plus prudent. J'insiste. On ne sait jamais. Vraiment. Mais vous me la rendrez avant dimanche, j'aurai ma nièce à souper.

Intrépide, elle descendit l'escalier, laissant entre les mains de son amie la fourchette à gigot.

À cet instant, on entendit un peu d'agitation dans la pièce voisine. Mme Boulard se précipita vers son fauteuil et reprit son tricot.

Vlad le vautour et le commissaire apparurent brièvement. La porte de l'entrée claqua.

Il était minuit et demi. Elle entendit son fils faire chauffer de l'eau pour sa bouillotte dans la cuisine. Il repassa par le salon.

– Pourquoi tu ne dors pas, maman ?

– Je n'ai pas sommeil.

Boulard remarqua que le tricot n'avait guère avancé en une demi-heure. Exactement le même troisième chevron de ce bonnet d'hiver.

Qu'avait-elle pu faire pendant le temps de l'entretien ?

Il plissa les yeux. Le commissaire se méfiait même de sa propre mère.

Dans son désarroi, il crut aussi voir passer une jolie blonde sur la gouttière devant la fenêtre. Cette fois, il se passa la main sur le visage. Et pourquoi pas des éléphants roses ? Trop de fatigue.

– Je vais me coucher, maman.

Avant qu'il disparaisse, Mme Boulard demanda avec un regard de défi :

– Auguste ! Comment dit-on « bonsoir » en russe ?

Il ne répondit pas.

6

Sur l'arête d'un glacier

La jolie blonde c'était la Taupe.

Elle contourna le toit en passant par une bordure de tuiles, sauta par-dessus une courette, traversa une sorte de terrasse en zinc qui, dans la nuit, paraissait semée de petits éclats de quartz brillants. Elle se pencha de l'autre côté et vit Vlad qui tournait dans la rue de l'Échaudé.

La Taupe évita une série de lucarnes illuminées. Elle longea l'un de ces jardins captifs, emprisonnés entre les immeubles. Elle pensait souvent aux bêtes qui vivaient là, comme elle, ignorantes de l'existence du reste du monde, des prairies, des forêts infinies. La Taupe retrouva Vlad qu'elle guetta au fond du canyon de la rue. Elle put franchir la rue Visconti grâce à des câbles électriques. Elle savait la voie suivante infranchissable. Elle laissa donc Vlad s'éloigner et descendit dans la rue des Beaux-Arts.

La Taupe fit quelques mètres sur le trottoir mais le vautour avait disparu. Elle courut jusqu'à la Seine et revint sur ses pas. Vlad ne se déplaçait pas assez vite pour s'être volatilisé en quelques secondes. Aucune voiture n'avait pu l'emporter. Il était donc entré quelque part.

La Taupe découvrit alors une grille à moitié baissée devant une vitrine. C'était un petit café pas tout à fait fermé où l'on servait encore les étudiants et les vautours. D'un coup d'œil, elle vit qu'il était au comptoir. La boisson était la seule chose à laquelle Vlad était entièrement soumis. Ce tyran devenait un esclave quand il sentait à un kilomètre les effluves d'un verre d'alcool blanc.

La Taupe trouva une porte cochère sous laquelle s'asseoir dans l'ombre.

Pour la première fois, elle avait tout entendu de la rencontre entre le commissaire Boulard et le vautour. D'habitude, la fenêtre de la salle à manger demeurait fermée. La Taupe restait plaquée sur la gouttière sans rien comprendre. Finalement, dépitée, elle allait chaque fois observer le cirque de la mère Boulard qui jouait à l'espionne en robe de chambre, avec la complicité de sa concierge.

Cette fois-là, la douceur du mois de mai avait envahi Paris et la fenêtre était ouverte. La Taupe n'avait rien manqué. La conversation s'était révélée très différente de ce qu'elle attendait.

Elle avait toujours cru que Boulard se payait les services de Vlad pour exécuter les basses missions qu'il ne pouvait confier à ses policiers réguliers. Cette hypothèse avait l'avantage de tout éclairer. Les visites du vautour chez Boulard, leur égale motivation à trouver Vango…

Pour elle, Boulard était le maître d'œuvre. Même le bel Andreï était sous sa coupe. Tous cherchaient inlassablement Vango, meurtrier du père Jean au séminaire des carmes une nuit d'avril 1934.

Mais la vérité que la Taupe avait entendue ce soir-là

était autrement moins simple. Boulard ne contrôlait plus rien. Le vautour le tenait entre ses pattes et jouait avec lui. Il s'offrait tout simplement l'aide du commissaire Boulard et de la police française afin de retrouver Vango. Une aide gratuite et renommée.

La Taupe avait mis plusieurs minutes à comprendre les termes du chantage. Quel moyen de pression avait eu raison de l'incorruptible commissaire Boulard ?

À un moment, dans le miroir de la salle à manger, en se penchant un peu, la Taupe avait vu le vautour attraper une pelle à tarte et la lancer à travers la pièce. Elle s'était plantée en plein cœur d'une jolie paysanne peinte sur la toile d'un petit tableau.

– Maman ! avait murmuré Boulard.

Et on reconnaissait en effet sa mère, rajeunie de soixante-dix ans, devant une auberge de l'Aveyron. La pelle à tarte traversait sa gorge. Ce portrait avait été peint par l'oncle Albert, celui-là même qui était monté faire l'artiste à Paris dans les années 1870 et avait pu héberger le jeune Auguste Boulard quand il était arrivé dans la capitale pour faire son droit.

C'était le seul tableau qui leur restait de l'oncle Albert.

Il s'appelait *Nénette à Aubrac*.

Boulard, devant Vlad, s'était empressé de décrocher la toile éventrée et de la cacher sous le buffet. On voyait la trace du cadre comme un fantôme sur le mur.

Le geste du vautour expliquait tout. La monnaie du chantage était la vie de Mme Boulard. Si le fils ne collaborait pas, Vlad se vengerait sur la mère.

La Taupe n'avait pas obtenu beaucoup plus d'informations. Boulard paraissait très ennuyé. Il expliquait au vautour que ses enquêtes ne produisaient pas de résultats. Il avait relancé son avis de recherche auprès de toutes les villes de France. Il faisait même signe aux ambassades à l'étranger. Le préfet de police avait été surpris qu'on ressorte cette enquête vieille de deux ans. Boulard avait dû faire croire à ses supérieurs qu'un autre meurtre très récent pouvait être attribué à Vango.

— Et puis, expliqua-t-il à Vlad le vautour, je manque d'effectifs. Mon fidèle adjoint Avignon a eu des problèmes de santé. Il m'a souvent manqué ces derniers mois. Soyez patient.

Patient ? Vlad ne connaissait pas ce mot. Il avait plus ou moins la même patience qu'une mèche allumée au bout d'un margotin de dynamite.

Sous ce porche de la rue de Seine, devant le petit café d'où sortirent trois étudiants des Beaux-Arts qui se firent des adieux théâtraux, la Taupe, comme souvent, pensa à Andreï.

Elle avait assisté des mois plus tôt à la rencontre de Vlad le vautour et d'Andreï dans la neige, alors qu'elle savait que Vlad venait pour le tuer. La Taupe, cachée au-dessus d'eux, avait failli hurler et se jeter dans le vide pour sauver Andreï mais, à la première seconde, le rendez-vous avait pris une autre tournure.

Andreï parlait vite. Il disait qu'il tenait une piste, qu'il allait enfin avoir des résultats, qu'on ne devait pas toucher un cheveu de son frère ou de sa petite sœur, à Moscou. L'épaisseur de la neige gommait l'écho de la voix d'Andreï quand il répétait les noms des deux enfants : Kostia et Zoïa.

La Taupe se souvenait si précisément de la silhouette d'Andreï à ce moment-là, la boîte de son violon serrée contre lui, jurant de trouver Vango le plus vite possible. Par miracle, le vautour se laissa convaincre.

Elle se rappelait enfin quand, perchée sur son toit, elle avait choisi quelques secondes plus tard de suivre Vlad plutôt qu'Andreï, parce que la menace se trouvait là, dans cet homme qui cachait dans sa poche un couteau ensanglanté et non dans ce garçon aux yeux suppliants. Elle aurait pourtant aimé suivre Andreï, devenir son ombre sans jamais le quitter. Douce filature de celui qu'elle aimait et qui ignorait son existence.

Mais depuis ce jour, elle ne l'avait plus revu.

Les voix des étudiants se turent. Le vautour sortit du café. Et le zigzag de ses pas en traversant le pont des Arts rassura la Taupe. Il ne risquait pas de s'échapper pendant la nuit. Elle le suivit jusqu'à son hôtel, derrière la Samaritaine. Il réveilla le réceptionniste en tapant du pied sur le bas du comptoir, arracha ses clefs et disparut dans l'escalier.

Imbibé comme il l'était, il ne bougerait pas avant douze heures. Il aurait suffi d'une allumette pour flamber le vautour comme un chapon à Noël.

En cinq minutes à peine, la Taupe était au Louvre. Elle se glissa à travers les barreaux du jardin des Tuileries. Elle passa sous le couvert des tilleuls qui, la nuit, ressemblait à une forêt de conte de fées. Le gardien du jardin passait au loin avec une lampe et un chien en laisse. Mais l'odeur de la Taupe ne le troubla même pas au milieu des sucres du printemps. Ce n'est pas une fleur de plus ou de moins qui fera aboyer un chien.

Elle arriva chez elle à deux heures du matin. Elle passa par la porte d'entrée pour ne pas réveiller ses deux pigeons qui dormaient sur la gouttière.

— Émilie.

Elle s'arrêta à la troisième marche de l'escalier. Le lustre s'alluma. Son père était debout, au-dessus d'elle, à l'étage. Il portait un costume de soirée, avec son empilement de vestes et de gilets, et une cape grise bordée de soie. Il lâcha l'interrupteur et marcha vers la balustrade. Son chapeau haut de forme et ses gants dans la main gauche, il fit un geste vers la Taupe.

— Émilie…

Elle s'accrocha à la rampe et continua lentement de monter. Son père s'assit sur la dernière marche. Il posa son chapeau sur le tapis. On s'attendait à en voir sortir un lapin blanc.

— Tu viens t'asseoir une minute ?

Sa voix était assez faible.

La Taupe soupira et s'accroupit là où elle se trouvait, quelques marches plus bas. Depuis quelques mois, son père n'était plus le même. Il s'arrêtait.

Pendant des années, elle ne l'avait vu arrêté que sur le grand tableau du salon, avec sa moustache fine et une peau de lion à ses pieds.

Et même sur ce tableau, au-dessus de la cheminée, il portait dans sa main une montre accrochée à une chaîne en or, qu'il regardait fixement.

Pendant des années, il n'avait fait que passer en coup de vent dans sa vie. Il lui laissait des cartes de visite sur le buffet de l'entrée avec un petit mot à l'impératif. *Dors. Mange.*

Obéis. L'année où elle avait été malade, il avait envoyé un seul mot dans le sanatorium où elle était : *Guéris !*

Au début, elle gardait ces cartes de visite dans une boîte. Des cartes toujours identiques. Ferdinand Atlas, avec cinq ou six adresses différentes dans le monde pour être sûr qu'on ne le trouve jamais. Et toujours ces mots griffonnés à l'impératif. *Travaille. Arrête. Aime ta mère.*

Et puis un jour, sans crier gare, quand la vie avait commencé à tourner pour lui, il s'était mis à faire des phrases, à répéter ce prénom, Émilie, qui ne correspondait plus à rien pour la Taupe.

Car pour elle, c'était trop tard.

On pouvait lui faire des risettes, on pouvait chercher sa main dans ses poches, on pouvait l'enfumer avec des baisers sur le front, avec l'odeur du tabac dans des foulards, on pouvait faire des phrases sans fin, montrer des blessures grandes ouvertes, se mettre à terre à ses pieds comme la dépouille du lion… Cela ne servait à rien.

C'était elle, maintenant, dans l'escalier, qui semblait regarder sa montre, impatiente d'en avoir fini.

– Je voudrais, dit-il, vous emmener quelque part, avec ta mère, je voudrais partir avec vous deux. J'ai fini. J'ai fini ce que je voulais faire. Il faut partir vite, trouver un refuge. Ta mère ne veut pas comprendre que notre temps est fini.

La Taupe connaissait ce refrain.

– Elle veut rester ici. Elle ne veut pas tout recommencer.

Comme sa fille ne disait rien, Ferdinand Atlas demanda :

– Et toi ?

Elle se leva et grimpa les dernières marches. Elle passa un

peu au large de son père comme les navires qui connaissent les récifs sous le calme plat de la mer.

Ferdinand Atlas resta assis sur les marches de l'escalier.

Puis il sentit une main sur son épaule. Sa fille, par-derrière, lui posa un baiser sur la joue. Il ferma les yeux.

Dans sa chambre, la Taupe entrouvrit le rideau pour regarder ses pigeons. Ils dormaient l'un contre l'autre. Elle jeta ses habits en boule au pied d'une chaise. Elle posa un disque sur le phonographe, enveloppa le pavillon dans une serviette pour étouffer le bruit. Elle hésita, regarda encore par la fenêtre, se coucha finalement dans son lit. Dans son lit ! Cela lui arrivait de plus en plus. Elle se trouvait vieille, elle qui n'avait longtemps dormi que dans un hamac sur le toit.

Le disque jouait un air de violon.

Andreï n'avait jamais dit où il était parti, où se trouvait cette piste qu'il suivait. Elle craignait qu'il trouve Vango avant elle. Elle craignait tout autant qu'il ne le trouve pas. Car si Andreï ne remplissait pas sa mission, Vlad ne lui donnerait pas une seconde chance. À quoi ressemblait la famille d'Andreï, à Moscou ? Son petit frère Kostia, sa sœur Zoïa…

Moscou, quelques jours plus tard, mai 1936

— Vous avez faim ? Vous n'avez pas goûté ?

Il faisait beau. Mademoiselle tenait les deux enfants par la main. Elle grimpait les marches qui conduisaient à la poste centrale. Konstantin et Zoïa portaient leur blouse d'écolier sans manteau.

— On passera au parc. J'en ai pour une minute. Regardez…

Mademoiselle jetait des regards anxieux autour d'elle. Elle parlait aux enfants sans s'arrêter :

– Regardez comme elles sont nombreuses, ces marches. Kostia, relève un peu ton pantalon. Je venais ici autrefois. Vous n'étiez pas nés. Je viens juste voir ce qui a changé…

Elle avait caché la lettre au fond de la poche de Zoïa. Mademoiselle avait honte de se servir de cette fillette pour transporter ses secrets. Elle pensait aux petits tambours de sept ans qu'on envoyait sur les champs de bataille pour traverser les lignes ennemies.

Mademoiselle était en résidence surveillée dans la famille Oulanov depuis un an et demi. Ses ravisseurs l'avaient conduite de la Sicile à Moscou sans aucune explication.

En entrant dans la salle immense où s'alignaient les guichets, elle s'arrêta, retenant sa respiration. Elle se rappelait la dernière fois qu'elle était venue là, dans ce bureau de poste grand comme une gare. Le souvenir avait déjà plus de vingt ans.

Mais c'était le tournant de sa vie, l'événement qui l'avait menée à Vango.

En ce temps-là, il y a longtemps, elle enseignait le français et l'anglais aux enfants d'une famille de Saint-Pétersbourg. Il y avait six enfants. Cela ne dura que quelques mois. Elle était jeune, elle avait été renvoyée brutalement. On l'accusait de chercher à séduire le maître de maison.

Un soir, elle avait simplement préparé un plat pour lui, alors que toute la famille, les gouvernantes et les cuisiniers étaient partis dans la maison de campagne pour l'été.

L'hôtel particulier au bord de la Neva était désert.

L'épouse était revenue à l'improviste et avait vu un

couvert sur la table, un réchaud et, dans une marmite, une recette de sorcière, brune, enivrante.

– Qu'est-ce que c'est, Mademoiselle ?

– C'est pour Monsieur. Il rentre tard. Il ne mange jamais.

La femme avait répété :

– Qu'est-ce que c'est ?

– Je pensais…

Mais l'autre hurlait de plus en plus fort.

– Qu'est-ce que c'est ?

Le couvercle ouvert laissait s'échapper une odeur extraordinaire. La sauce frémissait. La viande affleurait, nappée de cette potion. Parfois, quand un courant d'air remuait la flamme, le bouillonnement faisait le bruit d'un baiser. Un nuage blanc restait pendu aux rebords de la marmite.

Quelques siècles plus tôt, Mademoiselle aurait été brûlée vive pour une telle préparation. Cette fois-là, on se contenta de la conduire avec ses valises sur le trottoir.

On jeta le bœuf bourguignon sur les cyclamens, au fond du jardin.

Elle prit d'abord le train pour Moscou. C'était en 1915. Elle se retrouva en transit dans ce bureau de poste pour annoncer par lettre son retour précipité à une vieille tante, la seule famille qui lui restait en France. Le garçon du guichet lui avait vendu des timbres et indiqué les boîtes aux lettres de l'autre côté du hall. Émue, elle se cachait derrière son mouchoir.

C'est à ce moment-là qu'il s'était approché. Il était apparu comme par magie. Il portait un foulard cosaque rouge et une veste de laine.

– Vous êtes française ?

Mademoiselle n'osa pas répondre. Elle n'avait pas encore lâché sa lettre pour la vieille tante, l'enveloppe en équilibre dans la fente de la boîte.

– J'ai entendu que vous parliez russe.

– Oui.

– Et vous connaissez d'autres langues ?

– Oui.

– Lesquelles ?

– Quelques-unes.

L'homme avait à peu près son âge. Mademoiselle prenait une pose droite et fière pour faire oublier ses yeux gonflés par les larmes. Mais elle retira lentement son enveloppe.

– Vous voulez travailler ? dit-il.

Elle fit un nouveau mouvement de recul. Elle vérifia le maintien de son chapeau.

– Pourquoi ?

Sa prudence était un effort sur elle-même. Cet homme n'inspirait que de la confiance.

– C'est pour vous occuper d'un enfant.

– À Moscou ?

– Non, ailleurs. Je ne sais pas. Il n'est pas encore né.

Les yeux de l'homme brillaient.

Elle releva le menton avec orgueil.

Elle avait d'abord cru à une proposition indécente. Le sourire, devant elle, la rassura encore une fois.

– Mademoiselle, s'il vous plaît, si vous le voulez bien, venez avec moi.

– Vous ne posez pas d'autres questions à celle que vous engagez ?

– Non.

Elle faisait semblant d'hésiter. Mais elle savait que le patron qu'elle avait eu à Paris, avant Saint-Pétersbourg, était mort l'année précédente. Personne ne l'attendait. On était en 1915 et la France était en guerre depuis des mois.

– Je vous en prie, dit l'homme.

Sans s'en rendre compte, elle avait déjà rangé dans son sac la lettre pour la vieille tante. Il s'empara de sa valise. Elle prit le train avec lui pour Odessa puis un bateau jusqu'à Constantinople. Ils débarquèrent dans la nuit. Mademoiselle ne comprenait pas ce qui lui arrivait. Deux marins les attendaient avec une lampe. La guerre faisait rage sur des côtes lointaines. Une longue barque les conduisit depuis le port vers un bateau qui mouillait au large.

Soudain, l'homme fit arrêter les rameurs pour écouter.

Mademoiselle avait aussi entendu quelque chose. Derrière le bruit de la rame qui s'égouttait, derrière la rumeur de la vieille ville de Stamboul, on entendait, du côté du bateau illuminé, le cri d'un nouveau-né.

Ils se regardèrent.

C'était le premier cri de Vango.

Mademoiselle, en entrant vingt et un ans plus tard dans l'agitation de ce même bureau de poste, avec Kostia et Zoïa accrochés à ses jupes, pensait à chaque instant que l'homme au foulard cosaque allait apparaître derrière elle.

Mais les temps avaient changé, le monde n'était plus le même. Et les secrets de la lettre qu'elle cherchait à poster n'étaient pas pour sa vieille tante.

Une fois de plus, elle se dirigea vers les grosses boîtes qui l'attendaient depuis deux décennies.

– Un timbre pour l'Italie, avait-elle dit à mi-voix au postier.

Elle avait changé trois fois de tramway avec les enfants pour s'assurer qu'on ne la suivait pas. À sa droite, la petite fille commençait à avoir mal aux pieds. Mademoiselle tournait sur elle-même pour savoir si on l'observait.

En se penchant, parfois, elle voyait la tranche de l'enveloppe dans les profondeurs de la poche de Zoïa. Allait-elle un jour se poser, cette lettre, sur la table du bon docteur Basilio, entre les figuiers et la roche noire des îles Éoliennes ?

Il y avait à l'intérieur un mot pour Basilio et une autre enveloppe, plus petite mais plus épaisse, au nom de Vango.

S'il me cherche, si vous le voyez, docteur, s'il repasse par son île, donnez-lui ces cinq pages que je joins. C'est très important. Il y a dedans tout ce que j'aurais aimé lui dire. Et vous, Basilio ? Comment vous portez-vous ? Moi, je vais bien. On m'a confié des enfants. Ils sont beaux. Sans eux, je me serais lassée de vivre. Voilà. Ici, le printemps revient. Je ne sais pas si je vous reverrai, Basilio, mais je pense à vous. D'être loin de chez nous me fait changer un peu.

Il n'y avait pas beaucoup plus dans ce message au docteur, mais déjà, pour la première fois en dix-huit ans, le mot « nous » faisait une apparition entre le docteur et Mademoiselle.

– Je veux rentrer, Tioten'ka.

La petite fille la regardait.

– Oui, ma chérie, on va rentrer.

Ils étaient enfin devant cette boîte aux lettres à la bouche de cuivre.

Elle approcha la main de la blouse d'écolière de Zoïa.

– J'ai mis quelque chose ici, ne bouge pas.

Mademoiselle, glissant deux doigts dans la poche, saisit l'enveloppe.

Une main se posa sur son bras.

– Mademoiselle, ne faites pas cela.

Elle se retourna.

– Ils vous regardent. Ils sont derrière la vitre du bureau ou bien sur la galerie, là-haut. Ne faites pas cela. Sinon, ils vont vous envoyer en Sibérie.

Le temps s'arrêta un instant. Un homme était devant elle, le père de Zoïa, Kostia et Andreï.

– Je vous en prie, Mademoiselle. Si je vous avais laissée faire, je nous condamnais tous les deux.

Elle abandonna la lettre dans la poche de Zoïa. Les enfants se jetèrent dans les jambes de l'homme.

– Papa !

L'homme les serra contre lui. Il continuait à parler à Mademoiselle :

– Tant qu'ils seront sûrs que je vous surveille, ils vous laisseront chez nous. Ne tentez plus rien de ce genre. Mon fils aîné, Andreï, est à l'étranger. Ils nous tiennent les uns par les autres. On m'a demandé de vous garder chez moi. Je n'ai aucune idée de ce que vous avez fait, mais nos vies sont liées depuis presque deux ans, et la sienne aussi.

Mademoiselle savait qu'elle occupait la chambre d'Andreï. Elle dormait sous ses dessins d'enfant. Elle avait vu une photo de lui, glissée dans le livre de comptes. Elle savait qu'on s'inquiétait pour lui. Mais jamais elle n'avait fait un lien entre son propre destin et celui de ce garçon, visage sérieux dans le cadre blanc de la photo, la joue posée sur son violon.

– Venez.

Les enfants donnèrent la main à leur père.

Mademoiselle les suivit.

Ils débouchèrent ensemble, dehors, dans le soleil blanc de mai, en haut des marches, et ils les descendirent accrochés les uns aux autres, lentement, comme des alpinistes encordés sur l'arête d'un glacier.

7
Les derniers mots
du condamné

New York, été 1936

Il reste dans les livres d'histoire très peu de souvenirs de ce qui arriva à l'un des plus grands chantiers de Manhattan pendant l'été 1936. La construction d'une tour fut interrompue pendant plusieurs mois. Cela avait commencé au printemps par la chute d'un ouvrier qui travaillait au sommet. L'événement était banal, des dizaines d'accidents de ce genre avaient lieu chaque année, mais on avait découvert que la victime était un Indien mohawk engagé de force sur le chantier. Les ouvriers, par solidarité, avaient cessé le travail plusieurs jours.

Le matin où ils allaient reprendre leurs postes, en arrivant dans les premiers étages, ils découvrirent de mystérieuses inscriptions qui filaient sur les murs, grimpaient dans les escaliers de service. Ces mots incompréhensibles étaient écrits à la peinture, en lettres rouges de la taille d'un homme. Le spectacle était sinistre.

La police fit venir des linguistes de l'université. Un vieux latiniste se mit au travail.

Erat autem terra…

Il déchiffra des phrases bibliques. Il y avait d'abord neuf versets tirés de la Genèse, qui parlaient de la tour de Babel. Ces mots racontaient la volonté des hommes de bâtir une tour qui atteindrait les cieux. Ils disaient comment Dieu était parvenu à les en empêcher. Il y avait aussi, en grec, une phrase de l'Apocalypse qui parlait d'un ange sonnant de la trompette. La grêle et le feu mêlés de sang s'abattaient sur la terre…

Les ouvriers furent effrayés par ces découvertes. Après la mort du grimpeur mohawk, les signes se multiplièrent. On trouva aussi au dernier étage, posé au milieu d'une salle, le prénom RAFAELLO écrit avec huit des neuf lettres qui devaient servir à l'enseigne lumineuse au sommet de la tour.

Certains reconnurent le nom de l'archange Raphaël, l'un des soldats de Dieu, peut-être celui de la phrase de l'Apocalypse peinte en lettres de sang. Ils se révoltèrent encore une fois.

L'accès au chantier fut interdit jusqu'à nouvel ordre. Les architectes voulaient surtout éviter un saccage. On tenait les ouvriers à distance.

Un matin, le propriétaire de la tour vint sur les lieux.

Suivi d'une assistante et de ses architectes, il prit le monte-charge pour accéder aux derniers étages. Tout le monde l'appelait l'Irlandais. En moins d'un quart de siècle, il avait créé une banque tentaculaire qui avait des affaires des deux côtés de l'Atlantique. On disait qu'il avait même fini par racheter le petit hôtel où il était arrivé en jeune migrant.

C'était un homme de cinquante ans. Il se promenait dans les échafaudages. Ses mains baguées s'accrochaient aux poutrelles. Il restait au moins trois mois de travaux pour que la grande tour soit achevée. L'Irlandais mangea une banane en regardant par une baie sans vitre. En face de lui, irritante, se dressait la silhouette de l'Empire State Building que, dans tous les journaux, sa nouvelle tour avait promis de surpasser. L'Irlandais donna la peau de banane à son assistante. Il se mit à rire très fort quand l'architecte fit la promesse de régler rapidement les problèmes.

Il s'approcha de lui et fit semblant de le pousser dans le vide.

En repartant, l'Irlandais remarqua un tas de cendres mouillées dans un coin.

– Vous faites du feu, ici ?

– Jamais, répondit le chef de chantier.

L'Irlandais se baissa pour tremper son doigt dans le charbon humide.

– Et ça ? C'est quoi ?

Il approcha son doigt du visage de son chef de chantier. Il dessina une croix noire sur le front de l'homme.

– Finissez-moi cette tour dans les temps.

Puis il redescendit.

Cette visite ne changea rien à la détermination des ouvriers.

La première étape du plan de Zefiro fut donc un succès. Sa mise en scène avait produit son effet.

Au mois d'août, Zefiro et Vango purent installer leur matériel en haut de la tour. Sur un trépied, ils avaient placé une lunette d'une grande précision braquée sur les fenêtres de Voloï Viktor. Ils s'étaient aussi équipés de trois machines à écrire, de vêtements neufs et d'une sorte de petit secrétariat d'altitude bien fourni en tampons, cachets, papiers de toutes sortes. Ils avaient vendu un rubis pour ces emplettes.

Tom Jackson, le petit mendiant de la Trente-quatrième Rue, avait été recruté pour les missions extérieures.

Depuis leur observatoire, ils suivirent chaque événement du quotidien de Viktor. Ils notèrent les allées et venues dans les moindres détails. La vue plongeante sur les différentes pièces du quatre-vingt-cinquième étage permettait d'inscrire l'heure à laquelle les gardes étaient remplacés, la liste des habitués du donjon, la fréquence des visites.

Le soir, par exemple, on fermait la plupart des rideaux, et le dernier visiteur était toujours un homme élégant que Zefiro avait appelé l'avocat. Il semblait parler aux hommes de la maison comme s'il en était le chef. Il s'installait au bureau. Les rideaux tirés ne permettaient pas de voir Voloï Viktor qui devait lui dicter ses derniers courriers depuis son lit. Puis l'avocat s'en allait. Mais il était le premier à revenir le matin à l'aube pour le réveil de Mme Victoria. On ne le voyait pas du reste de la journée.

À la fin du mois, la première lettre quitta les échafaudages de Zefiro et traversa la rue, portée par Tom Jackson, méconnaissable, habillé comme un petit lord. L'opération secrète commençait.

Pour ne pas être repéré, Tom cachait dans sa poche sa main gauche sur laquelle étaient tatoués les mots « God Bless You » qui faisaient sa célébrité dans un carré de cinq rues et trois avenues. Il traversa le hall du Sky Plaza comme s'il était chez lui. Il n'avait jamais posé ses pieds sur les dalles de marbre qu'il passait sa vie à regarder par la vitrine.

Tom Jackson était l'unique salarié de Zefiro. À neuf ans, il touchait cinquante cents par semaine et une prime d'habillement. Une fortune.

Tom prit un verre d'eau de Seltz au bar, puis il repartit en laissant discrètement tomber la lettre près du bureau de la réception. Les hommes de l'entrée ne l'avaient pas reconnu.

Un employé du Sky Plaza ramassa la lettre et la donna au réceptionniste. Oblitérée en Europe, elle était adressée à l'occupante de la suite du quatre-vingt-cinquième étage. Le soir même, elle fut donnée à Dorgelès qui la remit à Mme Victoria.

De leur observatoire, Zefiro et Vango virent l'effet que leur lettre produisit. Une réunion fut aussitôt convoquée. Dans la nuit, une dizaine de personnes en costume sombre rejoignirent le salon de Voloï Viktor. Ces hommes sortaient de leur voiture, postaient des vigiles dans les rues, disparaissaient derrière la porte du palace et surgissaient quelques minutes plus tard trois cents mètres plus haut dans les appartements. Zefiro avait déjà remarqué plusieurs d'entre eux dans l'entourage de Viktor.

Aucun n'avait vraiment des allures de gangster. Zefiro reconnut un couturier de Brooklyn, un sénateur, des hommes d'affaires. La fumée des cigares venait s'enrouler autour d'eux.

— Le spectacle commence…, dit Zefiro, l'œil collé à sa longue-vue.

Il allait falloir des mois mais, cette fois, il anéantirait Voloï Viktor. Il en était sûr.

Vango s'apprêtait à sortir.

– À plus tard, padre.

– Où vas-tu ?

Le padre n'aimait pas ces fugues de Vango.

– N'oublie pas qu'ils te cherchent dans la ville.

– Regardez-moi. Qui me reconnaîtrait ?

Et au milieu des gravats du chantier, à la lumière des lampes à pétrole, Vango apparut transformé.

Vêtu d'un complet brun, les cheveux plaqués en arrière, il tournait sur un pied avec un sourire, le chapeau dans la main. Il s'était fait réaliser des petites lunettes teintées comme on en portait autour de Wall Street cet été-là. Vango ne se reconnaissait pas lui-même.

Dix minutes plus tard, il traversait la Cinquième Avenue en direction de Madison Square.

Depuis plusieurs semaines, il passait ses nuits dans les quartiers italiens de New York. Il avait commencé par des cafés du Bronx qu'il avait écumés les uns après les autres. Il en était maintenant au secteur sud de Manhattan où il avait trouvé quelques restaurants qui formaient comme des îles siciliennes au milieu de l'Amérique…

Cette nuit-là, il passa la porte de La Rocca, un de ces îlots de Little Italy qui sentaient les câpres et le piment oiseau, derrière une vitrine lumineuse, au coin de Grand Street.

C'était la première fois qu'il y entrait.

Vers minuit, le restaurant se transformait en tripot. Les joueurs de cartes prenaient place, on baissait les lumières. Mais il n'y avait pas le recueillement habituel des salles de jeu. Le chef circulait en servant des chaussons fourrés à la saucisse forte qui débordaient de fromage quand il les tranchait en lamelles sur une planche. La salle était bruyante. Et l'arrière-cour se remplissait de bouteilles vides.

Vango s'installa au comptoir. Il posa son chapeau à côté de lui. Il n'y avait que des hommes à part une jeune femme qui restait derrière la forteresse de son comptoir.

Elle était toujours en mouvement, allant du passe-plat à la trappe du cellier. Un instant sur les pointes pour atteindre les bouteilles, puis disparaissant, accroupie à l'abri des remparts, elle dansait.

Vango pensa à Ethel qui avait un peu ces yeux qui ne se posaient sur les choses que de manière profonde et fugitive, petits poignards aussitôt retirés.

Et en se rappelant ce regard, il alla toucher dans sa poche le mot reçu d'Ethel quelques jours plus tôt : trois lignes froides qui lui disaient de prendre son temps, de ne pas revenir en Écosse sans prévenir, qu'elle avait beaucoup à faire. Les petits poignards.

Vango n'eut pas besoin de faire signe à la serveuse. Elle lui cria quelque chose qu'il ne comprit pas. Elle s'approcha pour lui redire :

– Tu veux quoi ?

Elle l'avait appelé Lupacchiotto, ce qui signifie petit loup.

– J'attends quelqu'un.

Vango avait en effet bien l'air de l'un de ces jeunes loups qui rôdaient dans New York, espérant n'en faire qu'une bouchée.

Il s'était installé près de la bassine d'eau. Il savait qu'elle viendrait, à un moment ou un autre, rincer les verres entassés. Pour l'instant, elle en remplissait cinq à l'aide d'une bouteille sans étiquette. L'alcool était à nouveau autorisé dans les bars après quinze ans de prohibition qui avaient fait le bonheur des trafiquants.

Elle mit un de ces verres devant Vango. Il n'avait rien demandé mais le tira vers lui. Le patron vint prendre le plateau chargé des quatre autres. De l'autre côté, on applaudissait une victoire à la *briscola* ou au poker.

– Je cherche un certain Giovanni, dit Vango.

Elle leva la tête pour le regarder. Elle avait commencé à laver ses verres.

– Giovanni ? La moitié de mes soupirants s'appellent Giovanni. Et mon père et mon grand-père aussi.

– Giovanni Cafarello.

Avec son coude, elle repoussa une mèche de ses cheveux. Elle le regardait.

– Cafarello ?

– Oui.

– Cafarello…

Elle s'arrêta et s'essuya les mains. Ses yeux étaient maquillés de noir, ce qui la vieillissait un peu, mais elle n'avait pas plus de dix-huit ans. Elle hochait lentement la tête.

– C'est lui que tu attends ? Cafarello ?

Vango crispa ses doigts autour de son verre. Mille fois, il avait posé sa question. Ce n'était pas la première fois en deux mois que ce nom provoquait une réaction chez quelqu'un. Mais ce soir-là, il y avait une lueur de plus.

– Oui, je pensais le trouver ici. Je veux lui parler.

– Pourquoi ?

– J'ai quelque chose pour lui.

Elle fit signe au patron qui s'approcha.

– Qu'est-ce qu'il y a, Alma ?

Elle s'appelait Alma. Le bruit augmentait dans la salle. Elle parla près de l'oreille du patron.

– Vous vous souvenez de Cafarello ? Il le cherche.

Il regarda Vango.

– Cafarello ? Pourquoi ?

– Je dois lui donner quelque chose.

– Quoi ?

– De la part de son père qui est resté au pays.

– De l'argent ?

Vango ne répondit pas. Le patron passa un chiffon sur un robinet de cuivre.

– Pas vu depuis deux ans, au moins. Demande à Di Marzo.

– Qui est Di Marzo ? interrogea Vango.

– Le gros, assis au fond, là-bas.

Vango laissa son verre sur le comptoir et s'approcha de Di Marzo qui semblait pris entre des tables couvertes de verres comme un bateau dans les glaces de la banquise.

– Signor Di Marzo ?

Dans ses énormes mains, les cartes avaient l'air minuscules.

– Je cherche Giovanni Cafarello.

– Qui ?

– Cafarello.

Di Marzo se mit à rire, ce qui fit craquer la glace autour de lui. Il se pencha vers son voisin, un petit bonhomme aux cheveux collés.

– Il cherche Giovanni Cafarello.

L'autre écarquilla les yeux en souriant.

– Cafarello…

Vango insista poliment :

– Dottore Di Marzo, on m'a dit que vous pourriez me dire où se trouve Giovanni Cafarello.

– Sing Sing, articula Di Marzo en rabattant ses cartes sur la table.

Vango tendit l'oreille.

– Sing Sing ?

– Sing Sing, répéta l'autre.

À côté de lui, le petit gominé expliqua :

– Il est à Sing Sing depuis dix-huit mois.

– Mais plus pour longtemps, continua Di Marzo.

Ils rirent une nouvelle fois.

– Sing Sing, dit encore Vango, ahuri. Merci, *signore*.

Le ventre noué, il revint vers le comptoir.

– Tu l'as retrouvé, Lupo ? lui cria la serveuse.

– Peut-être. Sing Sing… Ça veut dire quoi ?

Elle faillit bousculer la pyramide de verres sur l'égouttoir.

– Ça veut dire qu'il ne viendra pas dîner.

– Pourquoi ?

– Il faut remonter l'Hudson. Deux heures en bateau. C'est plus simple d'y aller que d'en revenir.

– À cause du courant ?

– Non. C'est le pénitencier du nord de New York. La prison des condamnés.

Elle perdit le regard du jeune homme. Il paraissait tout d'un coup très lointain.

Vango tentait d'imaginer la silhouette du bateau de ses parents. Le bruit des pas sur le pont. Les coups de feu tirés d'abord sur les marins… Une nuit de terreur. Il pensait à

Cafarello, le lendemain, tuant froidement son complice, Bartolomeo Viaggi, pour prendre sa part du butin. Viaggi avait une femme et trois petites filles à Salina. Il s'était senti débordé par ce qui arrivait. Peut-être avait-il eu des remords ? En tout cas, Cafarello l'avait tué. Vango savait qu'une seule des trois filles Viaggi vivait encore. La pauvre petite. Il pensait aussi à la mort de Mazzetta, à tous leurs secrets engloutis. Tant de vies ravagées.

Il pensait enfin à Cafarello dans sa cellule de Sing Sing. Le bruit lancinant des coups dans les portes. Les cris dans les couloirs.

Plusieurs minutes passèrent.

– Lupacchiotto !

Vango releva la tête. La fille, les deux mains appuyées sur le comptoir, lui dit :

– Laisse les bandits entre eux. Les petits loups ne chassent pas au milieu de tout ça. Retourne chez toi, oublie ce Cafarello, et Sing Sing.

Vango se leva. Il sortit de sa poche un trop gros billet. Il le glissa maladroitement sous les doigts de la serveuse. Il savait qu'elle avait raison pour tout.

– Garde ça ! dit-elle rudement en balayant l'argent du revers de la main.

Elle se retourna. Elle en avait assez de ces billets qui circulaient du soir au matin et qui lui laissaient les doigts noirs comme ses yeux. Elle voulait autre chose. Des mains qui se touchent sans rien donner.

– Alma ! Il a payé, le petit ? demanda le patron derrière elle.

– Qui ?

Elle se tourna vers la porte.

– Celui qui vient de sortir.

– Oui, dit-elle. Il a payé.

Vango se retrouva sur le port à trois heures du matin. Le premier bateau partait deux heures plus tard. Le quai était désert. Il frappa au carreau d'une des cabanes qui servaient de gare fluviale.

Un homme entrouvrit la porte. Ils échangèrent quelques mots. L'homme paraissait hésiter. Mais quand Vango vida ses poches entre ses mains, l'homme attrapa sa casquette et sortit.

Ils allèrent jusqu'au bateau. Vango l'aida à le pousser loin du quai et sauta juste à temps. Le moteur mit du temps à démarrer. Vango s'était blotti à l'avant. Il fermait les yeux.

Qu'allait-il se passer ?

Il savait juste qu'en arrivant à Sing Sing, il demanderait à rencontrer Cafarello au parloir. « Je viens de la part de son père », voilà ce qu'il dirait. À Salina, dans les îles Éoliennes, on disait que Cafarello avait un père qu'il avait lâchement abandonné dans une petite maison entre les deux volcans en partant pour l'Amérique avec son trésor. Mais qui rejette le messager de son père le jour où il est au fond d'un cachot ?

Il n'avait pas d'autre plan. Que ferait-il quand Giovanni Cafarello apparaîtrait derrière la grille ? Vango ne maîtrisait plus rien. Ce dont il était certain c'est que, quand il reviendrait le soir sur ce quai de New York, il saurait ce qu'il voulait savoir. Le grand mystère de sa vie.

Voilà tout ce qu'il se promettait : il saurait.

Au même instant, dans un couloir de la prison de Sing Sing, un homme attendait, encadré par quatre gardiens. On l'avait réveillé au milieu de la nuit.

– C'est aujourd'hui, c'est maintenant.

Il s'était levé. L'aumônier lui parla quelques minutes à l'oreille. L'homme appuyait sa tête sur l'épaule du prêtre. Il n'arrivait pas à pleurer.

La voix de Lewis Lawes, le directeur de la prison, l'avait arraché à ce dernier moment d'humanité :

– Giovanni Valente Cafarello, il est l'heure.

Il était maintenant dans le couloir. Même s'il se mettait à hurler, les autres prisonniers ne se réveilleraient peut-être pas. C'était l'ordinaire de la prison de Sing Sing. Jamais, dans l'histoire de l'Amérique, il n'y avait eu autant de condamnations à mort que dans cette décennie. Quelques mois plus tôt, quatre criminels avaient été exécutés en une seule nuit à Sing Sing.

Le directeur conduisit le condamné et ses gardiens dans la salle qui se trouvait au bout du couloir.

Cela ne dura pas longtemps.

Quinze minutes plus tard, tout était fini.

Lewis Lawes rentra dans son bureau. Il s'écroula sur son fauteuil de cuir. Il avait beau diriger cette prison depuis quinze ans, il se battait ouvertement contre la peine de mort. Il prenait soin de noter les derniers mots des condamnés sur un cahier blanc. Ce qu'il avait entendu ce matin-là, jamais il ne l'avait entendu auparavant au moment d'une exécution.

C'était pourtant ce qu'avait toujours répété Cafarello.

Mais ces mots prononcés sur une chaise électrique

prenaient une force nouvelle. Lewis Lawes attrapa le petit cahier blanc derrière lui, sur l'étagère.

Il feuilleta ses dernières notes. Il y avait des prières, des cris de haine ou d'amour, des supplications. Certains condamnés avaient demandé pardon. Certains avaient clamé leur innocence. Certains appelaient leur mère de toutes leurs forces.

À la dernière page, il nota le nom de Giovanni Cafarello en lettres majuscules et juste en dessous il écrivit :

À trois heures cinquante du matin,
dans la prison d'Ossining de l'État de New York,
le condamné a prononcé ces mots :
Je ne suis pas Giovanni Cafarello.

Lewis Lawes referma le cahier. Par la fenêtre, le jour se levait sur le fleuve Hudson. On entendait un bateau qui approchait.

8
Silver Ghost

Everland, Écosse, au même moment, 29 août 1936

Ethel passa sa main plusieurs fois dans le linge. La soie filait entre ses doigts. Elle regardait en même temps tout autour d'elle. Ses ongles s'arrêtèrent sur une fente du bois. Le fond du tiroir se souleva. Elle trouva enfin le petit paquet de lettres qu'elle serra contre son ventre. Elle se retourna et poussa le tiroir de la commode avec son dos.

Ethel regardait les enveloppes entre ses mains. Il y en avait cinq ficelées ensemble.

Elle dénoua le paquet, ouvrit l'une d'entre elles, alla tout de suite à la dernière ligne où s'inscrivait la lettre V. Distraitement, elle remonta mot à mot ce ruisselet d'encre bleue. Puis, relevant la tête, elle contempla sa chambre. Le parquet grinçait sous ses pieds. D'où venait ce sentiment qu'elle n'était pas seule dans la pièce ? Depuis plusieurs semaines, elle avait l'impression qu'on visitait cette chambre. Elle en avait parlé à Mary qui lui avait garanti qu'elle se trompait.

Mary mettait même son honneur en jeu. Elle levait les bras au ciel, jurait ses grands dieux qu'elle était la seule à entrer ici et que jamais personne ne pourrait déjouer sa surveillance.

Mais Ethel en était certaine. Entre le matin et le soir, les papiers et les livres bougeaient. Et en passant la porte, quelques instants plus tôt, elle avait trouvé le grand tiroir entrebâillé.

Ethel referma l'enveloppe. Le feu crépitait. À moins que ce ne soit la pluie au carreau… Elle sentait dans sa main le poids plume de ces brefs messages d'une ou deux pages. Alors, d'un pas solennel, elle s'approcha de la cheminée et jeta les cinq lettres de Vango dans les flammes. Elle les regardait brûler. Du bout des doigts, assise sur ses talons, elle alla chercher sur la cendre un triangle de papier qui tentait de s'échapper. Il s'enflamma d'un seul coup. Il ne restait plus rien.

Ethel se leva. Elle avait gardé son manteau. Elle paraissait grave et soulagée. Elle fit encore grincer le parquet et s'appuya à la fenêtre. Au pied du château ronronnait le moteur de sa chère petite voiture.

Nicholas attendait, assis sur le capot. Une cape le protégeait de la pluie. Pour la première fois de sa vie, Ethel autorisait quelqu'un à conduire sa Napier-Railton. Nicholas allait en ville faire des achats pour elle. On le voyait courir la campagne au volant du bolide. Ils se serraient parfois tous les deux sur l'unique siège et partaient vers le lac.

Nicholas remarqua Ethel à la fenêtre. Il lui fit un signe de tête auquel elle ne répondit pas. Elle se tourna vers le feu. Les flammes étaient retombées.

Quelques instants plus tard, Ethel rejoignit la voiture, ils firent jaillir le gravier sous les roues en quittant la cour d'Everland Manor. Mary courut inutilement derrière eux. Elle criait. Elle voulait savoir dans quel lit elle devait installer la princesse d'Albrac qu'on annonçait pour le lendemain.

Une princesse !

Cette visite était un événement pour Mary. Elle se réjouissait. Ethel n'invitait jamais personne à Everland. Seul le fils Cameron venait de temps en temps en voisin, sans en parler à ses parents. Depuis qu'il avait enfin compris qu'il n'y avait rien à espérer, il était parfois reçu pour le thé par Ethel. Elle souriait en l'écoutant parler des jeunes filles qu'on lui présentait. La dernière était très riche mais si timide qu'il n'avait vu que ses cheveux et peut-être un nez entre deux mèches.

En dehors de cette visite du dimanche, le château restait désert. Paul n'était pas là. Il devait se battre quelque part en Espagne. Mary regrettait la grande époque où, certains soirs d'automne, elle avait douze femmes de chambre sous ses ordres qui réchauffaient quarante lits avec des bassinoires. En ce temps-là, la mère d'Ethel faisait allumer des feux tout autour du château. Un jour, elle avait reçu Lord Delamere qui était arrivé avec deux défenses d'éléphant en cadeau.

Mais une princesse ! C'était encore mieux.

À l'étage, dans la chambre silencieuse, un fantôme s'impatientait. Le coin de l'édredon gris et rose qui enveloppait le lit d'Ethel commença à se soulever. Un corps sortit de sous le lit. C'était Andreï. Il attendit un peu, allongé sur le tapis, puis se hissa sur ses coudes. Son visage était couvert de sueur. Il alla jusqu'à la cheminée, prit un morceau de bois et remua les braises. Il se dirigea ensuite vers le tiroir de la commode. Il le tira, souleva la planche du fond et découvrit la cachette. Il retourna au feu, puis à la commode dont il inspecta chaque recoin.

Il avait été surpris par l'arrivée d'Ethel au moment où il allait fouiller ce tiroir. Caché sous le lit, il l'avait vue sortir la petite liasse d'enveloppes et la jeter au feu.

Peut-être venait-il de manquer la première occasion de localiser Vango. Il ne pouvait en être sûr. Il y avait aussi Nicholas… Étaient-ce ses lettres qu'elle brûlait ainsi avec indifférence ? Il espérait que ce soit cela, oui, les lettres de ce fils de paysan réduites en fumée. Cette pensée faisait du bien à Andreï. Mais il n'y croyait pas vraiment. Savait-il écrire, ce vaurien de Nicholas ? Était-il bon à autre chose qu'à se faire aimer des femmes, qu'à conduire leurs voitures et donner des rendez-vous dans les granges ?

Non, les lettres étaient sûrement celles de Vango Romano. Andreï les cherchait depuis longtemps. D'où avaient-elles été postées ? S'il les avait trouvées à temps, cette découverte aurait suffi à calmer l'appétit de Vlad le vautour. Andreï et sa famille auraient été sauvés.

Pire encore, Ethel les avait probablement brûlées à la demande de Nicholas. Rageusement, Andreï plongea ses mains dans le dernier tiroir, pour tenter d'y dénicher quelque chose.

– Ne bouge pas.

Il voulut se redresser.

– Ne bouge pas !

La voix était aussi glaciale que le canon du fusil de chasse qui s'était glissé dans son oreille.

– Maintenant, allonge-toi. Doucement.

Andreï se baissa et posa l'autre oreille sur le parquet.

– Les bras écartés, s'il te plaît.

La tête sur le côté, Andreï mit les bras en croix.

Il resta quelques secondes ainsi, avant d'oser lever les yeux pour reconnaître celle qui le menaçait.

Mary. La gouvernante était entrée sans un bruit.

Andreï ne fut pas du tout rassuré de découvrir le visage de son assaillante. Il le savait, cette femme était capable de tout. Quelques jours plus tôt, dans l'arrière-cuisine, il l'avait vue trancher la gorge d'un cochon sans cesser de raconter, avec des trémolos dans la voix, les amours du roi Édouard et de Wallis Simpson…

– Qu'est-ce que tu cherches, Andrew ?

La vibration du doigt de Mary sur la détente remontait le long du canon et résonnait dans le crâne d'Andreï. Elle allait le tuer, elle n'aurait aucun scrupule à le faire.

– Qu'est-ce que tu cherches ?

– Rien.

La femme ne parut pas satisfaite de la réponse. Elle inspira longuement.

– De quoi j'ai l'air quand, après cela, je jure à Miss Ethel que personne n'entrera dans sa chambre ? De quoi j'ai l'air ?

Il voulut bouger la tête mais elle enfonça le canon un peu plus profondément.

– De quoi j'ai l'air, Andrew ?

– Rien, répéta-t-il.

– Oui. De rien. J'ai l'air de rien.

Elle regarda l'horloge.

– Encore quatre minutes et les frères Lawrence vont venir frapper à la porte. Ils doivent réparer le parquet.

Elle appuya le fusil assez fort pour qu'on entende grincer la latte du parquet juste en dessous de sa tête.

– Tu entends ?

– Oui, bredouilla Andreï.

Elle recommença.

– J'ai compris, gémit-il.

– Tu entends bien ?

– Oui.

– On va patienter gentiment. Et ils t'emmèneront.

Une minute passa. Andreï allait tout abandonner quand une idée lui traversa l'esprit.

Il connaissait Mary.

C'était pour lui un énorme avantage. Le maître Ochtchepkov, qui enseignait l'art de la lutte à Moscou, disait qu'il suffisait de connaître son adversaire. Il ferma les yeux.

– Qu'est-ce que tu voulais voler, Andrew ? demanda Mary.

Andreï ouvrit sa main.

– Ça.

Et un voile de coton blanc s'étala autour de ses doigts.

En lâchant le tiroir sous la pression du fusil, Andreï avait gardé par hasard dans la main un bout de tissu.

– Ça ?

Mary se pencha un peu. Elle avait bien reconnu la brassière blanche qu'Ethel portait dans son lit les nuits d'été, comme un souvenir, parce que ce vêtement avait appartenu, il y a bien longtemps, au trousseau de mariage de sa mère.

– Ça ? demanda-t-elle.

– Oui, dit Andreï dans un sanglot.

La pression du fusil se fit immédiatement plus légère.

Mary sentait naître le seul genre d'histoire qui lui faisait perdre son sang-froid. Elle balbutia :

– Ne me dis pas que…

Une histoire d'amour ! Oh… Cela sentait l'histoire d'amour.

– Andrew !

– Je ne recommencerai pas, Miss Mary. Jamais.

Des larmes apparurent à point nommé dans les yeux d'Andreï.

– Ne lui racontez rien, supplia-t-il. Dites-lui plutôt que je voulais voler de l'argent.

Mary regardait le visage du jeune homme.

– Il l'aime ou je suis folle ?

– Je ne veux pas qu'elle sache. J'ai honte. Elle ne me regarde même pas. Un voleur ! Dites-lui que je suis un voleur. Je préfère finir en prison.

Mary perdait pied. Magnifique. Elle se croyait dans le cinquième épisode des *Brumes de Glory*, quand le berger découvre la reine qui nage dans l'étang.

Elle avait découvert cette histoire dans la cuisine, sur le papier journal qui emballait le fromage. Et elle s'était mise à acheter la suite du feuilleton chaque semaine au village. Elle n'en dormait plus.

Désormais, elle ne pouvait plus respirer l'odeur d'un vieux fromage de brebis sans penser au berger, caché dans l'arbre creux, qui se lamentait : « Faut-il que je sois né pâtre… ? »

Et dans ses rêves les plus fous, Mary prenait les traits de la reine nageant la brasse dans l'étang. Dans ses rêves aussi, le commissaire Boulard jouait le berger.

– Tuez-moi, dit Andreï.

Elle sursauta.

Cette fois, il était allé un peu trop loin. Il ne fallait pas la prendre pour une idiote.

– Tu raconteras tes histoires à Miss Ethel, espèce de voleur de poules. Je n'y crois pas une seconde. Et moi, je suis amoureuse du vice-roi des Indes, pendant qu'on y est !

On frappa à la porte. Les frères Lawrence étaient là.

– Attendez…, chuchota Andreï à Mary.

Nouveaux coups sur la porte. Andreï supplia :

– Écoutez-moi…

Mary hésita, ce qui laissa le temps à Andreï de demander :

– Soulevez la jambe droite de mon pantalon.

Mary resta interdite. La situation devenait indécente. Mais sa curiosité était plus forte que tout. *Les Brumes de Glory.*

Elle cria à l'intention des menuisiers :

– Restez derrière la porte. Je vous dirai d'entrer quand j'aurai fini de ranger. C'est une chambre de dame, messieurs.

Gardant le fusil appuyé sur le visage d'Andreï, elle fit remonter, à l'aide de son pied, le tissu du pantalon sur la jambe droite. Si quelqu'un était entré à ce moment, il aurait vu une gouvernante d'âge mûr qui tenait en joue un jeune garçon allongé par terre tout en lui caressant le mollet avec le talon.

– Mon Dieu !

Elle venait de voir, dans le creux du genou, gravé sur la peau d'Andreï, les cinq lettres du prénom d'Ethel. Oui, il l'aimait !

Elle se mit à rougir, se croyant propulsée sous les projecteurs du cinéma parlant, épouvantée d'avoir le pire des rôles : la mégère qui punit l'amoureux éconduit. Mais rien n'était perdu. Elle pouvait encore devenir aux yeux de tous celle qui pardonnait le premier faux pas de l'amour.

Elle imaginait les salles entières, debout, sortant des mouchoirs.

Quand les frères Lawrence entrèrent, ils découvrirent Mary, les joues légèrement enflammées et, derrière elle, Andreï, avec dans ses bras les trois tapis de la chambre hâtivement roulés.

– J'en profiterai pour faire battre les tapis, dit Mary. Dépêchez-vous. Je ne veux plus que ça grince. Il y a une autre chambre à faire. La princesse d'Albrac arrive demain. Qu'elle ne se croie pas dans une maison hantée !

Puis elle se tourna vers Andreï.

– Mais enfin, vas-tu descendre avec ton chargement, toi ? La pluie s'était arrêtée.

Pendant l'heure qui suivit, la maison résonna des coups de marteau sur le parquet et, dehors, du bruit des tapis qu'on frappait avec des rames, dans l'herbe mouillée. À chaque coup donné, Andreï disparaissait dans une auréole de poussière.

Ethel revint seule, très tard le soir. Elle laissa sa voiture dehors, devant la seconde écurie qui servait de garage. Elle sauta au sol. La Napier-Railton n'a pas de portière : on s'en extrait comme de la carlingue d'un avion. Ethel retira son casque de cuir et ses lunettes qu'elle abandonna sur le siège.

Le château était plongé dans l'obscurité. Seule une fenêtre, en bas, restait illuminée. Ethel pensait à son frère.

En rentrant le soir, elle espérait toujours découvrir sa lucarne éclairée sous le toit.

Elle n'avait aucune nouvelle de Paul depuis plusieurs mois. Il était reparti en Espagne au mois d'août quand il avait appris la mort de quatre de ses amis du régiment de Castille dans un massacre à Badajoz, près de la frontière portugaise.

Par les journaux, Ethel entendait parler de brigades internationales qui se créaient pour soutenir les républicains espagnols contre le coup d'État nationaliste. Depuis quelques semaines, de jeunes aventuriers venus du monde entier s'engageaient à Madrid. Ethel craignait pour la vie de Paul. Elle désirait son retour mais elle en avait peur. Elle savait qu'il n'aimerait pas ce qu'elle était en train de faire.

Andreï entendit arriver Ethel. Il resta terré sur sa couchette. Les phares s'étaient éteints. Dans le noir, il crut entendre des pas qui s'éloignaient sur le gravier. Il s'enveloppa dans sa couverture. On n'entendait plus que la vibration des chauves-souris.

Tout à coup, les lumières s'allumèrent autour de lui. Ethel était là.

Elle regardait Andreï qui se protégeait les yeux avec la main.

– Tu dormais ?

Elle avait mis sur ses cheveux un bandeau en laine, blanc comme sa peau.

– Viens avec moi.

Andreï n'osa pas bouger. Il pensa que Mary avait tout raconté.

– Viens !

Cette fois, il se leva.

Il était en face d'elle. Il n'avait jamais été aussi près.

Elle le regarda un moment et s'éloigna vers le fond du garage.

– Dépêche-toi.

Andreï la suivit. Elle portait encore son manteau de pluie qui datait au moins de la guerre. Les filaments des ampoules grésillaient au plafond. Des chauves-souris filaient le long des poutres.

– Tu fais toujours de la mécanique ?

Andreï ne comprenait pas. Il avait froid.

Ethel tira sur le voile qui couvrait la Rolls blanche.

– Je vous jure, dit Andreï. Je n'y ai plus touché. Comme vous m'aviez dit.

Depuis longtemps, Andreï avait l'interdiction formelle de réparer cette automobile.

Elle secoua la tête.

– Demain soir, je veux que le moteur tourne parfaitement.

Le visage du garçon s'illumina.

– Demain matin, corrigea Andreï.

Il se tenait comme un soldat de plomb, les bras le long du corps.

– Demain matin, si tu veux. Mais je ne serai pas là très tôt. Je pars cette nuit. Tu pourras appeler Nick quand ce sera prêt.

– Nick ?

– Nicholas.

– Qui ?

– Le fils de Peter.

– Pourquoi Nicholas ?

– Parce que c'est pour lui.

Ethel remarqua qu'Andreï venait de changer d'expression.

– Quelque chose ne va pas ? demanda-t-elle.

Vingt secondes passèrent et Andreï parvint à dire :

– Je ne comprends pas.

Elle fit un pas vers lui.

– Elle sert à quelqu'un, cette voiture ? interrogea-t-elle.

– Non.

– Alors, j'en fais ce que je veux. Si je veux la noyer dans le loch, si je veux la donner à mon cheval, si je veux planter des chrysanthèmes dans les garde-boue…

– Mais vous m'aviez dit…

– J'ai changé.

– Et M. Paul…

– Il joue à faire la révolution en Espagne. Il ne va pas revenir pour rouler en Rolls. Il faut choisir, dans la vie.

Elle s'éloignait de son pas léger. Andreï ne voulait pas croire qu'il allait devoir réparer cette voiture pour Nicholas. Il lança :

– Vos parents…

Ethel se retourna vers lui.

– Oui ?

– Miss Mary m'a dit que votre père aimait cette voiture.

Elle baissa les paupières et répliqua :

– Et toi ? Est-ce que je te parle de tes parents ? Ne parle pas de ce que tu ne connais pas.

Elle se souvenait d'un voyage avec son père quand elle avait cinq ans. En haut d'une côte, en revenant de Glasgow, il avait coupé le moteur et la voiture blanche avait descendu

106

la colline à toute vitesse dans le plus complet silence. Ethel était debout sur la banquette, derrière lui. Le vent claquait et sifflait comme dans la robe d'un fantôme.

Pourtant, quand il avait vu voler un avion, l'année d'après, au-dessus de la maison, le père d'Ethel avait dit en touchant la carosserie : « Regarde la pauvre auto, comparée à cet oiseau ! C'est pire qu'une charrue ! »

Mais la Silver Ghost était restée à jamais pour lui la plus belle des charrues.

– Fais signe à Nicholas quand le moteur marchera, dit Ethel. Et commence par me donner de l'essence, je pars tout de suite.

Andreï plaça un bidon derrière le siège de la petite Napier-Railton.

– Je ne veux pas réveiller Mary. Si elle me cherche, je suis dans le Nord, à Ullapool. Je vais chercher quelqu'un au bateau, une vieille amie de mes parents, la princesse d'Albrac. Je reviens demain.

Elle démarra et le bruit de sa voiture dans la nuit ne dut pas seulement réveiller Mary et tous les habitants, mais aussi la biche Lilly qui dormait à quinze miles de là dans les fougères.

Andreï passa sa nuit au travail. Le matin, il s'écroula sur la paille. La Rolls venait de démarrer au premier tour de manivelle.

Quand il se réveilla deux heures plus tard, la voiture n'était plus là. Il poussa un cri, courut jusqu'au perron du château, ne trouva personne, se dirigea vers les cuisines. Scott le vit entrer, blafard, fou de colère.

– Où est la voiture ? hurla-t-il.

Le cuisinier eut l'air étonné. Il s'essuyait les mains sur son pantalon. Il préparait l'arrivée de la princesse d'Albrac, le soir même.

– Tu n'étais pas là, ce matin ? Nicholas, le fils de Peter, l'a réparée. Tout le monde était venu pour regarder.

– Il est parti où ?

– Je ne sais pas.

Andreï frappa du plat de la main sur la table, renversa un banc, sortit par la porte de service. Il longea le chemin bordé de buis. Peter était dans la roseraie. Il coupait le bois mort et les boutons secs, pour que le premier blizzard de septembre ne couche pas les buissons de roses.

Andreï l'empoigna par-derrière.

– Où est votre fils ?

Quelques instants plus tard, Andreï était à cheval, une clef à griffe d'un kilo attachée à la ceinture. Il sauta les deux barrières pour rejoindre par les hêtres le chemin du lac. Dans les ornières pleines de boue, il reconnut la trace de la Silver Ghost. Il remit son cheval au galop.

Arrivé à un rocher où le chemin dessinait une fourche, il hésita. La voiture d'Ethel avait aussi dû emprunter l'une de ces voies pendant la nuit. Mais l'écartement des roues de la Rolls était reconnaissable. Il prit à gauche. Son cheval devenait aussi nerveux que lui. En moins de dix minutes, il fut assez près du lac pour voir sa rive semée de rochers et d'ajoncs. Il n'était jamais venu jusque-là.

Le chemin semblait mener à un hangar à bateaux bâti tout près de l'eau. Andreï arrêta son cheval assez loin pour observer les lieux.

C'était donc là que Nicholas retrouvait Ethel. Une cabane au bord du lac. Andreï pensa à ces longues journées où ils disparaissaient ensemble. Cela n'arriverait plus. Il serra la lourde clef dans son poing.

Il remarqua quelques bouleaux un peu après le hangar. Ils avaient déjà perdu leurs feuilles. Et, derrière ce rideau blanc, il vit l'automobile. Andreï mit pied à terre. Il frappa la croupe de son cheval. L'animal comprit qu'il devait rentrer chez lui. Il partit au pas, se retourna plusieurs fois pour s'assurer qu'il ne pouvait pas traîner un peu, mais finit par s'en aller au petit trot en direction d'Everland.

Andreï cacha dans son dos la clef à griffe et contourna largement le hangar. Il rejoignit d'abord la haie, ne quittant pas des yeux la porte du bâtiment. On entendait parfois un bruit métallique et comme quelqu'un qui chantonnait. Nicholas était bien là.

Andreï s'approcha de la Rolls blanche.

Il mit du temps à bien comprendre ce qu'il avait devant lui. Le capot de l'automobile était ouvert, et tout l'avant était éventré. Un trou béant. On voyait l'herbe au travers. L'essence s'écoulait sur la ferraille taillée à la hache. Le blanc de la Rolls était barbouillé de traces de graisse noire. Mais ce n'était pas le résultat d'un accident : le moteur avait été arraché, comme le cœur d'un cadavre dans les leçons d'anatomie.

9
Une princesse en exil

Andreï passa le doigt sur un morceau de tuyau déchiré.

Il ne restait rien. Où était passée toute l'horlogerie du moteur que Henry Royce lui-même, la pipe au coin des lèvres, avait ajustée à la lime à ongles dans ses ateliers de Manchester ?

Andreï ne cherchait plus à se cacher. Il s'élança à l'assaut du hangar. La fureur montait du fond de son être.

Nicholas poussa la porte à ce moment.

– Andreï ?

Celui-ci continuait à avancer dans l'herbe.

– Reste où tu es, dit doucement Nicholas. Tu n'as pas le droit de venir ici.

Andreï serrait l'énorme clef entre ses doigts.

– Attends.

Mais il avait levé son bras, il asséna un premier coup.

Nicholas tomba contre la porte. Le coup avait frôlé son ⬚t s'était abattu au creux de l'épaule.

⬚⬚ !

⬚⬚mença à le frapper à coups de pied.

⬚er.

Couché sur le sol, Nicholas vit tout de suite que la persuasion ne suffirait pas. Il se jeta dans les jambes d'Andreï et les serra entre ses bras pour le faire tomber. Ils roulèrent dans la boue. Nicholas était beaucoup plus lourd que son adversaire. Il prit rapidement le dessus.

Andreï se débattait de toutes ses forces. Nicholas parvint à le retourner, appuya le genou sur ses reins. Puis il attrapa ses poignets, le désarma, et lui tordit les deux bras dans le dos, la face contre terre.

– Arrête tout où je te casse.

Le corps d'Andreï eut un dernier sursaut de résistance et céda.

L'autre attendit un peu. Il se leva, ramassa la clef à griffe, la lança de toutes ses forces. Elle plongea dans les eaux grises du loch Ness.

Il revint vers Andreï qui retrouvait lentement son souffle et murmurait des mots en russe.

– Tu as failli me tuer, dit Nicholas en s'étirant au-dessus de son adversaire.

Puis il tira la porte et entra dans le hangar.

Andreï se retourna dans la boue en gémissant. Nicholas réapparut un instant.

– Viens donc voir, puisque tu es là.

Mais Andreï resta encore longtemps par terre. Seuls ses yeux bougeaient.

Il n'avait jamais aimé la bagarre.

Il finit par s'appuyer sur ses coudes pour se redresser, ' sur ses mains en tentant de se mettre debout. Il ess' boue de son visage avec sa manche et suivit pénil' Nicholas.

Pénétrant dans le hangar, Andreï s'appuya au cadre de la porte d'entrée. Il passa la main sur sa bouche et dit un dernier mot très bas en russe. Nicholas était à contre-jour, dos à une fenêtre qui donnait sur le loch Ness.

– Voilà, dit-il.

Posé au milieu de l'espace, entouré d'un échafaudage d'échelles, de plates-formes et de cordes, se trouvait un petit avion.

– C'est moi qui l'ai découvert, dit Nicholas. Il était brisé en morceaux, enterré sur la colline, par là.

Il fit un geste vague vers l'angle de la cabane, mais il devait en fait montrer le paysage qui se trouvait derrière.

– Miss Ethel me fait travailler depuis quatre mois. On terminait les plans quand tu nous as surpris. Personne d'autre que nous ne sait ce que nous faisons.

– Enterré ? murmura Andreï.

– Oui, sous la colline.

Il refit le même geste.

– M. Paul l'avait fait enfouir par les jardiniers en pleine nuit. J'étais encore un enfant. J'ai vu mon père revenir. Il a mis dix ans à me dire l'endroit.

Andreï regardait le petit avion à deux places, avec ses ~~s~~uperposées qui tenaient comme par enchantement. ~~p~~arties étaient déjà peintes en blanc, mais à la ~~e~~t de l'hélice, il n'y avait qu'un trou.

~~disa~~it bien, seul ce petit avion liait Ethel ~~ex~~istait que dans son imagination.

~~s~~ savoir, dit Nicholas. Il ignore ~~a~~voulu le trouver pour le faire voler. ~~o~~n y touche.

Il fit encore un pas vers Andreï.

– Ne bouge pas, Nick. Laisse-le partir.

Ethel s'était méfiée d'Andreï dès le premier jour. À cause de ce soupçon, elle venait de brûler toutes les lettres de Vango.

Elle ne lui pardonnait pas cela.

– Va-t'en, répéta-t-elle.

Dans les yeux d'Andreï, les dernières poussières retombaient sur la maison effondrée. Cela dura longtemps, puis il sortit.

Sur la route qui vient d'Inverness et qui longe le loch Ness par la rive nord, une voiture à cheval roulait à bonne allure. Personne ne pouvait imaginer qu'il y avait à bord la princesse d'Albrac et sa suite. Le cocher lui-même avait été surpris en découvrant à la descente du bateau cette vieille petite dame si gentille avec son sac à main, qui avait tendu vers lui une grosse bague de verroterie pour la faire baiser. Elle voyageait avec une jeune suivante qui devait bien connaître Ethel parce qu'elle lui tomba dans les bras sur le quai. La princesse avait été malade pendant toute la traversée en bateau. Elle en gardait un teint de porridge qui la désolait, elle qui avait d'habitude les joues comme le lilas des jardins parisiens.

La suivante, de son côté, était beaucoup plus fraîche. Elle tenait juste le rôle d'accompagnatrice pour la traversée en bateau et pensait prendre celui qui repartait dans l'autre sens. Mais elle se laissa convaincre de venir passer une nuit à Everland.

Ethel quitta le port dans son bolide, laissant les deux voyageuses revenir à leur rythme dans la voiture du cocher.

Après un dernier tournant, juste au-dessus du lac, la

princesse fit arrêter l'attelage pour la cinquième fois. Elle se précipita dans l'herbe, plus malade que jamais.

– On est presque arrivés, dit le cocher.

– Très bien. Tout est parfait, j'en ai pour une seconde, barbota la princesse.

– Si vous voulez finir à pied, je vois quelqu'un qui vient du château à notre rencontre, je le connais, il pourra vous donner le bras pour vous emmener.

– Oh, non, vous êtes gentil. C'est fini.

Elle remonta à bord, encombrée par sa robe trop lourde. Elle s'étendit sur la banquette, faisant un oreiller avec son sac à main bourré de pelotes de laine.

Sa jolie suivante, dès la première minute du trajet, sur le port d'Ullapool, avait grimpé sur le toit comme un singe et s'était allongée sur la galerie, d'où elle regardait le ciel gris. Elle avait aussi passé le voyage en bateau sur la bâche d'un canot de sauvetage accroché au pont supérieur.

Elle n'aimait pas les espaces confinés.

De là lui venait le surnom la Taupe.

La voiture se remit en route, ralentit au passage du jeune homme qui venait en sens inverse, un étui à violon dans le dos.

– Miss Ethel est déjà arrivée ? demanda le cocher.

Andreï, la tête rentrée dans les épaules, ne répondit pas. Il s'en allait.

Tout était terminé.

Couchée sur le toit, la Taupe regardait deux nuages noirs qui se croisaient sans se toucher. Si Andreï avait répondu, elle se serait sûrement retournée pour le regarder. Elle aurait reconnu sa voix.

Mais elle écoutait le claquement des sabots, le vent léger qui passait dans les bagages autour d'elle. Elle avait si peu voyagé. Même l'air de ses poumons lui paraissait étranger.

Andreï ne pouvait plus prononcer une parole. Il se croyait condamné. Il imaginait déjà sa famille dans un train pour les goulags de Sibérie. En passant, il jeta un coup d'œil dans la voiture. Le rideau était resté ouvert. Il regarda la vieille dame allongée. Elle lui sourit. Était-ce cela, la princesse d'Albrac ?

Le cocher fouetta son cheval. L'accélération fit sursauter la Taupe. Elle se mit à genoux sur le toit et observa le chemin se dérouler derrière elle.

Elle suivit la silhouette du jeune homme qui s'éloignait. Elle plissa les yeux, rêveuse. La Taupe chassa l'idée qui venait de naître en elle. Non. C'était idiot. Pourquoi ici ? Pourquoi lui ? Mais elle ne put quitter du regard le garçon jusqu'à ce qu'il disparaisse dans la blancheur de la route.

– Ma chérie…

La voix venait d'en dessous d'elle.

La Taupe se pencha pour atteindre la fenêtre et y passer la tête.

– Vous allez mieux, Altesse ?

Elle souriait en disant ces mots.

– Beaucoup mieux, dit la petite dame avec toute l'énergie qui lui restait.

Encore un peu brouillée, sa face était passée du porridge au beurre frais. Elle murmura :

– Je voulais vous demander, ma chérie : combien les princesses doivent-elles porter de jupons ? J'ai très chaud.

117

– Vous pourrez enlever toutes les couches que vous voulez.

– J'ai été bien ? chuchota-t-elle comme si elle sortait de scène.

– Très bien. Vous êtes merveilleuse.

La princesse d'Albrac fit un sourire modeste.

Dans le civil, elle s'appelait Marie-Antoinette Boulard.

Tout avait commencé quatre semaines plus tôt à Paris.

Un matin, avant de partir pour le Quai des Orfèvres, le commissaire annonça à sa mère une nouvelle visite de son professeur de russe pour le lendemain soir. Ils étaient tous les deux dans la cuisine. Mme Boulard continua à servir le café avec détachement.

– Je t'ai mis le jambon-beurre dans ton cartable, dit-elle à son fils.

Depuis son entrée en classe élémentaire, au siècle précédent, le commissaire partait chaque matin avec son goûter en bandoulière.

Quand Boulard passa le coin de la rue, sa mère mit ses pantoufles et se précipita chez la gardienne. Celle-ci écarta les rideaux de sa loge.

– Ouvrez, articula Mme Boulard à travers la vitre.

La porte s'ouvrit.

– C'est pour demain, dit-elle.

Elles se regardèrent puis se prirent les deux mains avec émotion. Le jour était enfin venu. Leur plan était prêt depuis longtemps.

Le lendemain, quand la nuit fut tombée, vers dix heures du soir, on sonna à la porte des Boulard.

Le commissaire et sa mère finissaient de souper. Il faisait nuit.

Boulard parut inquiet. Il regarda sa montre.

– C'est ton Raspoutine ? demanda sa mère.

– Il est trop tôt.

– Je vais voir, dit-elle.

– Non. Attends.

Boulard poussa sa chaise et se dirigea vers l'entrée. Sa mère tendait l'oreille.

Le commissaire revint.

– C'est Mme Dussac. Elle demande que tu viennes pour la TSF.

Depuis plusieurs semaines, la gardienne montait à l'improviste, de jour comme de nuit, pour prévenir Mme Boulard des bonnes émissions de la radio sans fil.

– Ça lui fait plaisir, expliqua la mère Boulard. Elle me fait écouter des chansons.

Elle se leva à son tour en pliant sa serviette.

– Prends ton temps, dit le commissaire.

Il était très content d'éloigner sa mère pendant l'entretien avec le terrible Vlad.

Elles descendirent dans la loge, éteignirent la lumière et montèrent la garde.

À onze heures moins cinq, la porte cochère s'ouvrit.

– Le voilà, annonça Mme Dussac.

Le vautour passa devant les deux femmes qui restaient cachées dans le noir derrière le voilage. Il tenait son chapeau à la main. Il s'était rasé la tête. Son crâne brillait sous le lustre.

Vlad passa le battant vitré qui menait à l'escalier, sur la

droite. Chacun de ses pas sur les marches faisait vibrer la rampe de haut en bas.

Il sonna. On entendit grincer la porte du sixième. Les deux femmes se serrèrent dans les bras l'une de l'autre pour se donner du courage.

Elles sortirent. Mme Boulard avait une barre à mine sur l'épaule, et Mme Dussac un fusil à baïonnette de la guerre de 1870.

Elles se faufilèrent jusqu'à l'escalier, y déposèrent leurs armes. Mme Boulard était un peu essoufflée. Elles s'agenouillèrent devant la première marche, roulèrent le tapis du rez-de-chaussée dont les vis avaient été retirées à l'avance. Une trappe apparut. Cette large trappe doublée de parquet avait été installée pour l'approvisionnement en charbon, cinquante ans auparavant. Elle n'était plus en service, depuis le passage au gaz. La trappe menait à une cave entièrement murée.

Mme Boulard fit levier avec sa barre à mine. Mme Dussac glissa ses mains dans la fente. Cinq minutes plus tard le couvercle avait été poussé sur le côté et un véritable piège à lion s'ouvrait en bas de l'escalier : une fosse de quatre mètres de profondeur avec au fond un tas de charbon détrempé.

Dussac prit Boulard sur les épaules pour dévisser les ampoules de l'escalier. Il faisait entièrement noir entre le deuxième étage et le rez-de-chaussée.

– C'est fait. Descendez-moi, dit Mme Boulard qui avait le vertige.

Contournant soigneusement le trou, elles se retrouvèrent sous l'escalier.

– Bonne chance. Je retourne à mon poste, répliqua Mme Dussac dont le chignon libéré dessinait des volutes tout autour de sa tête.

Les pommettes de Marie-Antoinette Boulard avaient aussi retrouvé toute leur jeunesse. Elles se serrèrent encore les mains, le regard éclatant.

Mme Dussac était maintenant en sentinelle dans sa loge avec le fusil à baïonnette. Sa mission consistait à empêcher le retour des amoureux du deuxième étage. Depuis quatre heures de l'après-midi, elle avait coché le nom des locataires qui rejoignaient leur appartement mais, comme d'habitude, les amoureux du deuxième étage n'étaient pas rentrés. Ces deux-là, mariés depuis le début de l'été, n'avaient pas encore compris qu'un couple honnête doit être rangé à huit heures. Ils risquaient de faire échouer les grandes manœuvres.

Mme Boulard, elle, était restée sous l'escalier. L'immeuble se taisait. En s'habituant à l'obscurité, la vieille dame commençait à voir flotter dans l'air le peu de lumière qui venait de l'ampoule restée allumée devant la loge.

Elle repensait à ce qui l'avait conduite là, à jouer aux cow-boys et aux Indiens à quatre-vingt-sept ans. Il avait fallu beaucoup de temps pour qu'elle comprenne que son fils n'agissait plus librement. Au début, elle pensait qu'il avait simplement mis les pieds dans une mauvaise histoire.

Elle avait décidé de le convoquer pour le sermonner. Elle se souvenait l'avoir déjà fait quand le petit Auguste s'était compromis dans un trafic de billes. Cela pouvait bien marcher soixante ans plus tard.

Mais Boulard était sorti méconnaissable des dernières visites du Russe. C'était plus sérieux que des problèmes de billes. Il était en danger, elle en était sûre. Tant que Raspoutine serait libre, le commissaire, lui, ne le serait pas.

Mme Boulard se cramponna des deux mains à la barre de métal. Elle venait de voir passer une forme au-dessus d'elle. Un chat ? Les chats pouvaient-ils coller au plafond ? Et puis d'où viendrait-il ? La courette qui s'ouvrait de l'autre côté n'avait aucune ouverture sur les trois premiers étages.

– Vous êtes là ?

Cette fois, une voix s'adressait à elle, à quelques pas.

Elle jeta la barre à mine le plus fort possible dans cette direction. On entendit tournoyer la barre mais elle ne retomba jamais. Mme Boulard retenait sa respiration.

– Il ne faut pas faire de bruit, dit la voix. Je vais vous expliquer. Je suis avec vous.

– Qui êtes-vous ?

– Celui que vous voulez attraper n'est pas seul. Il y en a deux qui l'attendent juste en face, sur le trottoir. Si votre homme ne sort pas, ils vous élimineront tous.

– Comment m'avez-vous trouvée dans le noir ? chuchota Mme Boulard.

– Vous avez le même parfum que ma mère. Je l'ai vu sur la commode de votre salon.

– Quoi ? Vous êtes entrée chez moi ?

– Je vous jure que non. Je l'ai vu par la fenêtre.

– Mon Dieu. Au sixième ?

– Il faut se dépêcher.

Mme Boulard avait la tête qui tournait.

– Dites-moi ce que je dois faire.

La Taupe posa très doucement la barre en fer qu'elle avait attrapée au vol. Elle demanda :

— Dites-moi plutôt ce que vous comptiez faire.

— Je voulais le faire tomber dans un trou.

— Un trou ?

— Oui, un trou.

La Taupe fit un sourire. Un trou. Les bonnes vieilles méthodes de l'âge de pierre. Quand elle avait vu, depuis les toits, les va-et-vient de Mme Boulard et sa gardienne, elle avait bien imaginé des préparatifs. Mais un trou ! Elle n'aurait jamais pu l'envisager.

— Merveilleux. Il est où votre trou ?

— Là. Devant moi.

À ce moment, on entendit une porte s'ouvrir en haut de l'escalier. La porte se referma. Des pas sur les marches…

— Il faut boucher ce trou, chuchota la Taupe.

Vlad était déjà au cinquième.

— C'est trop lourd, dit Mme Boulard.

La Taupe tâtonna jusqu'à elle. Mme Boulard tremblait.

— Allons-y !

Elle sentit sous ses mains l'énorme couvercle.

Les marches craquaient à chaque pas du vautour.

Il s'arrêta sur le deuxième palier. Le reste de l'escalier était dans l'obscurité. Les pas ralentirent. Vlad marmonnait quelque chose. Il n'y voyait plus rien.

Quand il mit le pied au rez-de-chaussée, la trappe était refermée et les deux ombres avaient reculé sous l'escalier.

« Sauvées », pensa la Taupe.

« Le tapis », pensa Mme Boulard.

Vlad ne fit qu'un seul pas, il s'effondra de tout son long.

Il lança une poignée de jurons en russe, se redressa lentement. Il continuait de maugréer, cherchant la sortie en hasardant un pied après l'autre. Tout à coup, Vlad réalisa qu'il n'avait plus son chapeau. Il émit encore quelques sons et commença à s'agiter dans le noir.

La Taupe sentit Mme Boulard se serrer contre elle. La vieille dame tenait quelque chose entre ses mains. Le chapeau avait roulé jusqu'à elle. La Taupe le lui arracha. Elle le jeta vers Vlad qui ne tarda pas à le trouver et s'en alla à quatre pattes vers la sortie.

Sous le porche, la lumière était plus vaillante. Vlad se releva dignement, s'avança jusqu'à son reflet dans la porte vitrée de la loge et commença à arranger ses vêtements. Son nez saignait à cause de sa chute. Il l'essuya grossièrement, puis sécha ses mains dans sa barbe.

Invisible derrière la vitre, Mme Dussac le tenait en joue avec son fusil dans la pénombre. Ils étaient l'un en face de l'autre, séparés par l'épaisseur du verre et le voile translucide du rideau.

Soudain, en se penchant pour ajuster son chapeau sur son crâne, Vlad crut voir le spectre d'une femme portant une baïonnette.

Il commença par reculer, puis colla ses yeux à la vitre. Il voulait en avoir le cœur net. Mme Dussac contempla avec effroi le gros visage du vautour écrasé sur le carreau. Du sang s'étalait sur la vitre. Elle allait pousser un cri quand des gloussements se firent entendre du côté de la rue.

– Les amoureux, murmura Dussac avec gratitude.

La porte cochère s'ouvrit. Un couple apparut. Le vautour se décolla de la vitre et tourna la tête.

C'étaient eux. Ils se tenaient enlacés. Le mari avait une fleur derrière l'oreille, la jeune épouse chantait. Mme Dussac fit un signe de croix. Bénis soient les amoureux.

Vlad se retourna, hésita un instant et se dirigea vers la sortie. Il croisa le couple qui se chuchotait des choses à l'oreille. La jeune femme fit une révérence. Ils valsèrent devant la loge. Elle tenait ses chaussures dans sa main.

Le vautour disparut.

Les amoureux faillirent trébucher sur le tapis resté enroulé. Quand les bruissements tendres se furent dissipés dans l'escalier, Mme Boulard et la Taupe se précipitèrent chez la gardienne. Elles la trouvèrent assise sur la table de la cuisine, livide.

Au sixième, le commissaire s'était endormi, anéanti par les dernières menaces du vautour. Vlad lui donnait un mois pour trouver Vango.

Dans la loge de Mme Dussac, la nuit passa à préparer l'avenir. La Taupe avait convaincu les deux femmes que Vlad tenait Boulard par sa mère.

– Par moi ?

– Oui. Boulard craint pour votre vie.

– Le cher petit !

En éliminant la mère tout irait mieux. Mme Boulard frissonna.

– Moi ?

– Oui. Vous devez disparaître.

Mme Boulard leva les yeux au ciel.

– Disparaître ? Mon Dieu, mais où ?

La Taupe avait peut-être une solution. Elle ne pouvait

125

encore en être sûre. Il lui fallait s'organiser. Elle connaissait quelqu'un à l'étranger.

– À l'étranger ?

Mme Boulard s'imaginait déjà dans la jungle à manger des insectes. Elle n'était jamais allée à l'étranger.

La Taupe donna rendez-vous à ces dames deux semaines plus tard.

Le jour dit, à la faveur d'une excellente émission de la TSF, elles se retrouvèrent toutes les trois. La musique masquait leurs voix. Sur l'air de *Vous qui passez sans me voir*, chanté par Jean Sablon, la Taupe exposa son idée. Mme Boulard écouta jusqu'au bout et, quand elle entendit qu'il faudrait aussi changer d'identité, elle sembla convaincue et ravie. Elle décida elle-même qu'elle serait la princesse d'Albrac en exil.

Un dimanche de la fin du mois d'août, le commissaire se réveilla à dix heures du matin. Il sauta de son lit. Sa mère n'était pas venue le réveiller pour aller au marché.

– Maman ?

Il se dirigea vers la cuisine.

– Maman !

Sur la table, il découvrit quelques mots qui, après des conseils vestimentaires pour l'hiver (écharpe, bonnet et chaussettes en laine), se terminaient par :

Ne crains plus rien pour moi,
fais ce que tu dois faire.
Redeviens celui que tu es.
Adieu, Auguste, je reviendrai.
Maman.

Le commissaire Boulard mordit son poing. Il avait fait ce geste, déjà, un matin de septembre 1879, quand sa mère l'avait laissé tout seul à la porte d'un pensionnat de Clermont-Ferrand.

Boulard déchira consciencieusement le message et rassembla quelques affaires. Comment sa mère avait-elle tout compris ?

Il s'habilla, mit son manteau devant la glace de la salle à manger.

Oui, il allait redevenir le redoutable Boulard. Mais il ne pouvait pas s'en sortir seul. Il connaissait la personne sur laquelle il pouvait compter. Le fidèle des fidèles.

Une heure plus tard, il frappa à la porte d'Augustin Avignon.

10
La bohème

Au pied de la plus grande tour de Manhattan était garé en permanence un petit fourgon Gordon Bakery peint en rouge, avec en lettres jaunes le slogan «Les meilleurs beignets du Nouveau Monde». Une flèche brisée en angle droit indiquait la direction de la boutique à deux rues de là.

La pâtisserie Gordon, qui avait failli mettre la clef sous la porte l'été précédent, doubla le nombre de ses clients en quelques jours. Un mystérieux donateur avait offert cette publicité. Il payait aussi la place de stationnement sur la Cinquième Avenue. Le pâtissier et sa femme recrutèrent trois apprentis pour pouvoir satisfaire la demande en beignets.

Zefiro lécha le sucre sur ses doigts. Il terminait son troisième beignet de la soirée.

– Alors? demanda-t-il.

Vango et le père Zefiro étaient cachés à l'intérieur du fourgon rouge, en face de la porte de l'Empire State Building.

– Rien.

Vango avait l'œil collé sur un trou qui s'ouvrait au milieu du premier O de Gordon. Il était assis sur une caisse de beignets.

Zefiro était derrière le second O. Il regardait l'entrée du hall, de l'autre côté de la rue. Ils avaient eu l'idée d'installer cette camionnette après avoir tenté de suivre l'un des visiteurs de Voloï Viktor. Le temps de dévaler les étages de leur tour en chantier, l'homme s'était volatilisé.

Ils passaient donc maintenant la moitié de leur temps dans cet abri. Zefiro avait un cahier sur les genoux et une lampe fixée sur le front.

— Tu peux monter te reposer un peu, Vango.

Vango ne répondit pas.

— Je sais que tu n'as pas dormi la nuit dernière, continua Zefiro. Où étais-tu encore passé ?

— En promenade, dit-il.

— L'homme que tu cherches est mort, tu le sais.

Vango décolla son œil de la cloison.

Quand il était arrivé dans la prison de Sing Sing, des mois plus tôt, on lui avait appris que Giovanni Cafarello venait d'être exécuté. Vango avait demandé une chaise pour s'asseoir. Il était resté muet plusieurs minutes en face du vieux gardien qui lui proposait un verre d'eau.

— Vous tombez mal, mon garçon.

Peu à peu, Vango retrouva ses esprits. Il expliqua qu'il souhaitait récupérer les effets du prisonnier. Il venait de la part de son père qui vivait en Sicile. On lui avait donc remis un petit paquet de vêtements et un portefeuille vide. Vango était sorti du pénitencier de Sing Sing avec ce sinistre bagage.

129

En traversant la rue, devant la prison, il avait entendu une voix qui l'interpellait. Il était revenu sur ses pas.

C'était un petit homme dont le double menton était retenu par un col cartonné. Il s'approcha de Vango, regarda les vêtements qu'il tenait serrés sous son bras.

— Vous n'avez pas perdu votre journée, dit l'homme en mâchouillant un morceau de gomme.

Devant l'air de Vango, il continua :

— Vous avez au moins gagné un costume trois pièces. Il vous fallait bien cela pour vous déplacer.

— Qui êtes-vous ? demanda Vango.

— Lewis Lawes, je suis le directeur du pénitencier de Sing Sing. Je ne vous serre pas la main. Le prisonnier n'avait pas de famille quand il était au tribunal. Pas de famille au parloir. Et voilà que cela surgit de partout maintenant qu'il est mort. C'est vous qui êtes passé hier ?

— Non.

— Un homme est venu prendre ses affaires. Il s'était trompé d'un jour. Il n'a même pas voulu lui parler. Il a dit qu'il reviendrait.

— C'est possible.

— Il y a des gens impatients…

— Moi, dit Vango, je viens de la part de son père qui vit dans une île, en Sicile.

Lawes articula entre ses dents :

— Vous devriez tous avoir honte. Il aurait eu besoin de vous, il y a six mois. Son avocat l'a si mal défendu. Le plus mauvais avocat du monde.

— Je viens de Sicile, dit Vango avec un accent très fort.

— Cafarello ne savait même pas dire bonjour en anglais.

Il répétait toujours la même chose. Alors, dites à vos frères, vos oncles et vos petits cousins que je ne veux plus les voir à ma porte.

Vango baissa les yeux. Lawes cracha son bout de gomme.

– Je comprends mieux ce qu'il disait. Je comprends qu'il vous ait tous reniés jusqu'à son dernier souffle. Paix à son âme. Et déshonneur pour les pilleurs de tombes.

Lewis Lawes tourna les talons. Il se dirigea vers les murs de la prison.

– Monsieur Lawes !

Le directeur se retourna. Vango l'avait suivi sur quelques mètres.

– Monsieur Lawes, dites-moi simplement ce qu'il répétait contre sa famille.

Lewis Lawes s'arrêta.

– *Je ne suis pas Giovanni Cafarello*. Voilà ce qu'il répétait.

Et il ajouta en posant son regard sur Vango :

– Il avait honte de son nom.

Zefiro, dans la pénombre du fourgon, mit sa main sur l'épaule de Vango.

– Ton Cafarello est mort, Vango.

– Ce n'est pas *mon* Cafarello.

Zefiro soupira.

– Va te reposer, je n'ai plus besoin de toi. L'avocat ne sortira pas cette nuit.

Vango fit comme s'il n'avait pas entendu et reprit sa surveillance.

Depuis plusieurs semaines, celui qu'ils appelaient « l'avocat » était l'objet de toute leur attention. Zefiro notait ses allées et venues dans un cahier noir. Le relevé de ces déplacements donnait des résultats étranges. Le padre avait remarqué que, lorsqu'il apparaissait chaque soir dans le salon de Voloï Viktor, on ne l'avait pas vu, un peu plus tôt, passer la porte tournante en bas de la tour. Zefiro en avait déduit qu'il existait un autre passage pour atteindre ou quitter le donjon de Voloï Viktor.

La question de cette issue secrète était de la plus haute importance dans les plans de Zefiro. Par ailleurs, d'après lui, l'avocat était le confident le plus proche de Viktor. Il venait le soir et le matin très tôt, jamais en présence d'autres visiteurs. Et pendant leurs entrevues, Viktor lui laissait le bureau et restait caché derrière les rideaux de la chambre.

La lampe allumée sur le front, Zefiro reprit l'examen de son cahier.

Soudain, Vango s'exclama :

— Il sort !

Zefiro mit son chapeau.

— J'y vais.

— Non, padre. Ne bougez pas. Ils vous connaissent trop. Je vais le suivre.

Il entrebâilla le coffre de la fourgonnette.

— Vango ! souffla Zefiro qui regrettait déjà.

Mais Vango avait disparu.

Il était près de minuit. Le quartier était encore animé. Personne ne remarqua le garçon qui se glissait hors du fourgon de la pâtisserie Gordon.

Vango vit tout de suite l'avocat tourner dans la deuxième rue. Il pressa le pas pour le rattraper, resta discrètement sur le trottoir d'en face. Un vent froid d'automne lui permettait de remonter son col sur son visage.

L'avocat, lui, ne semblait pas avoir froid. Il portait un long manteau en cachemire gris et un chapeau assorti. Ses chaussures vernies glissaient entre les feuilles mortes. Il marchait très vite au milieu des noctambules. Certains fumaient devant les vitrines éteintes. D'autres se promenaient par groupes de deux ou trois. On craignait la première neige. C'étaient les dernières nuits fréquentables avant la trêve.

Vango ne savait pas exactement ce qu'il cherchait. Il voulait simplement en savoir plus sur lui. Un nom, une adresse, tout serait bon à prendre. Était-il même avocat ? Il comptait surtout ne pas le quitter d'une semelle pour observer par quel passage secret il rejoindrait, le lendemain matin, la suite de Viktor.

À cent pas derrière lui, une petite ombre suivait Vango. Elle frôlait les murs pour ne pas être vue. C'était Tom Jackson, le jeune mendiant de Midtown, le salarié de Zefiro.

À onze heures du soir, l'avocat entra dans un restaurant à l'angle d'une place. Vango resta un moment dans la rue. C'était un établissement français, La Bohème, qui, malgré son nom frugal, vendait le verre de vin au prix du baril de pétrole. Deux portiers gardaient l'entrée, discrètement habillés en sapeurs grenadiers de l'armée de Napoléon.

Vango était à une trentaine de mètres de la porte. Il arrêta un taxi.

– Vous allez loin ? demanda le chauffeur.

– De l'autre côté de la place, restaurant La Bohème.

L'autre le regarda comme s'il délirait. Vango tendit un billet. Il sentait qu'on n'arrivait pas à pied dans ce genre de gargote. Le taxi roula encore quelques mètres, fit demi-tour et se gara devant les deux soldats de Napoléon qui ouvrirent la portière.

Vango remercia le taxi avec l'accent français. Il entra comme un habitué. Quelqu'un jouait sur le piano des airs d'opérette au ralenti. Vango repéra tout de suite, au fond du restaurant, le dos de l'avocat, assis avec un couple. Il remarqua surtout la jeune femme, perdue dans sa rêverie, qui semblait ne pas écouter les deux autres.

Vango se dirigea vers une petite table à l'écart. Une serveuse déguisée en Bretonne voulait déjà lui retirer son manteau. Il résista.

– Je prends seulement un verre, dit-il.

Il alla s'asseoir devant la table basse, dans un canapé, à côté d'un homme qui s'endormait. La paysanne bretonne revint à l'attaque. Que voulait-il boire ? Il montra le verre de son voisin.

– La même chose.

La femme fit une grimace et s'en alla.

Vango feignait d'écouter la musique. Il tapotait l'accoudoir avec ses ongles.

L'homme ouvrit un œil. Vango en profita.

– Vous connaissez bien les lieux ?

– Si on veut.

La réponse n'appelait pas une longue conversation. On sentait l'homme assez farouche. Il avait un visage sans expression et l'œil droit qui pleurait. Vango s'accrocha malgré tout. Pour créer un lien quelconque, il montra le verre qu'on venait d'apporter.

– J'ai commandé comme vous.

– C'est de l'eau du robinet.

Vango comprit la grimace de la Bretonne.

Il fit une première tentative :

– Dites-moi, l'homme qui nous tourne le dos, là-bas, sous le miroir, ce n'est pas Wallace Bridges ?

Il venait d'inventer le nom. L'œil de son voisin se mit à couler un peu plus. Il regarda en direction de l'avocat.

– Connais pas.

– Et ceux qui sont avec lui ?

– C'est l'Irlandais et sa femme.

– L'Irlandais ?

Vango n'avait jamais vu l'Irlandais. Il savait qu'il était propriétaire de la tour en construction que Zefiro occupait pour surveiller Viktor. L'homme était banquier mais ses affaires n'avaient pas de limites. On disait qu'il possédait un ranch au Nouveau-Mexique, des vignes en Californie. Il pouvait aussi bien être propriétaire de l'eau que Vango allait boire.

– On dirait que sa femme est jeune, dit Vango.

L'homme se tourna vers lui, attrapa une serviette et s'épongea l'œil sans cesser de le regarder avec l'autre. Il demanda :

– Tu veux son adresse ?

– Non, répliqua Vango. Je pensais juste…

– Ne pense pas.

Alors, il se passa une chose étrange. La femme dont il avait parlé se leva et regarda exactement dans la direction de Vango. Elle prit son sac, ne salua ni son mari, ni l'avocat, et marcha lentement vers la table du garçon. Elle avait l'air contrariée.

Vango détourna les yeux mais la femme vint se mettre juste en face de lui.

– Il veut que je rentre. Ça parle d'affaires et je me lasse. Il dit que c'est du privé. Vous me raccompagnez ?

Vango sentit ses tempes monter en température. Il ouvrit la bouche pour parler mais une voix répondit juste à côté de lui :

– Oui, madame. J'avance la voiture.

C'était son voisin. Il s'était levé prestement. Il tenait à la main une casquette noir et or. L'homme était son chauffeur. C'était à lui qu'elle parlait.

La femme s'en alla la première, suivie du larmoyant.

Vango soupira longuement et se tassa dans son fauteuil.

L'avocat de Viktor travaillait donc aussi avec l'Irlandais. C'était la seule information de la soirée. Vango vit qu'une table se libérait juste à côté d'eux. Il hésita. Y avait-il un danger à s'approcher ? Cet homme ne pouvait pas le reconnaître. Il s'occupait des affaires de Voloï Viktor mais ne connaissait probablement pas le visage de chaque ennemi de son client. Vango fit signe à la paysanne bretonne.

– Finalement, je vais dîner. Vous pouvez préparer la table, dans le coin. Je viendrai dans un instant.

Elle acquiesça, distante. Ce gamin n'avait pas une tête à laisser des pourboires à deux chiffres.

Vango allait enfin entendre quelque chose. Depuis des mois, avec Zefiro, ils étaient de lointains spectateurs. Ils avaient simplement jeté un morceau de viande dans la fourmilière et observaient de haut ce qui se passait.

Le morceau de viande en question était la promesse d'un gros contrat.

C'était la grande ruse de Zefiro pour atteindre Viktor. Il avait falsifié une lettre en se faisant passer pour un intermédiaire écrivant au nom du pouvoir nazi afin de proposer à Voloï Viktor le plus important contrat d'armement de l'histoire. Par discrétion, les usines seraient installées en Allemagne. Viktor devait trouver dans toute l'Amérique des investisseurs pour les financer. Cela s'annonçait très rentable.

La formule existait déjà depuis quelques années mais, cette fois, les chiffres étaient astronomiques. Mme Victoria avait probablement recompté plusieurs fois les zéros sur ses dix doigts aux ongles vernis.

Pour dix milliards de dollars apportés, Viktor aurait le droit d'en prendre deux pour lui, ce qui était un véritable hold-up.

Cette offre, totalement imaginaire, avait été inventée par Zefiro. Avec Vango, ils avaient pu observer à la jumelle la fièvre qui s'était emparée des appartements de Voloï Viktor au Sky Plaza. La fourmilière s'activait. On arrivait de partout pour entrer discrètement dans le club privé. Viktor montrait à ses hôtes la lettre de parrainage jointe à la proposition. Elle était signée Hugo Eckener, le patron de la firme Zeppelin, figure irréprochable, qui se portait garant du contrat. Le papier à en-tête du Hindenburg inspirait confiance à tous.

Autour de Viktor, les verres de bourbon s'entrechoquaient. Des chèques circulaient. Mais on parlait peut-être aussi des projets de vacances en famille pour Noël ou des enfants qui grandissaient. On parlait de chasse au lièvre, de maison de campagne à Long Island. En signant les contrats sur la feutrine des tables de bridge, chacun faisait mine d'oublier qu'il s'agissait de chars, de canons d'assaut et de futurs cimetières grands comme des terrains de polo, plantés de croix blanches au bord de la mer.

Quant à Zefiro, il essayait d'oublier qu'il s'était servi de la signature de son ami Eckener, sans lui demander son avis, et avec la certitude de le compromettre gravement.

Au moment où Vango allait se lever pour rejoindre sa table, l'un des deux grenadiers de Napoléon entra dans le restaurant. Il parcourut la salle du regard, repéra Vango.

– Un monsieur est dehors et voudrait vous parler.

– Moi ? Je pense que c'est une erreur.

– Il a parlé d'un jeune homme seul. Mais il ne veut pas entrer.

– Il vous a dit son nom ?

– Ni le sien, ni le vôtre.

Vango regarda les deux hommes qui parlaient à l'autre bout de la salle. Il était en train de rater sa manœuvre.

– Dites-lui qu'il se trompe de personne.

Vango se leva.

– Je crois que c'est urgent, dit le grenadier.

– Mais qui est-ce ?

– C'est lui.

Et Vango vit apparaître Zefiro, livide, la tête rentrée dans les épaules, qui vint s'asseoir à côté de lui, à la place laissée par le chauffeur.

– Assieds-toi, chuchota-t-il.

Vango obéit. Zefiro se tenait tout raide. Le grognard de Napoléon avait disparu.

– Il faut partir, dit le padre.

Il bougeait à peine les lèvres. Un accordéoniste avait rejoint le pianiste et ils jouaient ensemble un french cancan sous somnifère.

— J'ai compris, continua Zefiro. J'ai enfin tout compris.

Vango, lui, ne comprenait plus rien.

— Quand tu es parti...

— Oui...

— Je suis remonté dans la tour pour observer la chambre de Viktor à la jumelle. Il y avait un homme qui nettoyait les carreaux. J'ai eu un doute. Je suis redescendu et j'ai téléphoné à l'hôtel Sky Plaza.

— Vous êtes fou.

— J'ai demandé la chambre de Mme Victoria. J'ai laissé sonner longuement.

— Il a répondu ?

— Non, dit Zefiro, encore plus bas. Il ne pouvait pas répondre.

— Pourquoi ?

Zefiro avait des perles de sueur sur le nez.

— Parce qu'il est juste en face de nous.

Vango releva la tête.

Il regardait la nuque de l'avocat.

Cet homme mystérieux qui s'en allait quand Viktor se couchait, cet homme qui réapparaissait brièvement au petit matin, qui semblait réveiller Voloï Viktor et disparaissait encore...

Cet homme, c'était Viktor.

— Il faut partir, dit Vango.

— Je le connais, dit Zefiro avec une voix d'outre-tombe. Nos visages sont dans son esprit, gravés à l'acide. Je suis celui qui l'a trahi il y a quinze ans alors que j'étais son confesseur. Je suis celui qui a tenté de le livrer à Boulard. Il ne m'a pas oublié. Il nous reconnaîtrait même dans une foule, même dans un stade. S'il se retourne, nous sommes…

– Pourquoi êtes-vous entré ? Il fallait rester dehors.

– Parce que quatre voitures pleines de ses hommes sont venues se garer pendant que je t'attendais à la porte. Je sais qu'ils ont tous une photo de nous deux dans leur porte-feuille. Ils sont à la sortie.

Vango sentit un frisson parcourir ses jambes.

– Vous saviez que j'étais ici ?

– Par quelqu'un qui a fini par se rendre indispensable : mon ami, le petit Tom Jackson. Il t'a suivi.

Et, majestueusement, comme s'il attendait qu'on cite son nom pour faire son entrée dans le cirque, Tom Jackson se présenta derrière le rideau de la porte. Il donnait la main au sapeur grenadier excédé.

– Monsieur, vous avez laissé votre enfant dehors, il est tombé, il pleure, il saigne, il vous réclame, et je ne sais pas quoi faire !

Zefiro écarquillait les yeux. Tom lui sauta sur les genoux. Vango gardait le regard fixé sur le dos de Viktor.

Le soldat fit claquer ses talons et repartit.

– Prenez-moi dans vos bras, chuchota Tom, et sortez en vous cachant dans mon cou.

– Jésus…, souffla le padre.

Il n'avait jamais porté un enfant. Et Tom n'avait jamais été porté. L'idée même de se cacher dans le cou de quelqu'un leur embrouillait l'esprit. Ils se regardaient, tout effarouchés. Deux hommes de Viktor venaient d'entrer dans la salle.

– Faites ce qu'il dit, murmura Vango. On ne peut pas sortir à trois. Je me débrouillerai.

Le padre se leva avec Tom dans les bras, le serra contre lui, et ils marchèrent vers la porte.

L'avocat n'avait pas bougé. L'Irlandais l'écoutait parler.

Quand Tom et Zefiro eurent disparu, Vango regarda autour de lui.

Les cuisines se trouvaient au fond, à côté d'une toile qui représentait une plage normande et des palourdes. Il aurait pu passer par là. Mais il se méfiait des sorties de cuisine, sorties de secours, sorties de service, qui sont toujours aussi surveillées que les principales. Ce qui l'intéressait beaucoup plus, à droite de l'office, c'était, derrière une tenture fendue en deux, quelques marches qui disparaissaient dans l'ombre. Un escalier. Pour Vango, l'échappée se faisait toujours par le haut.

Il se redressa très doucement comme s'il ne voulait réveiller personne, marcha d'un pas de ballerine vers la tenture.

– Votre verre d'eau, mon petit monsieur.

Vango se retourna.

– Il faudra penser à payer votre verre d'eau.

La serveuse le regardait avec les deux mains sur les hanches, la coiffe bretonne balançant d'avant en arrière. Les hommes de Viktor étaient au comptoir, juste derrière.

Vango fouilla ses poches. Il tendit un peu de monnaie.

– Et je croyais que vous alliez souper…, gronda-t-elle.

– J'ai changé d'avis.

– Alors, la sortie, c'est de l'autre côté.

– Je pensais…

– Par là, c'est privé. C'est chez le patron.

– Ah, oui, le patron.

Du doigt, elle indiqua un lieu, derrière lui. Il se retourna mécaniquement et vit d'abord l'Irlandais penché sur une assiette de pâtes. Vango ne voyait que son front large. Le patron, c'était lui. Le regard de Vango glissa sur ce front et croisa les yeux d'un homme qui paraissait assis à côté, sur la banquette, mais qui était en fait, dans le miroir placé juste derrière l'Irlandais, le reflet de Viktor.

Voloï Viktor fixait attentivement Vango dans la glace.

Il lui fit même un sourire, comme à une vieille connaissance qu'on surprend dans un lieu peu fréquentable. Puis, dans un mouvement, Viktor sortit de sa ceinture un pistolet d'argent, s'excusa poliment auprès de son hôte, tourna brusquement sur lui-même et visa Vango.

Zefiro et Tom entendirent la détonation alors qu'ils étaient déjà loin.

– C'est lui ? demanda Tom en s'arrêtant sous un lampadaire.

Zefiro restait dans l'ombre. Il ne voulait pas montrer à Tom son visage désemparé.

– C'est lui ? répéta Tom, prêt à repartir.

Il ne restait plus que le silence.

Zefiro donna quelques violents coups de pied dans le mur. Il prit sa tête entre ses mains. Si c'était bien cela, il ne se le pardonnerait jamais.

Tom s'approcha de lui.

– Padre ?

Il y eut un dernier coup de feu.

– Viens, petit, dit le moine sans se retourner. Je ne sais pas ce que c'est. Viens, maintenant.

11
La chambre
des fantômes

À chaque palier, Vango tentait de pousser les portes : elles étaient fermées à clef. Il grimpait les marches et entendait l'agitation qui venait d'en bas.

Quand le premier coup de feu avait retenti, les hommes de Viktor étaient aussitôt apparus, écrasant à moitié la garde de Napoléon et les toques en poil d'ours. Dans la salle du restaurant, les clients s'étaient couchés par terre avec des hurlements.

Voloï Viktor était déjà dehors sur la banquette d'une automobile aux vitres voilées. Ses instructions restaient calmes et sèches. Il les disait presque à voix basse à ses lieutenants les plus proches.

– C'est Vango Romano. Ne me le tuez pas.

Il rageait intérieurement. En cherchant à blesser Vango, plutôt que de le tuer, il venait de le manquer. Mais il n'avait pas le choix : le voyou n'était qu'un maillon qui devait le mener à ce Zefiro qui l'avait trahi et continuait à vouloir sa mort. En attendant, à cause de Vango, Viktor venait de compromettre sa discussion avec le plus gros partenaire qu'il avait jamais approché.

L'Irlandais, lui, avait déjà disparu depuis longtemps, exfiltré vers les cuisines par deux gaillards qui dînaient à trois tables de là. Une autre voiture attendait dans une rue, derrière le restaurant. Le banquier s'offrait depuis longtemps des services de sécurité dignes du président Roosevelt.

Au début, le troupeau des poursuivants perdit de précieuses minutes. Une première porte, après la tenture qui donnait sur la salle, avait été refermée par Vango. Cette porte coupait l'escalier et s'ouvrait seulement de l'intérieur avec un verrou. Il fallut un peu de temps aux hommes pour parvenir à la faire exploser avec un billot de bois de cinquante kilos sur lequel on coupait habituellement des porcelets entiers.

À chaque coup, le maître d'hôtel poussait des cris, mais il avait reçu l'ordre de ne pas bouger.

Les poursuivants franchirent en rangs serrés ce qui restait de la porte. L'escalier s'enroulait autour d'une colonne de brique. C'était un petit immeuble de sept étages. Comme Vango, ils essayèrent d'ouvrir les premières pièces. Heureusement, le billot ne passait pas dans l'escalier.

– Il n'a pas pu entrer, criait le maître d'hôtel. Toutes les chambres sont fermées. Je n'ai même pas les clefs. C'est un ancien hôtel. Cherchez plus haut.

Ils cherchèrent en effet plus haut. Une lucarne de toit s'ouvrait au-dessus du dernier palier. Elle paraissait très élevée mais elle était grande ouverte. Deux hommes en portèrent un troisième tandis qu'un quatrième se servait de cette échelle pour accéder au toit. Après quelques secondes, sa tête réapparut dans le cadre.

– Il est bien passé par là. Regardez.

Il tendit une casquette brune qu'il venait de trouver.

– Les toits sont plats. Ils communiquent les uns avec les autres. Il a pu partir dans toutes les directions.

D'autres commençaient à monter à leur tour.

– On ne l'aura pas ! dit un homme.

Les autres s'arrêtèrent et le regardèrent.

C'était Dorgelès. Il baissa la tête, prédisant la colère de Viktor quand il lui ferait son rapport.

– Descendez tous ! Je ne veux plus vous voir.

L'homme du toit hésitait à suivre cet ordre.

– Vous, cria Dorgelès, restez là-haut encore une heure, pour si jamais.

Il rappela le maître d'hôtel qui s'apprêtait à suivre tous les autres :

– Attendez un instant.

Quand ils furent seuls, Dorgelès dit :

– Vous allez expliquer à l'Irlandais que nos hommes se chargeront de tout remettre en état. Un menuisier est déjà en route pour refaire la porte. À quelle heure est le premier service du restaurant ?

– Midi.

– Ce sera fait avant midi. Et la police ?

Le maître d'hôtel le rassura :

– Elle ne viendra pas.

– Pourquoi ?

– Parce qu'on le lui a demandé, répondit le maître d'hôtel.

– Et les clients ?

– Ils ne parleront pas.

– Pourquoi ?

– Pour la même raison.

Dorgelès acquiesça en silence. Il ajouta :

– Vous direz surtout à votre patron que le mien désire que cet événement ne perturbe pas la suite de leurs discussions. C'est un petit incident d'ordre personnel qui ne se reproduira plus.

– Je transmettrai.

Dorgelès fit un geste. Il avait cru entendre quelque chose.

– Vous êtes sûr qu'il ne peut pas être entré ici, murmurat-il en montrant la porte.

– Certain. Tout est barricadé. Regardez les cadenas. Personne n'est entré dans ces pièces depuis quinze ans. C'est comme un musée.

Le maître d'hôtel descendit quelques marches. Dorgelès le suivit. Leurs voix s'éloignaient.

– Et puis, je ne sais pas ce que ce garçon vous a fait, mais je crois qu'il a tout intérêt à partir très loin d'ici.

« Non », pensa Vango, juste à côté d'eux.

Un jour ou l'autre, dans une vie, il faut bien cesser de fuir.

Arrivé sur le toit, Vango était donc redescendu le long de la façade pour entrer par la fenêtre dans une des chambres closes. Il s'était approché de la porte pour écouter. À travers l'épaisseur du bois, il avait suivi les hésitations de ses propres poursuivants.

Quand le calme fut revenu, il se retourna et regarda la pièce dans laquelle il se trouvait. Un musée... Cela ressemblait plutôt à un tombeau avec une croûte de poussière sur les meubles et de l'amertume dans l'air. Des fantômes de toiles d'araignée semblaient clouer au sol le lit et les tables de chevet. La lumière de la rue éclairait ce décor. Vango fit quelques pas dans cette chambre d'hôtel hors du temps. Il y avait d'ailleurs un calendrier de l'année 1922. Au-dessus du lavabo, le miroir ne reflétait plus rien. Le contraste avec le luxe du rez-de-chaussée était frappant. On avait ouvert un restaurant pompeux dans un hôtel de passe.

Une heure plus tard, Vango entendit une chute sur le palier de l'escalier, suivie d'un gémissement de douleur. Il attendait ce signal. C'était l'homme du toit qui quittait son poste. On l'avait abandonné là-haut et la chute était son seul moyen de redescendre. Vango l'écouta se traîner jusqu'en bas. La voie était libre.

Il attendit encore un peu. Il prit appui sur les briques de la fenêtre et grimpa jusqu'au toit. Là, il ramassa sa casquette, observa la nuit posée sur la ville. Le paysage était couleur de terre et de cendre. Même sur cette terrasse élevée, il avait l'impression d'être au fond d'un trou, tant la cité était haute autour de lui. De la fumée s'échappait des cheminées. Certaines fenêtres illuminées continuaient à résister à la nuit. On entendait même des éclats de voix sur un balcon, très haut, ou des chansons derrière un soupirail, dans une cour.

Vango s'éloigna par les toits.

À l'aube, il retrouva Zefiro dans les échafaudages de leur tour. Le padre était effrayant, appuyé contre un pan de mur, le visage ravagé. Il avait eu si peur pour Vango pendant cette nuit, si honte de l'avoir entraîné dans ce traquenard. Il venait de renvoyer Tom Jackson avec deux dollars pour prime de licenciement. Zefiro ne voulait plus mêler ces gamins à son délire de justicier. C'était son affaire à lui. Il avait imploré le ciel toute la nuit, demandé que Vango s'en sorte vivant. Les genouillères de son pantalon étaient usées comme celles d'un enfant.

Comme toujours, le padre lui fit un accueil embarrassé, ne sachant comment exprimer l'émotion de le revoir. Il baissa son chapeau sur ses yeux.

– Prends tes affaires. Je ne veux plus te voir ici. Je n'ai plus besoin de toi.

Vango le regarda. Pour la seconde fois dans sa courte vie, il était jeté dehors par Zefiro.

– Va-t'en. Tout de suite.

Vango rangea ce qu'il possédait dans un sac, laissa l'une des pierres précieuses dans le bréviaire de Zefiro, à la page de la prière du soir. Il revint vers lui.

– Padre…

– Tais-toi, Vango.

Vango s'en alla.

Le matin, la serveuse du restaurant La Rocca, dans le quartier de Little Italy, trouva un jeune homme endormi devant la porte quand elle arriva pour ouvrir l'auberge. Elle fit rouler le corps sur le côté et reconnut Vango.

Il ouvrit les yeux.

La jeune femme souriait.

– Je t'avais dit, Lupo, que tu finirais mal…

Vango serra son sac contre lui.

Elle l'enjamba et poussa la porte.

Il se releva, frotta ses vêtements. Il ne l'avait vue qu'une seule fois mais avait tout de suite pensé à elle. Il ne connaissait personne d'autre à New York.

Sans franchir le seuil, il demanda :

– Je cherche un endroit pour quelques jours.

Elle était déjà en train de moudre le café.

– Ferme la porte ! cria-t-elle.

L'odeur délicieuse vint prendre Vango par la main et le fit s'approcher. Il la regardait faire. Elle était concentrée sur le moulin dont elle tournait la manivelle.

– Mademoiselle, je cherche…

Elle l'arrêta et le regarda avec ses yeux entourés au crayon noir.

– J'ai entendu.

Elle prit un grain de café et le fit craquer entre ses dents. Elle était contente qu'il soit là. Elle n'avait pas envie de le laisser partir.

– Mon patron a deux chambres au-dessus, dit-elle, mais c'est un rat. Il ne fait pas de cadeau. Il faudra payer.

– De toute façon, je n'accepterai jamais de cadeaux d'un rat.

Elle sourit encore et recommença à moudre.

– Attends-le ici. Il s'appelle Otello. Moi, je m'appelle Alma.

Elle prit un seau et une serpillière et, pendant vingt minutes, elle fit briller le vieux parquet jusqu'à ce que la chaise de Vango soit posée sur une île.

Vango somnolait, encore étourdi par la nuit qu'il venait

de passer. Il savait que le padre lui sauvait peut-être la vie. Mais sa vie valait-elle la peine d'être sauvée ? Il n'avait plus personne. Même Ethel, dans un petit paquet qu'il était allé chercher à la poste, lui disait de ne surtout plus écrire. Et, cruellement, elle lui renvoyait, bien plié, le mouchoir bleu marqué du nom de Vango et de la phrase énigmatique *Combien de royaumes nous ignorent.*

Il venait de laisser ce tissu à Zefiro en partant, comme un souvenir dont il ne voulait plus.

Une tasse de café glissa sur le comptoir, devant lui.

– J'ai vu qu'il est mort, dit la jeune fille.

– Qui ?

– L'homme que tu cherchais… Cafarello…

– Où ?

– À la prison de Sing Sing.

– Où l'avez-vous vu ?

– On l'a découpé.

Vango frissonna.

– On a découpé qui ?

– L'article, dans le journal.

– Ah !

– Un article avec sa photo. Il était accroché ici.

Elle montra une planche sous les bouteilles de liqueur.

– Je l'ai jeté hier à la décharge.

– Qui ?

– Le bout de journal. Ça me faisait trop peur.

– Pourquoi ?

– Il venait ici quelquefois. Il était juste là, devant moi, comme tu es. Et…

Elle était accoudée devant Vango. Elle regardait ses mains.

– Et ? demanda-t-il.

– Quand on sait ce qu'il a fait.

– Qu'est-ce qu'il a fait ?

– Tu ne le sais pas ? Pourquoi tu le cherchais ?

– Qu'est-ce qu'il a fait ?

– C'est pour cela qu'il a été arrêté, il y a deux ans. Il a jeté une fille depuis le nouveau pont au-dessus du Bronx Kill.

Vango regardait Alma.

Pourquoi ne s'était-il jamais demandé de quel crime était accusé le condamné de Sing Sing ? Il baissa les yeux et fixa le halo blanc qui flottait sur son café.

Une fille jetée d'un pont.

L'horreur de ce crime changeait tout pour Vango. Curieusement, il n'avait jamais voulu accepter que l'homme était vraiment Giovanni Cafarello. Mais en entendant le récit d'Alma, il croyait soudain reconnaître l'assassin de ses parents. Il se pouvait donc que le vrai Cafarello soit mort, enterré dans la fosse commune de Sing Sing…

Le trouble ressenti par Vango prouvait que sa vie entière tenait dans sa vengeance. Ce désir le faisait avancer. Il continuait à vivre pour cela. Certaines très vieilles maisons tiennent encore grâce au lierre qui les détruit.

– Pourquoi tu voulais lui parler ? demanda une nouvelle fois Alma.

– Qui était la fille qu'il a jetée du pont ?

– Son nom était dans le journal. Mais je ne sais plus. Personne ne savait rien d'elle. Maria, je crois… Ou Laura. Laura, oui. Elle était arrivée seule en Amérique six mois auparavant.

151

Le patron de La Rocca entra à ce moment-là. Il portait un jambon sur l'épaule et poussait avec le pied un petit tonneau.

– Aide-moi, *bella*.

Alma vint faire rouler le tonneau à sa place. Ils disparurent au fond de la cuisine.

– C'est qui ton fiancé, là ? lui demanda le patron.

– Ce n'est pas mon fiancé.

Il fut surpris de voir Alma rougir légèrement, elle qui avait pourtant une certaine habitude des plaisanteries. Et des fiancés.

– C'est un client, il veut la chambre de Wendy, au-dessus.

– Il sait que Wendy n'est plus dedans ?

Il se mit à rire tout seul, peut-être en pensant à la vieille Wendy qui venait de déménager.

– Arrêtez, c'est sérieux.

Otello, taquin, plissa les yeux.

– Ah, c'est sérieux ?

Alma avait très mal décrit son patron en disant que c'était un rat. C'était un brave homme, plutôt honnête. Il était gentil avec elle. Il aimait plaisanter et se faisait rire lui-même en premier. Otello n'était rat que dans son rapport à l'argent.

– Bon. Il a les moyens, ton fiancé ?

Il avait retrouvé son sérieux. En fait, il ressemblait plutôt à un hamster.

– Je ne sais pas.

Il retourna dans la salle. Les discussions ne furent pas longues. Vango accepta le prix demandé, ce qu'Otello apprécia modérément. Au royaume des avares, si l'autre ne négocie pas, on regrette de ne pas avoir demandé plus.

– Les draps ne sont pas comptés. Ni le gaz. Vous voulez des oreillers ?

Vango prit toutes les options. Il resta d'abord dans sa chambre deux jours et deux nuits sans sortir, sous deux couvertures de location, la tête enfouie dans un oreiller payant. Supplément plumes.

Quand il se leva, il avait beaucoup dormi et réfléchi. Il s'étira devant la fenêtre. Sous la porte, deux ou trois factures avaient été glissées. Il les mit dans sa poche et descendit. Il était l'heure de déjeuner. Vango dut passer par l'extérieur pour rejoindre la salle du restaurant. Il avait neigé dehors. Les voitures passaient au ralenti.

Vango entra et s'assit sur une banquette. On s'activait en cuisine. Alma fit semblant de ne pas l'avoir vu. Quand il commanda un œuf, elle lui fit un petit geste de loin.

Les clients arrivaient progressivement et, à leur manière de s'arrêter après avoir passé la porte, de humer l'air pendant qu'ils secouaient la neige de leurs chaussures, de saluer Otello qui disait « Doucement, doucement… » en s'inquiétant pour la longévité de son paillasson, on sentait qu'ils étaient contents d'être là, qu'ils avaient enjambé d'un seul pas l'Atlantique et la Méditerranée pour se retrouver chez eux en culottes courtes, le dimanche au pays.

– J'ai dix-huit ans et ils me prennent pour leur mère, dit Alma à Vango.

Elle posa l'œuf au plat devant lui.

– Il était comment ? dit-il.

– Qui ?

– Lui. Cafarello.

Alma parut hésitante.

– Je ne sais pas. Ne me parle plus de ça. Déjà que tu ne sors de ta chambre que tous les trois jours… Et tu demandes un œuf !

– Mais tu l'as connu.

– Comme un client du restaurant, c'est tout. Laisse-moi. Je ne connaissais même pas son nom.

Elle alla prendre le chapeau d'un homme qui entrait.

Le client, en franchissant le seuil, faisait comme s'il avait froid, par pudeur, alors que c'était la chaleur et l'odeur de chapelure frite qui le faisaient frissonner de plaisir.

Alma repassa devant Vango. Elle s'arrêta.

– Je me souviens qu'il était gentil. C'est ça qui me fait peur en y repensant. Est-ce que tout le monde cache sa cruauté ? La fille qu'il a tuée est enterrée au cimetière de Woodlawn, j'ai lu ça. Cafarello, c'était un homme gentil. Il ne parlait pas l'anglais. Il était un peu perdu à New York. Je crois qu'il avait travaillé longtemps dans l'Ouest, pour s'occuper des vaches. Il connaissait la viande.

– Un homme gentil…, dit Vango.

– C'est ça qui fait peur, répéta Alma avant de passer dans la cuisine.

Vango ne savait plus quoi penser. Il mangeait son œuf. Le jaune était comme il fallait, crémeux. Le blanc n'était grillé qu'à la périphérie avec le croquant d'une feuille de caramel. Il avait été saupoudré de poivre blanc, invisible.

La gentillesse de Cafarello ne surprenait pas Vango. Une fille comme Alma poussait plutôt à la gentillesse. Mais pourquoi, avec cette fortune dans les poches, le trésor volé sur le bateau, était-il d'abord allé garder des vaches dans l'Ouest ?

Il attendit qu'Alma réapparaisse.

– Il était riche, votre cow-boy ? murmura-t-il quand elle vint prendre son assiette vide.

– Oui. Il avait toujours de l'argent. Beaucoup. Et il ne savait pas compter. Le patron avait remarqué ça.

Elle sembla gênée de ce qu'elle venait de dire.

– Le patron remarque ces choses-là… mais il est honnête.

Cette fois, tout allait dans le bon sens. Vango commençait à croire l'évidence : que Cafarello était bien Cafarello, qu'il était mort à cause du dernier de ses crimes, l'assassinat d'une jeune fille sur le pont du Bronx Kill.

Vango poussa sa chaise et sortit. Il fit quelques pas sous les flocons qui volaient. Alma le regardait par la vitre.

Il n'y avait aucun soulagement dans le cœur de Vango. Cafarello, en mourant, venait de lui voler sa vengeance et sa vérité.

Il marcha pendant toute la journée. Il s'arrêta plusieurs fois sur des bancs d'où il regardait passer les gens. Il savait où il allait, mais il s'y rendait par mille détours. Il pouvait rester là, une heure, à observer. Le rythme du temps est déréglé par la neige. Et les gens se déchiffrent mieux sur fond blanc.

Les traces de Vango étaient effacées depuis longtemps. Il se levait de son banc quand il sentait trop de poids sur sa casquette et ses épaules, juste avant de disparaître entièrement sous la neige.

Il passa plusieurs ponts et regarda chaque fois les eaux mêlées de neige qui passaient en dessous.

Il arriva au cimetière de Woodlawn alors que le jour commençait à faiblir. C'était un immense champ de neige

155

parsemé d'arbres. Il alla frapper chez le gardien. Vango savait bien que sa quête était ridicule. Le cimetière faisait des dizaines d'hectares.

L'homme qui lui ouvrit avait les mains entourées de bandelettes. Il portait un manteau et un bonnet de laine.

– Je suis désolé de vous déranger, dit Vango. Je cherche quelqu'un.

L'homme lui tendit une pelle.

– Venez.

Vango se laissa faire, un peu inquiet. Ils contournèrent la maison. L'homme marchait avec les jambes raides. Il neigeait un peu plus fort.

– Creusez là.

Il s'était arrêté et montrait un monticule de neige.

Vango restait interdit. Il n'avait aucune envie d'enterrer ou de déterrer quelqu'un.

– Je ne peux pas vous aider, expliqua l'homme en remarquant son hésitation, j'ai le dos bloqué depuis quinze jours.

– Mais… qui est là-dessous ?

– Qui ?

Vango fit un pas en arrière.

– Vous avez des idées bizarres.

Puis il dit avec un sourire :

– Je ne me suis pas chauffé de la journée parce que mon bois est sous la neige, exactement ici.

Vango parut honteux de ses propres tourments. Il libéra le bois en quelques coups de pelle. Sur le chemin du retour, alors que Vango était chargé de bûches, l'homme demanda :

– Alors, vous cherchez quelqu'un ?

– Oui. Une jeune fille qui est enterrée ici.

– Nom, âge, date du décès.

– Je ne sais pas.

– Vous plaisantez ? Même pas son nom ?

– Elle s'appelle peut-être Laura.

– Peut-être ?

– Oui.

Ils s'arrêtèrent devant la porte.

– Posez le bois ici. Gardez la pelle. Il y a cent cinquante mille tombes à déneiger. Vous finirez par trouver la bonne.

Le gardien avait retiré les bandelettes qui lui servaient de gants. Il entra chez lui. Vango le rappela :

– Attendez. Vous vous souvenez peut-être. C'est une jeune fille qui a été assassinée l'année derrière ou il y a deux ans.

L'homme réapparut. Il s'approcha de Vango et reprit la pelle.

– Vous la connaissiez ? dit l'homme.

– Oui.

– Alors pourquoi j'étais tout seul à creuser la tombe en plein mois de juin ?

Il regarda Vango assez longtemps et ajouta :

– Bon. Vous avez sorti mes bûches, alors on est quittes. Prenez l'allée, juste là. C'est le cinquième chemin à gauche. Une croix en bois entre deux arbres. La pauvre fille.

Vango acquiesça. Il s'éloignait déjà.

– Vous avez entendu l'avocat du tueur ? demanda le gardien qui le suivait à distance sur ses jambes raides.

– Non, soupira Vango.

– Le plus mauvais avocat du monde. Il a plaidé la légitime défense. Vous savez ce qu'il disait ?

Vango ne répondit pas.

– Il disait que c'était la fille qui avait attaqué le type.

Vango le laissait parler, mais il ne voulait rien savoir de plus.

– Il en a fait tout un roman. Les gens riaient dans la salle. Il a montré un carnet trouvé sur la petite, une histoire de revanche sur des crimes anciens.

– Merci. C'est tout, dit Vango en s'immobilisant.

Le gardien se traîna jusqu'à lui et lui serra la main.

– Condoléances, dit l'homme.

Et il s'en alla.

Les pas de Vango s'enfoncèrent encore quelques minutes dans la neige. Il arriva devant la croix. Qu'était-il venu faire sur cette tombe ?

Il n'avait pas d'endroit où se recueillir devant ses parents. Alors, cette petite victime du même assassin, reposant en terre entre deux arbres, l'avait attiré. Et cette croix penchée par la neige l'apaisait maintenant.

Il s'accroupit quelque temps, cherchant au fond de lui les prières ou les cris qui le feraient passer sur l'autre versant de sa colère. Il se demanda pourquoi il avait survécu à la cruauté de Cafarello, ce soir de l'année 1918, dans les eaux des îles Éoliennes. Il pensa à Mademoiselle. Était-elle morte quelque part avec ses secrets ? Restait-il un souffle de vie chez quelqu'un pour révéler le passé de Vango ?

Il regarda la cheminée du gardien qui fumait au loin. Il tira sur la manche de son manteau pour couvrir sa main comme avec une moufle. Il se pencha en avant et frotta la neige sur la pierre posée devant la croix.

Il vit apparaître le prénom de Laura, il gratta encore et

libéra tout ce gros galet sur lequel la peinture n'était pas encore partie. Il lut :

Laura Viaggi
Salina 1912 – New York 1935

Vango enfonça ses deux genoux dans la neige.

12
Le carnet
de Laura Viaggi

L'homme qu'un gardien de prison et un gardien de cimetière avaient distingué d'une seule voix comme « le plus mauvais avocat du monde » était établi dans un très bel immeuble de Broadway.

Des personnages de la mythologie étaient sculptés grandeur nature sur toute la façade. La nuit, à la lumière des théâtres qui entouraient le bâtiment, on avait l'impression de voir une armée d'ombres parmi lesquelles on reconnaissait Jason, Ulysse, Antigone ou Hercule. À longueur d'années, ils regardaient passer les vies ordinaires des New-Yorkais.

Mais, ce soir-là, au milieu des statues, à vingt mètres du sol, un visage aurait particulièrement intrigué un observateur attentif. Les yeux de ce héros bougeaient dans la pénombre.

Vango était debout sur une étroite corniche et attendait que se dissipe la foule des grands soirs autour des salles de théâtre, en dessous de lui. Il y avait eu le flot dansant des spectateurs des Ziegfeld Follies, au Winter Garden, puis la vague des tragiques, celle des éclats de rire, des somnolents qui avaient trouvé le spectacle trop long, et le calme commençait à revenir sur Broadway. C'était enfin l'heure des artistes. Les frontons lumineux s'éteignaient. Des danseuses encore coiffées en Chinoises de dynasties anciennes s'engouffraient dans des taxis couverts de neige.

Juste en face, un théâtre annonçait « Walter Frederick seul en scène » avec des lettres de quatre mètres par deux et un portrait démesuré. L'acteur en question venait de sortir sur le trottoir, tout seul, petite silhouette qui sifflotait un air, à la lueur de son nom.

Vango ne pouvait pas savoir que trois ans plus tôt ils avaient volé ensemble, deux clandestins embarqués dans le Graf Zeppelin. Venu d'Allemagne, Walter Frederick était rapidement devenu célèbre à Broadway et à Hollywood.

Vango restait là en équilibre sur ses talons au milieu de cette façade de trente étages. Il attendait que la fenêtre, au-dessus de lui, s'éteigne enfin. Le plus mauvais avocat du monde travaillait bien tard, ce soir.

Mais au lieu de s'éteindre, la fenêtre s'ouvrit et un homme s'avança.

Caché dans les plis de la robe en plâtre d'une déesse romaine, Vango ne bougeait pas. L'odeur du tabac venait jusqu'à lui. Il entendait même le très léger soupir de chaque bouffée.

– Neige, neige, neige, dit l'homme, car on n'est pas forcé de dire des choses intelligentes quand on se croit seul.

Pour la même raison, il marmonna bêtement « Voilà qui est fait » en jetant son mégot, et il ferma la fenêtre.

Les lumières s'éteignirent un instant plus tard. Vango

attendit que l'homme sorte de l'immeuble, tout en bas, puis que disparaisse au coin de la rue le chapeau gris du plus mauvais avocat du monde.

Vango posa ses mains sur le rebord et escalada la fenêtre. Il sortit de sa poche une pointe avec laquelle il fit céder la fermeture.

À peine entré dans le bureau, il se dirigea vers la table, trouva une pile de cartes de vœux prêtes à être envoyées. Il vérifia le nom gravé en haut. Maître Trevor K. Donahue. C'était bien l'avocat qu'il cherchait.

La carte le représentait en grande tenue de tribunal, portant dans les bras un énorme saumon au bord d'un ruisseau.

Vango ouvrit un premier tiroir. Les trombones étaient classés par couleurs, les gommes recoupées au couteau pour être impeccables, les crayons rangés selon leur taille. Vango se dit qu'il n'aurait pas de mal à trouver ce qu'il cherchait.

Dans le deuxième tiroir du bureau, Vango découvrit cinq chemises en coton identiques parfaitement repassées. Dans le troisième, il y avait une brosse à dents fixée avec un élastique à un tube de pâte dentifrice. La brosse à dents était gravée aux initiales de l'avocat. Sur l'élastique, le mot « dents » était écrit à la main, comme si on risquait de le confondre avec le lien prévu pour attacher les cotons-tiges ou les limes à ongles. Dans une autre boîte, il y avait deux rasoirs neufs et de la crème à barbe. Il ne manquait que le blaireau.

« Où sont les dossiers ? » pensa Vango.

Il trouva encore un étui à cigarettes rempli de cure-dents, deux jeux de cartes, un carnet d'adresses presque vide, un guide de pêche à la mouche, un menu du restaurant La Bohème, un porte-clefs en forme de poulpe, un faux col, une collection de tickets de théâtre classée par ordre alphabétique de titres, un agenda pour l'année suivante, un petit soldat peint et, dans un sachet en papier marqué « souvenir des Rocheuses », une queue de raton laveur.

Vango voulut attaquer le meuble du fond mais c'était un bar. Il ouvrit ensuite deux classeurs verticaux entièrement vides. À droite, dans la petite bibliothèque soigneusement rangée, avec même un cahier pendu par une ficelle pour indiquer des emprunts éventuels, il ne trouva pas le moindre dossier.

Il passa, juste à côté, dans ce qui devait être le bureau de la secrétaire. La pièce était d'une propreté remarquable, mais il n'y avait pas de trace de dossier non plus. Cela ressemblait à une salle d'attente avec quelques revues, un tableau sur le mur, un téléphone, un poisson dans un bocal.

Vango sentit qu'il allait repartir bredouille. Le poisson rouge le regardait fixement. Où pouvait-il trouver ce qu'il cherchait ? Vango allait éteindre la lumière quand le téléphone sonna. Curieux, il attendit un peu et décrocha sans dire un mot.

– C'est toi ? demanda la voix d'un homme.

Et comme Vango ne répondait pas, on entendit un grand rire.

– Je sais que tu es là. Je suis en bas, dans le café, j'ai vu qu'il y avait de la lumière. Je sors du spectacle. Je monte. Et ne joue pas au sourd, mon vieux Trevor, tu te rappelles que j'ai encore la clef !

Vango raccrocha. Il fit un pas en arrière, renversa le bocal du poisson rouge et se cogna contre la cloison. Le bocal explosa sur le sol au moment où, de l'autre côté du bureau, le tableau se décrochait de son clou. Vango regarda le poisson faire la danse du ventre sur le tapis, puis il leva les yeux. Derrière le tableau était apparue, cloutée d'acier, la façade d'un coffre-fort. Vango s'approcha. Les morceaux du bocal croustillaient sous ses pieds. Il observa le coffre. Il y avait six numéros, entre zéro et neuf, à composer sur des molettes crantées. Il disposait de moins de deux minutes pour un million de combinaisons.

Vango tira sur la porte du coffre. Elle était bien verrouillée. Il ferma les yeux, respira, prit une seconde pour se mettre dans la peau du plus mauvais avocat du monde. Après vingt secondes de concentration, il bondit hors du bureau, retourna dans la pièce d'à côté, ouvrit un tiroir et en sortit le carnet d'adresses. Il alla directement à la lettre S, examina les différents noms et trouva ce qu'il voulait. Après les numéros de téléphone de Simpson Henry James, Smith Philip et Saraband Plomberie, il y avait un certain Secret Code J. Edward suivi d'un numéro à six chiffres. Vango en fut atterré et heureux.

Il retourna au coffre-fort. On sonna à la porte.

Vango avait composé les trois premiers numéros.

– Ouvre-moi, imbécile !

Nouvelle sonnerie.

L'homme s'énervait.

– Attention ! J'ouvre moi-même. Tu es avec quelqu'un, Trevor ?

Dernier numéro sur le coffre.

– Je t'entends, Trevor !

Le coffre s'ouvrit. Le carnet rouge était devant Vango, à côté d'une liasse de dollars. Il s'empara du carnet et se précipita vers la fenêtre. On entendait le bruit d'un trousseau de clefs.

– J'arrive, dit la voix.

Vango sauta sur le rebord de la fenêtre, claqua le battant derrière lui.

Le visiteur entra à cette seconde.

– Trevor ?

Il fit un pas de plus dans l'entrée et vit tout de suite le poisson parmi les éclats de verre.

– Andy !

L'homme plongea sur le tapis, attrapa le poisson, roula vers le bar, prit deux bouteilles d'eau minérale dans une main, se précipita dans l'entrée et les vida d'un trait dans le seau à parapluie. Il y jeta Andy.

Ce soir-là, aucun animal ne fut maltraité ou blessé dans les bureaux de Trevor Donahue.

Vango descendit la façade avec la légèreté d'un flocon de neige. Il rentra vers Little Italy, croisa Otello qui fermait les volets de La Rocca.

– Je ne vous ai pas parlé de l'eau chaude, dit le patron.

– Si. Vous m'en avez parlé. Dix centimes le litre.

– Onze, en hiver, pour être précis. Bonne nuit, jeune homme.

– Bonne nuit.

– Alma vous a attendu très tard, vous savez ? Mais vous ne vous rendez compte de rien.

Vango ne répondit pas. Il monta dans sa chambre.

L'écriture était appliquée, les mots écrits sans faute mais dans une langue resserrée. Sur la première page, il y avait la phrase «Ce carnet appartient à : Laura Viaggi» comme dans les cahiers d'écolier. La jeune femme devait avoir vingt-deux ans quand elle avait commencé à le noircir.

Vango était assis sur son lit, le carnet ouvert entre les mains.

«Je décide de partir. Je le trouverai. Ai parlé à la pauvre Pina Troisi. Il est en Amérique. Elle le dit. Elle m'a décrit son visage et sa taille.

Cafarello Giovanni Valente.

Cafarello Giovanni Valente.»

Laura écrivait ce nom partout, comme si une averse risquait de mouiller une page et de l'effacer. Elle avait même dû le marquer quelque part sur sa peau.

«Je regarde la maison que je laisserai. Il y a de l'orage, là-bas, au phare de Lingua. Quatre années que mes sœurs ne sont plus de ce monde. Sept ans pour ma mère. Et seize pour mon père. Pourquoi attendre? Il a tué mon père, Viaggi Bartolomeo. Il a tué mon père. Il avait voulu faire de lui un assassin. Il a jeté la malédiction sur la famille Viaggi.

Il me faudra prendre deux bateaux d'abord. Le troisième sera à Naples. J'ai l'argent pour la traversée. Je recompte les pièces et les billets. J'ai acheté des habits neufs chez Buongiorno. Quelqu'un dit qu'on peut travailler sur le dernier bateau pour payer les premiers jours en Amérique.»

Il y avait ensuite des mots écrits en anglais pour apprendre la langue. Des listes de mots traduits : « manger »,

« bateau », « travail ». Ou des phrases : « Bonjour, je cherche un ami de mon père, Cafarello Giovanni Valente, de l'île de Salina, Sicile. » Dans les marges étaient inscrits les noms des quartiers de New York, avec des plans, comme dans un livre d'explorateur, des visages griffonnés sur lesquels on reconnaissait toujours les mêmes traits. Le portrait robot de Cafarello. Et son nom dans tous les coins.

« Je dors cette nuit sur le port. La maison est vendue. Je pars demain. J'ai mis un peu d'argent dans une chaussette attachée sous le jupon. »

À chaque page, Vango entrait plus profondément dans l'esprit de Laura. À chaque page, il reconnaissait son propre combat. Et la petite croix en bois du cimetière de Woodlawn lui tirait des larmes. Aux lueurs d'espoir qui traversaient le carnet de Laura Viaggi répondait pour lui le souvenir de cette croix. Vango, lui, connaissait la fin. Le carnet rouge en devenait déchirant.

« Je suis maintenant à Naples. Il fait froid. Les billets sont plus chers que ce qu'on disait à Malfa. Je passerai Noël à travailler au marché au poisson. Prendrai le bateau au milieu de janvier. Ai revendu une paire de chaussures. »

Il y avait des listes de comptes, le prix d'une soupe, d'une nuit chez les religieuses, et puis de nouveaux mots anglais, des phrases adressées à ses deux sœurs disparues, ces phrases qu'elle avait voulu effacer mais qui réapparaissaient sous les ratures :

« Je vous emmène avec moi. Je fais ce que j'avais juré. Restez près de moi. Faites que je le trouve. Mon Dieu, faites que je le trouve. »

Vango avança lentement dans le carnet. Il avait assez de bougies pour la nuit. Il suffirait de payer le patron au poids de la cire fondue.

Soudain, entre deux pages, il vit le visage de Laura. C'était une photo de la jeune femme prise à son arrivée à New York, collée sur une carte officielle. La photo faisait la taille d'un pouce. Vango se pencha vers la flamme pour voir le visage.

Elle ne regardait pas l'appareil. Elle regardait juste à côté, comme si elle cherchait déjà, derrière l'épaule du photographe, la silhouette de Cafarello. Elle avait l'air plus jeune que son âge. Ses cheveux avaient été coupés très court, sûrement pendant la traversée. Un peu plus haut, elle parlait des poux sur le bateau. Et il y avait parfois des insectes minuscules écrasés entre les feuilles du carnet.

Vango observa attentivement Laura Viaggi. Il fallut beaucoup de temps avant qu'il puisse tourner la page.

La partie américaine du carnet était la plus douloureuse. Laura ne connaissait que ses îles. Elle savait qu'un voyageur pouvait arriver à Salina ou même à Lipari et prononcer un nom sur le port. Il y aurait toujours quelqu'un pour indiquer la maison de celui qu'on voulait voir. Mais en débarquant à New York, les premières impressions avaient été désastreuses. Comment trouver quelqu'un dans cette ville qui crevait les nuages ?

Pas de Cafarello sur le port. Pas de Cafarello dans les dix premiers jours de recherche. Pas de Cafarello à la fin du premier mois.

– Carello, mon beau-frère s'appelle Carello, lui avait dit un garçon coiffeur le quarantième soir. Mais il n'est pas de Sicile. Il est de Calabre.

Laura Viaggi avait donc été voir ce Carello, pensant qu'il avait peut-être maquillé son nom. C'était un vieux monsieur qui tenait une épicerie. L'enseigne avait suffi à décourager Laura. « Carello, le bon goût depuis 1908 à New York. » Dix ans trop tôt. Elle avait quand même demandé du vin des îles Lipari pour épier ses réactions. Le vieux Carello lui avait fait répéter, mais il sortit finalement un vin rouge calabrais en disant que c'était le meilleur.

Quinze jours plus tard, Laura avait vu un homme dans la rue qui portait deux rectangles de bois, l'un devant, l'autre dans le dos, reliés ensemble par des bretelles de cuir. Sur ces plaques étaient collées des affiches qui vantaient les mérites d'un savon.

Et, le lendemain, Laura Viaggi remontait les avenues de New York avec deux grands panneaux posant la question cruciale :

Connaissez-vous Giovanni Cafarello ?

On avait dû la prendre pour une folle.

Cela dura des semaines et Vango comprit pourquoi, chaque fois qu'il avait lui-même posé la question près de deux ans plus tard, le nom de Cafarello semblait éveiller un souvenir confus chez ses interlocuteurs. Très peu d'habitants de la ville pouvaient jurer n'avoir jamais croisé Laura et sa fameuse question pendant l'hiver 1934.

Dans les premiers jours, elle observa les réactions des passants. L'amusement, la surprise, les réponses des séducteurs à genoux dans les allées de Central Park : « C'est moi, je suis Cafarello. Moi aussi, je vous ai toujours cherchée. » Mais le regard noir de Laura les décourageait.

L'indifférence remplaça vite la curiosité, comme dans toutes ces grandes villes où la nouveauté est fugitive, chassée par d'autres nouveautés.

Dans le dernier quart du carnet, Vango s'arrêta sur deux pages collées entre elles. Il ne parvint pas à les séparer avec les doigts. Il sortit de la chambre et marcha sur le carrelage froid pour aller prendre une lame de rasoir qu'il avait remarquée sous le lavabo du fond du couloir. Au moment de rentrer dans sa chambre, il entendit une voix tout près de lui :

– Il y a quelqu'un avec toi ?

– Alma ?

Alma était assise par terre dans le couloir.

– Je t'ai entendu parler avec quelqu'un.

– Qu'est-ce que tu fais là, Alma ?

Elle portait un bonnet couvert de neige.

Vango se rendit compte qu'il avait dû lire à haute voix.

– Qui est avec toi ? Elle s'appelle comment ?

– Il n'y a personne.

– Je t'ai entendu. Alors viens, Lupacchiotto. Je voudrais te parler.

– Pas maintenant, je ne peux pas. Demain, Alma…

Pourquoi Vango avait-il la sensation que quelqu'un l'attendait dans sa chambre ? Le carnet de Laura Viaggi respirait sur le lit.

– Demain, répéta Vango. D'accord ?

– Qu'est-ce que tu as dans ta main ?

Il montra le rasoir rouillé.

– Tu me fais peur, dit-elle. Tu lui voulais quoi à Cafarello ?

– Il connaissait ma famille. Je dois y aller, maintenant.

– Bonne nuit.

Alma se leva et s'en alla.

Vango rentra dans sa chambre. Il regarda par le carreau la silhouette d'Alma qui s'éloignait, à pied au milieu de la rue blanche.

Alma, elle, pensait à ce qu'elle avait voulu dire à Vango.

S'il avait pris un peu de temps pour elle, juste un peu de temps, Alma lui aurait raconté ce souvenir qui lui était revenu. Les mots de Cafarello un jour où il avait bu :

Je ne suis pas Giovanni Cafarello.

Elle se retourna pour regarder ses pas dans la neige et la fenêtre de Vango éclairée au bout.

Vango reprit le carnet sur les draps. Il passa la lame entre les pages collées et les sépara lentement. Un peu de rouille restait sur le papier mais il put lire :

« 17 mai 1935, huit heures du soir. Pluie.

Assise sur les marches du palais de justice. Homme petit, chauve, yeux marron, venu me parler. Vu une minute en tout.

Il me donne toutes informations sur Cafarello Giovanni, résidant hôtel Napoli, chambre 35. Puis disparaît.

Je reste sous la pluie. Le bout du chemin pour moi. »

Vango relut ces lignes. L'avocat n'avait même pas cherché à décoller ces pages soudées par la pluie de mai. Vango sentit comme la défense avait dû être faible. Maître Donahue devait penser à sa rivière à truites, là-haut, dans les monts Adirondack, où il irait le dimanche suivant. Il préparait mentalement ses bottes, ses hameçons et ses mouches.

Ce n'était même pas de la perversité, seulement de l'indolence. Plutôt que de lire le carnet jusqu'au bout, il avait préféré prendre une heure dans son bureau pour tenter un nouveau mode de classement de ses trombones ou écrire « petites enveloppes », en lettres gothiques, sur la grande enveloppe appelée à les contenir.

Dans les pages suivantes, il y avait le récit de la filature. Laura suivit Cafarello pas à pas pendant plusieurs jours. L'âge et la forme du visage correspondaient. Elle s'étonnait de sa corpulence, différente de celle que lui avait décrite Giuseppina Troisi. Le changement de climat avait pu le transformer. Elle-même avait beaucoup maigri.

Il se promenait dans la ville, n'avait pas de travail mais ne manquait jamais d'argent. Laura ne le quittait pas des yeux, surprise de découvrir un homme alors qu'elle attendait un loup-garou. Mais, une nuit, dans la loge de l'hôtel Napoli, elle put enfin consulter le registre des clients. Le gardien ronflait à côté d'elle. L'occupant de la chambre 35, Giovanni Cafarello, était bien né à Leni, dans l'île de Salina, Italie, en 1885.

Elle referma le registre. C'était son homme. L'assassin de Bartolomeo Viaggi.

Vango eut du mal à lire sans trembler les dernières pages du carnet rouge. Elles s'adressaient à la famille de Laura Viaggi. Il y avait des souvenirs d'enfance, si minuscules et si précis que personne n'aurait eu l'idée de les écrire quelque part.

Vango s'appropriait ces détails inconnus. C'était l'enfance qu'il n'avait pas eue. Avec ses mots tracés à l'encre noire, Laura se souvenait.

Le bruit des pas sur le toit, la nuit, quand les parents regardaient les étoiles. Des fragments de vie invisibles. Quand son père rentrait, les enfants étaient déjà à table, la fumée de la soupe se couchait sur l'assiette à cause de la porte ouverte. Ou bien, après l'orage, quand on mettait les branches brisées des bougainvilliers dans les cheveux de sa mère. Les fleurs de papier pleines de gouttes d'eau. Ou encore lorsqu'il faisait trop chaud, les trois sœurs dormaient ensemble avec des draps mouillés qui faisaient une tente autour d'elles. Et des souvenirs plus dérisoires encore, une histoire de scarabée apprivoisé, de chat enfermé par erreur dans le saloir, ces moments qui avaient dû être drôles, le jour où ceci, le jour où cela, le mois de juin où l'on avait repeint la maison en blanc.

Et puis il y avait la nuit où le père n'était pas revenu, où il était parti à la pêche avec Gio qui était le fils Cafarello, violent, impossible à marier, et un autre, celui qui avait son âne à Pollara, le grand Mazzetta.

Ces trois hommes étaient partis sur la mer. Laura Viaggi croyait savoir ce qui était arrivé. Ils avaient abordé un bateau entre les îles. Il y avait à bord beaucoup plus que ce qu'ils attendaient. Cafarello était devenu fou, sanguinaire. Et le lendemain, il avait même tué le père de Laura pour prendre sa part.

Vango reconnut cette nuit-là. C'était sa nuit, aussi. Voilà

ce qu'il partageait avec Laura Viaggi. Une nuit de poudre et de sang.

Le carnet se terminait par les mots : « J'irai ce soir ».

Il n'y avait pas de point final. Et le mot « soir » retombait légèrement dans ses dernières lettres, sous la ligne.

Le carnet fermé entre ses doigts, Vango imagina la suite. L'affrontement sur le pont, au-dessus du Bronx Kill, en rentrant la nuit vers l'hôtel Napoli. La victoire du loup contre la chèvre Laura. Mais des témoins, peut-être, qui permirent de condamner Cafarello. Et pour finir l'histoire, un éclair électrique dans la prison de Sing Sing.

Le lendemain, à minuit, Vango quitta l'Amérique. Il s'était risqué au pied des échafaudages de la tour de Zefiro. Il avait regardé une lueur au sommet. Puis il avait rejoint l'embarcadère. Par chance, le départ d'un bateau avait été repoussé de vingt-quatre heures à cause d'une panne. L'ambiance était joyeuse. L'attente devenait une fête. Les centaines de passagers dînèrent longuement sur le port. Il flottait une odeur de vin parmi les valises et les manteaux de voyage. Les enfants dormaient dans les coins. On chantait au pied des passerelles.

Le bateau prit la mer à minuit, tout lumineux, valsant et rassasié de vie.

Endormi dans son salon qui ressemblait à une boîte à cigares tapissée de cuir et d'acajou, l'Irlandais sursauta quand il entendit sonner la corne du navire. Il sortit de son fauteuil, en chaussettes, prit une bouteille sur le bureau et s'approcha de la baie vitrée.

– *Barcàzza*, dit-il en sicilien. Sale bateau.

À cause du vagissement de ces paquebots, de son dégoût pour les migrants, il allait bientôt quitter les docks de Manhattan pour se rapprocher de Midtown. Mais la construction de sa tour prenait encore du retard.

Celui qu'on appelait l'Irlandais but longuement à la bouteille et reprit son souffle comme un phoque sortant de l'eau. À part ce whisky, rien d'irlandais ne coulait dans ses veines.

Il regarda les lumières du navire qui s'éloignaient, puis le reflet de son visage dans la vitre. De la main gauche, sur son cou, il caressa le foulard cosaque. Depuis dix-huit ans et le massacre sur le bateau des Éoliennes, Cafarello n'avait jamais quitté ce foulard rouge sang, la prise de mer qui avait fait sa fortune.

Deuxième partie

13
Les constellations

Le commissaire Boulard se promenait en sous-vêtements dans les couloirs de la préfecture de police. Il était cinq heures du matin. Le bâtiment était plongé dans le noir.

– Bon sang de froid de canard.

Le commissaire traînait ses babouches sur le parquet. Il tirait une couverture en laine derrière lui et pestait contre la température polaire.

Comme chaque matin depuis des semaines, il cherchait un endroit un peu moins glacial pour finir la nuit. Toujours la même histoire : Boulard s'endormait à onze heures sous son bureau et se réveillait au milieu de la nuit, les pieds gelés. Il faisait alors une heure de marche sportive dans les couloirs, puis se recouchait en boule quelque part.

Ce matin-là, il poussa la porte des archives. Il s'arrêta dans une allée. Il lui semblait que le papier dégageait une tiédeur particulière et qu'il lui suffirait de s'allonger entre les cartons pour s'endormir. Il trouva finalement une place au chaud dans le rayon des homicides, sous les archives des crimes passionnels. Il s'enveloppa dans sa couverture et ferma les yeux.

Depuis le départ de sa pauvre mère, Boulard n'avait pas quitté l'enceinte du Quai des Orfèvres. Avant de s'y réfugier, il était d'abord allé derrière la Sorbonne frapper à la porte de son fidèle Avignon qu'il avait senti très embarrassé. Au bout de trente minutes passées à échanger sur le palier, Avignon accepta de le faire entrer dans son petit appartement.

Boulard resta médusé de ce qu'il découvrit. Il pénétrait pour la première fois chez celui avec lequel il avait travaillé pendant vingt ans. Augustin Avignon vivait seul dans trois pièces obscures. Les murs étaient tapissés de documents et de coupures de journaux sur lesquelles Boulard reconnut toutes les affaires qu'ils avaient résolues ensemble. Il n'y avait pas un seul objet personnel. Un matelas était installé dans le couloir. Les portes des armoires de la cuisine avaient été démontées pour qu'on puisse entasser livres et dossiers. Boulard fit semblant de ne pas remarquer une grande photo de lui qui avait été placée dans le minuscule salon.

– Je peux ? demanda le commissaire en s'asseyant sous son propre portrait.

Avignon débarrassa la banquette.

Boulard passa le doigt sur une tablette poussiéreuse.

– Vous êtes propriétaire ?

C'était la seule question convenable qui lui était venue à propos de ce taudis.

– Oui.

– C'est bien…

Boulard eut un pincement de lèvres enthousiaste en parcourant des yeux la pièce, comme s'il estimait qu'Avignon était à la tête d'un sacré capital.

– Vous avez du café, mon grand ? dit le commissaire.

Avignon écarquilla les yeux.

– Du café ?

On aurait dit que Boulard lui demandait six bouteilles de château-yquem 1921. Il se dirigea vers le coin cuisine.

Le commissaire commença à expliquer sa situation. Les menaces du Russe, le départ de sa mère, le besoin de trouver un refuge, de reprendre sérieusement le travail. Et surtout sa volonté d'en finir avec cette affaire Vango Romano…

De l'autre côté de la pièce, Avignon évitait de croiser les yeux de Boulard.

– Quelqu'un sait que vous êtes ici ? demanda-t-il subitement.

Le commissaire fit une petite moue étonnée.

– Pourquoi ?

Avignon parut encore plus nerveux. Il fouillait dans un coffre, peut-être à la recherche d'une cafetière.

– Je ne sais pas… On a pu vous suivre.

Boulard secoua la tête.

– Soyez tranquille.

Avignon s'immobilisa. Il se tourna à moitié vers Boulard.

Ce dernier regarda un instant autour de lui, les volets fermés, les photos sur les murs. Il eut un léger sentiment d'étouffement. À quoi ressemblait la vie de cet homme ? Il comprenait mieux les absences d'Avignon depuis des mois. Le petit n'allait pas bien.

– Vous travaillez trop.

Cette phrase n'avait jamais été prononcée par le commissaire.

– Vous n'avez pas une petite amie ?

Celle-là non plus.

– Vous êtes trop sérieux. Vous devriez faire des bêtises.

C'était un festival de phrases inédites. La dernière ne fut pas la moindre :

– Je peux dormir chez vous, mon grand ?

Avignon était fiévreux. Ses yeux restaient fixes. Boulard sentit ce malaise.

– Évidemment, si cela pose un problème avec votre voisin…

– Pourquoi parlez-vous de mon voisin ?

– Je viens de le croiser. Il m'a salué.

Avignon sursauta.

– Alors on vous a vu entrer ?

Le commissaire s'approcha d'Avignon.

– Vous n'avez pas l'air bien. Ne vous inquiétez pas. Vous ne risquez rien. Je vais vous laisser. Je m'installerai au Quai des Orfèvres. Ne parlez à personne de ce que je vous ai dit. Voyons-nous demain matin, tranquillement. Je vais avoir besoin de vous.

Boulard disparut en quelques secondes.

Il laissa Avignon prostré dans sa cuisine, les deux mains enfouies dans le carton, incapable de lâcher le manche du hachoir en acier qu'il serrait entre ses doigts.

Avignon avait pensé lui plonger ce hachoir dans la poitrine. C'était une occasion unique. Voloï Viktor aurait été content de lui. Mais il n'avait pas eu la force de faire ce geste contre celui qu'il admirait et trahissait depuis tant d'années.

Le commissaire Boulard avait donc pris ses quartiers d'hiver à la préfecture. C'était le seul endroit où Raspoutine le vautour n'irait pas le chercher. Personne, à part Avignon, ne savait qu'il restait chaque soir pour dormir dans cette grande maison. Un matin seulement, une secrétaire avait poussé des cris parce qu'il y avait un caleçon d'homme dans son tiroir, mais Boulard, prudent, ne l'avait jamais réclamé aux objets trouvés du deuxième étage.

Cette nuit de janvier, allongé dans son étagère, au fond de la salle des archives, le commissaire ne dormait pas. Il reconstituait pour la millième fois ce qu'il appelait «ses constellations».

C'était sa façon de réfléchir.

Dans un ciel nocturne imaginaire, en fermant les yeux, il faisait figurer chaque élément de son enquête. Puis il dessinait mentalement tous les liens qui pouvaient exister entre ces étoiles isolées. Boulard finissait par être sûr que le père Jean, assassiné dans sa chambre du séminaire en 1934, n'avait pas été tué par Vango. Pour Boulard, au contraire, Jean était mort d'avoir refusé de livrer Vango à ses assassins.

Ainsi, les balles tirées sur la façade de Notre-Dame contre le jeune fuyard devaient avoir un lien avec le meurtre du père Jean et avec le Russe qui réclamait encore aujourd'hui la peau de Vango. Le départ de la mère du commissaire à cause du même Russe était une sombre planète à ajouter à cette constellation.

De même, depuis le début, il y avait au milieu de ce ciel un triangle lumineux entre Vango, Ethel et le zeppelin.

Ce triangle-là obsédait Boulard. Il avait obtenu d'Ethel des informations à ce sujet : le fameux voyage autour du monde de 1929. Mais il savait qu'il n'avait pas encore assez trituré cette petite constellation pour la faire parler.

Ce qui l'intéressait dans cette manière de raisonner, c'était que des chaînes inattendues surgissaient de la pénombre. Ainsi, d'une constellation à l'autre, on découvrait par exemple une relation entre Mme Boulard et Ethel. Cela paraissait étrange, mais ce rapprochement était bien possible. Ainsi, en sautant d'étoile en étoile, un pont existait entre le poursuivant russe et le tour du monde en zeppelin…

Mais cette nuit-là, dans l'odeur de vieux papier, le commissaire tenta d'élargir son ciel. Quand une enquête piétinait, il essayait de la rattacher à d'autres. Toujours les yeux fermés, il passa en revue ses grandes affaires des dernières années. Il faisait défiler tous ces autres plafonds d'étoiles. Il repensa aux meurtres, braquages, escroqueries et autres histoires de grand banditisme non résolues. Il les recoupait avec les témoins et les dates de l'énigme Vango. Il resta ainsi une heure entière dans le noir. C'était comme s'il faisait essayer le soulier de verre de Vango aux centaines de suspects croisés dans sa vie.

La salle était presque silencieuse. On entendait tout au fond un léger grignotement du côté des annuaires : le travail méticuleux d'une souris archiviste.

Soudain, le commissaire sauta sur ses pieds. Il courut jusqu'à la porte, abaissa le gros interrupteur qui alluma l'un après l'autre les projecteurs de la salle. Apparut devant lui un dédale de rayonnages, sur dix mètres de haut. Boulard repartit à grandes enjambées au milieu des archives. D'un bout à l'autre de la pièce, une étonnante chorégraphie commença. Le commissaire poussait une échelle à roulettes, grimpait, fourrageait dans la paperasse, redescendait. Des dossiers étaient restés coincés sous son coude. Il les empilait dans une caisse, courait à l'autre bout, collait son nez aux étiquettes des boîtes d'archives en dansant d'un pied sur l'autre. Il en choisissait une, sortait une liasse de fiches, un vieil agenda ou le registre des admissions dans la préfecture pour l'année 1935. Il se grattait le torse sous son maillot de corps, essoufflé, à demi satisfait seulement, et se remettait à pousser l'échelle à roulettes, tel un soldat déplaçant sa catapulte au pied des châteaux forts. Arrivé à l'endroit voulu, il basculait la tête en arrière et grimpait à l'assaut de la muraille.

Tout à coup, entre deux allées, il se cogna à quelqu'un.

Boulard ne prit même pas la peine de s'arrêter. Il ramassa la caisse qu'il avait laissée tomber.

– C'est vous, Avignon ? Prenez ceci, suivez-moi.

– Commissaire…

– Prenez la caisse. J'ai trouvé.

– Mais…

– Laissez tomber tout le reste. Il n'y a que ça qui compte.

– Il est huit heures, les employés arrivent.

– Qu'est-ce que ça me fait ? Venez.

Avignon attrapa le paquet.

– Tout est là-dedans, dit Boulard.

– Je crois, commissaire, que vous avez…

– Croyez ce que vous voulez, mon petit. Allons dans mon bureau.

Il éteignit la lumière et poussa la porte.

Ils prirent ensemble le couloir. Avignon était devant, portant le carton dans ses bras. Le commissaire suivait. Les gens se rangeaient pour les laisser passer.

Boulard se promenait en petite tenue, moulé dans ses sous-vêtements. Le front haut, la mine gourmande des grands jours, le commissaire ne faisait pas attention aux regards affolés. Il salua de la tête une documentaliste qui se cachait les yeux avec ses mains.

Devant lui, Avignon essayait de préparer le terrain avec des regards désolés. Mais Boulard paradait, le ventre en avant. Il serra la main du préfet de police qui passait avec ses conseillers, vira à droite, prit le dernier couloir. Arrivé devant le bureau marqué « Boulard » en lettres d'or, il fit entrer Avignon et ferma la porte.

– Donnez-moi ça.

Le commissaire vida le carton en tas sur son bureau. Il attrapa son pantalon accroché au radiateur. Il devait y avoir une foule de curieux qui écoutait derrière la porte.

– J'ai peut-être trouvé quelque chose, mon petit.

Il était en train de se boutonner au-dessus du nombril.

– Je ne sais pas où ça va nous conduire, mais ce n'est pas tout à fait rien.

Il sortit d'abord le gros registre qui était sous la pile et l'ouvrit sur la table.

– Est-ce que cette date vous rappelle quelque chose ?

Il mettait sa chemise.

Avignon lut la première ligne :

– « 24 juillet 1935. »

Il prit quelques secondes pour réfléchir.

– Non, dit-il, ça ne me dit rien.

Boulard alla donner un grand coup de pied contre sa porte. On entendit une volée de badauds qui déguerpissait.

– C'est pour être tranquilles, expliqua-t-il. Bon. Regardez le vingt-septième nom de la page.

Le document listait tous ceux qui avaient passé le sas d'entrée de la préfecture ce jour-là.

– « Ethel B. H. »

– Parfaitement, oui.

– Et regardez le 42.

Avignon fit une grimace à peine visible avant de lire.

– « La fin des rats… Dératisation. » C'est…

– C'est le père Zefiro. Maintenant, ouvrez ça à la même date.

Il tendit un classeur. Avignon le feuilleta et commença à lire les dépositions du jour.

– Allez directement à la fin. Cette chère Mlle Darmon…

– « Mlle Darmon, quarante-neuf ans (âge estimé par la plaignante elle-même), retraitée dans deux mois, secrétaire du commissaire Auguste Boulard, déclare avoir rencontré un jeune homme, arrivé par le toit, qui lui aurait remis une lettre signée Vango Romano. »

– C'est bon, revenez à la page précédente, premier paragraphe.

– « Alerte donnée. Bouclage des locaux. Interrogatoire d'un accusé haute sécurité en sous-sol. Voir dossiers confidentiels pour identité. »

– C'est tout, mon grand.

– Quoi ?

– Ethel, Vango, Zefiro et Voloï Viktor, le même jour dans un même endroit, ça ne vous surprend pas ?

187

Avignon avala sa salive et haussa les épaules.

– Ça peut arriver.

– Oui, c'est vrai. Ça peut arriver. Alors, regardez-moi ça.

Il tendit à son lieutenant trois feuilles agrafées. Celui-ci commença à lire. C'était une ancienne déposition sur du papier jauni. Elle était datée du début des années vingt. Un homme qui souhaitait garder l'anonymat, et signait M. Z, donnait le signalement du trafiquant d'armes Voloï Viktor et offrait toutes les informations pour le coincer, dans une église du faubourg Saint-Antoine à Paris.

Les feuilles tremblaient entre les doigts d'Avignon. Ce jour-là, dans la paroisse Sainte-Marguerite, alors que toutes les polices croyaient enfin tenir le trafiquant, Avignon avait pour la première fois trahi Boulard en organisant la fuite de Viktor. Depuis ce temps, il n'avait cessé de mentir. C'était lui, Avignon, qui, treize ans plus tard, avait desserré les liens de Viktor pour qu'il puisse, d'un coup de tête, retourner la lumière contre Zefiro. C'était lui encore qui avait permis l'évasion de Viktor par l'Espagne dans un train spécial quelques jours plus tard. Et pendant quinze ans, il avait fait chaque semaine ses rapports à ce criminel sur les faits et gestes de la police française.

Avignon s'était arrêté. Boulard le regardait.

– Vous continuez ?

– Oui.

Il lut d'une voix blanche la liste des accusations que ce prêtre anonyme portait contre Viktor. La litanie était terrifiante.

– Je peux m'arrêter ? bégaya Avignon.

– Non.

Il se remit à lire. Boulard allait et venait derrière son bureau. Le lieutenant Avignon arrivait au bout du document. Il se tut.

Le commissaire leva les sourcils, interrogateur.

– Alors ?

– Alors… Je ne comprends pas, bafouilla Avignon.

– Alors ? s'énerva Boulard. Vous ne lisez pas la dernière ligne ?

Le lieutenant replongea dans ses papiers. Zefiro, l'auteur du courrier, avait ajouté quelques phrases en bas de la dernière page.

– « Après la capture de Voloï Viktor, aucun contact ne sera maintenu avec moi. En cas de force majeure, s'adresser à un correspondant unique : le commandant Hugo Eckener, de la société Zeppelin. »

Le commissaire Boulard avait la mine grave.

– Et voilà…, soupira-t-il. La voici, l'étoile manquante ! Le zeppelin ! Avec ce dernier maillon, je suis sûr que l'affaire Vango a quelque chose à voir avec l'affaire Viktor. Aussi sûr que je m'appelle Auguste Albert Cyprien Boulard.

Il arracha les trois pages à son lieutenant.

– Et ce lien, c'est M. Z.

– Qui ?

– Vango connaît Zefiro !

Avignon était partagé entre le soulagement et la panique. Il s'était cru démasqué et il ne l'était pas. Cela aurait pu le rassurer. Mais la découverte de Boulard était problématique. Avignon connaissait depuis plus d'un an, grâce à Viktor, cette proximité entre Zefiro et Vango. Il était sûr que le commissaire saurait exploiter cette trouvaille qui risquait de réveiller le dossier Voloï Viktor.

Plus grave, Boulard allait se mettre en chasse de Zefiro. Or, Zefiro avait découvert la trahison d'Avignon. Un télégramme le dénonçant était même parti de New York pour Paris, mais Avignon l'avait fait intercepter avant qu'il ne parvienne à Boulard.

– Commissaire… Je ne vois pas bien ce que vous voulez faire.

Celui-ci ramassa une craie sur le buvard devant lui. Il se retourna vers le tableau noir, arracha les papiers qui y étaient fixés.

Il prit son élan et traça une grande croix blanche.

– Voilà. Tout ce que nous pouvons faire se trouve là. Les quatre voies pour trouver Vango.

Il ajouta une flèche à chaque extrémité de la croix.

– Viktor, Ethel, Eckener et Zefiro.

Puis il posa des initiales.

– Viktor à l'ouest. Il nous a été signalé deux fois en Amérique. Ethel au nord. Eckener à l'est. Et Zefiro…

Avignon écoutait chaque mot.

– Zefiro au sud.

Depuis quatre ans, Avignon cherchait à connaître l'endroit où se trouvait la base arrière de Zefiro. C'était l'obsession de Voloï Viktor qui connaissait l'existence du monastère invisible mais n'avait jamais pu le localiser.

– Il faut partir dans ces quatre directions, conclut le commissaire.

On frappa à la porte.

– Entrez !

– Monsieur le commissaire, vous avez vos candidates qui vous attendent dans le salon bleu.

– C'est aujourd'hui ?

– Tous les jeudis, monsieur le commissaire.

Boulard grogna.

– Je descends.

– Et M. le préfet veut vous parler.

– À quel sujet ?

– L'incident, je crois.

– Quel incident ?

– L'incident de ce matin.

Boulard ne comprenait pas. Avignon, à côté de lui, hasarda une explication :

– Votre tenue dans les couloirs, je crois.

– Qu'est-ce qu'elle avait ma tenue ?

– Le…

Avignon montra vaguement la partie inférieure de son patron.

– Le… le caleçon.

– Et alors ? Qu'est-ce qu'il veut, le préfet ? Choisir la couleur ?

L'émissaire, confus, se dandinait sur place.

– Bon, reprit Boulard. Je vais voir les candidates. Avignon, occupez-vous de cette histoire de textile.

Il arriva en trombe dans le salon bleu.

Depuis deux ans, le commissaire Boulard voyait des candidates pour remplacer sa secrétaire, Mlle Darmon, partie prendre sa retraite dans son jardin de Bagnolet. Mais il avait tellement souffert des années Darmon qu'il n'osait pas faire son choix. Boulard voyait donc quatre jeunes personnes chaque jeudi, espérant toujours n'en choisir aucune.

Elles étaient assises sur des chaises, les jambes croisées, au milieu du petit salon.

– Je vous préviens toutes, je suis invivable, dit Boulard en entrant.

Il tira une chaise devant elles. Ce jour-là, elles étaient cinq.

À la première, une brune en tenue de gala qui portait des lunettes, il posa une question sur ses lectures.

Elle bafouilla, se perdit dans son sac à main et en sortit finalement en tremblant un gros livre bleu marine. Le Code de la police.

– Vous lisez ça ?

Elle se mordit la lèvre.

– Et c'est bien ? demanda-t-il en feuilletant le livre avec curiosité.

À la deuxième candidate, il demanda avec combien de doigts elle tapait à la machine. À la troisième, il fit faire un exercice de calcul mental puis réciter *Le Loup et l'Agneau*. La quatrième, si pâle qu'elle en devenait violette, se sentit mal et fut évacuée avant qu'on arrive à son cas.

Boulard se tourna donc vers la plus jeune, assise sur la droite. Elle portait un chignon strict qui ne suffisait pas à la vieillir.

– Il n'y a pas école le jeudi ?

– Non.

La réponse avait été tranchante, insolente.

– Votre maman vous attend en bas ? demanda Boulard avec une fausse douceur.

— Et votre mère, répondit la jeune femme sur le même ton, où est-elle ?

Boulard se frotta doucement l'oreille. Les autres candidates baissaient les yeux.

— Vous savez, mademoiselle, que vous êtes dans les locaux de la police, vous n'êtes pas sûre d'en sortir libre ce soir.

— Je ne serais pas la seule à rester tard ici le soir.

Elle le regardait fixement. Boulard était impassible.

— Quel âge avez-vous ?

— Moins que vous, répondit la Taupe.

— Comment avez-vous franchi la présélection ?

— Par la fenêtre.

Cette fois, le commissaire se leva subitement.

14
Le métier d'ange

Il ne cria pas.

Boulard se serait trouvé ridicule d'appeler des renforts pour cette fille de cinquante kilos. Il s'approcha, tourna autour d'elle, cherchant une question plus professionnelle pour détendre l'atmosphère.

– Comment envisagez-vous votre fonction dans cette maison ?

– Apporter le courrier…

– Et puis ?

– C'est tout, dit la Taupe. Après, je rentre chez moi. J'ai autre chose à faire.

On frappa deux coups à la porte. Avignon entra. Il glissa quelque chose à l'oreille de Boulard.

– Mesdames, dit le commissaire, vous pouvez sortir. On vous écrira.

Il se tourna vers la Taupe.

– Pas vous, mademoiselle. Attendez-moi ici.

Les trois autres passèrent devant le commissaire. Avignon et Boulard sortirent aussi. La Taupe regardait le ciel par la vitre. Boulard fit deux tours de clef derrière lui.

– Qui est-ce ? demanda Avignon.

– Une candidate qui m'intéresse.

– Vous avez peur qu'elle s'envole ?

– Précisément. De quoi vouliez-vous me parler ? Dépêchez-vous.

Avignon regarda autour de lui. Il baissa la voix.

– Je viens de penser à ce que vous m'avez dit.

– C'est une raison pour me déranger ?

– Écoutez. Je suis le seul avec vous ici à avoir déjà vu le père Zefiro. Le jour où il est venu pour reconnaître Viktor.

– Et alors ?

– Je pourrais aller à sa rencontre. Je suis prêt à partir.

– Maintenant ? Vous avez besoin de vacances, Avignon ?

– J'essaie de vous être utile. Si vous m'indiquez l'endroit où se trouve son refuge…

Boulard se pinça l'oreille. C'était un secret d'État. Il avait déjà mis une fois de trop ce secret en péril.

– Je dois réfléchir.

Il sentait pourtant qu'il y avait là une idée intéressante. Avec le Russe à ses trousses, il valait mieux être prudent. Avignon ferait aussi bien l'affaire pour aller explorer Arkudah. Et le commissaire reconnaissait qu'il ne serait pas mécontent de garder pour lui la visite à la belle Ethel, du côté d'Everland…

– Venez avec moi, dit-il. Je vais vous montrer une personne étrange.

Il fit tourner la clef et poussa la porte.

Le salon bleu était vide.

Boulard courut jusqu'à la fenêtre…

– Elle me l'avait dit ! Elle me l'avait dit !

– Quoi ?

– Qu'elle passait par les fenêtres.

Ils se penchèrent tous les deux au-dessus de la cour.

– Ça ne paraît pas possible, dit Avignon en regardant le vide sous eux.

– Mais ça lui ressemble. La diablesse. Qui est cette fille ?

Le commissaire se dirigea vers la seule chaise qui n'avait pas été rangée contre le mur. Une enveloppe était posée sur le velours bleu.

Boulard l'ouvrit.

– Alors ? dit Avignon.

– C'est personnel.

Il la rangea dans sa poche. Il n'avait pas la force d'en lire plus pour l'instant. C'était une lettre de sa mère. Elle commençait par la recette du potage d'hiver aux marrons.

La Taupe, sur le toit, retira ses talons hauts. Elle défit son chignon et flâna tranquillement en altitude jusqu'à l'arrière du Palais de Justice, qui donnait sur la place Dauphine. Là, enfin, elle redescendit sur terre. Elle marcha le long du fleuve. L'eau était haute après cinq jours de pluie. Elle débordait par endroits sur le quai. La Taupe alla s'asseoir à la pointe du Vert-Galant qui fendait les flots de la Seine.

Quand viendrait enfin le jour où elle serait sa propre messagère ? La Taupe passait sa vie à frôler les destins des autres. Elle se glissait entre eux et les déviait imperceptiblement. Vango, Ethel, Andreï, Boulard… Elle sauvait des vies. Elle flottait au-dessus du monde. Un ange au-dessus du monde.

Mais en pensant à elle, que restait-il qui tenait debout ? Elle avait eu un ami, Vango : elle ne l'avait pas revu depuis trois ans. Elle avait eu un amour, Andreï : il ne savait même pas qu'elle existait. Et sa famille… Elle prenait l'eau de toutes parts. Le soir, avant de sortir dîner, sa mère ne la touchait qu'avec des gants de soie très longs qui montaient jusqu'aux épaules. Son père s'effondrait sous ses yeux. Pas un être qui tenait à elle. Pas un qui tenait devant elle.

Elle faisait le métier d'ange comme personne, mais elle ne voulait pas de ce métier. Elle voulait être terrienne.

La Taupe mettait à part le jour et la nuit passés en Écosse, deux mois plus tôt. C'était un souvenir extraordinaire.

Elle avait caressé un cheval pour la première fois. Elle s'était assise dans la cheminée avec Ethel à quatre heures de l'après-midi en écoutant de la musique. Elle avait jeté des pierres dans le lac, senti le poids de ses bottes pleines de terre en marchant dans l'herbe. Elle avait porté le chapeau du grand frère d'Ethel qui n'était pas là. Elle avait fait courir les moutons. Elle avait pleuré de rire en habillant Mme Boulard pour le dîner du soir. Elle s'était étouffée devant le sang-froid du maître d'hôtel quand un faux diamant de la princesse était tombé dans la soupe. Elle avait visité avec Ethel en secret le hangar de l'avion, la nuit, avec des torches et en avait rêvé jusqu'au matin. Elle avait couru dans les premiers rayons du jour pour grimper dans les hêtres et leurs rameaux de givre. Au petit déjeuner, elle avait écouté les autres l'interroger, surprise de leur curiosité. Elle avait même parlé un tout petit peu d'elle :

— Je suis souvent toute seule. Ça me convient.

Mary lui avait donné des brioches pour rapporter à la maison en lui disant qu'elle pourrait partager :

— Vous avez bien quelqu'un, un petit frère, je ne sais pas, voyons, un amoureux, quelqu'un. Tiens, oui, un amoureux…

Et Mary l'avait suppliée, un genou à terre, de lui dire si elle en avait un.

Pour la Taupe, penser qu'on pouvait imaginer cela, c'était déjà invraisemblable.

– Regardez-la, cette demoiselle ! Avec ces cheveux, insistait Mary, il ne doit pas y en avoir qu'un seul après elle.

Et elle avait remis trois brioches dans son sac, à tout hasard.

En partant, Mme Boulard, derrière une porte, lui avait confié une enveloppe pour son fils.

– Vous rentrez à Paris. Si vous pouviez la lui donner en main propre…

Elle avait embrassé la Taupe sur le front.

Ethel attendait au volant de sa voiture.

Quand elles furent seules, sur les routes qui les conduisaient vers le bateau, Ethel demanda à la Taupe d'ouvrir délicatement la lettre et de la lire.

– Pourquoi ?

– Je préfère. Je ne veux pas qu'elle ait fait le voyage pour rien.

Il ne devait pas y avoir un seul mot qui pouvait révéler l'endroit où Mme Boulard se trouvait. La Taupe lut la lettre d'une voix forte pour couvrir le bruit du moteur. Elles furent rassurées et émues. Le message était rempli de recommandations. C'était un peu la lettre d'une mère à un fils parti en colonie de vacances. Elle lui disait de bien manger et de ne pas se laisser embêter par les autres.

La Taupe regardait la Seine et son courant brun. Que faire, maintenant ? Depuis la fin de l'été, Vlad le vautour s'était évanoui dans les airs. Il se cachait. Boulard, dans sa forteresse, avait dû donner un peu partout le signalement du Russe.

Andreï avait disparu depuis beaucoup plus longtemps encore. La Taupe n'avait pas la force de se relever. Que lui restait-il ?

Les taupes ont besoin de très peu d'oxygène pour respirer, de peu de lumière et d'espace, d'aucune compagnie, les taupes vivent seules onze mois sur douze, ignorent la chaleur du soleil, ne font pas de bruit. Mais il faut bien vivre de quelque chose.

Moscou, au même moment, janvier 1937

Mademoiselle entra dans le garage avec les trois enfants. Car une petite fille avait rejoint Kostia et Zoïa.

– Je veux parler à Ivan Ivanovitch Oulanov.

– Pourquoi ?

– Je suis avec ses enfants.

– Il est au fond, à la soudure. Mais n'y allez pas avec vos petits.

Elle les fit asseoir sur un banc. Zoïa donnait la main à Setanka.

– Attendez-moi ici.

Kostia, à côté, jouait avec un bâton.

Mademoiselle traversa plusieurs ateliers dans lesquels les automobiles étaient rangées comme des petits pains. Les mécaniciens la regardaient passer. Dans la dernière salle, elle vit le père d'Andreï, couvert de suie, sous un moteur qui ronflait. Elle l'appela.

Il ne l'entendit pas tout de suite. Deux hommes soudaient

de la ferraille un peu plus loin. Il se leva en s'essuyant les mains.

– Ivan Ivanovitch, dit-elle, j'ai un problème.

– Où sont les enfants ?

– Ils sont là. Mais c'est à cause de Setanka, leur petite amie du parc Sokolniki. Ce matin, nous allions partir pour l'école, elle nous attendait dans la rue sur le trottoir d'en face. Je pense qu'elle n'a prévenu personne de sa fugue. Elle ne veut pas dire où elle habite.

Il coupa le moteur.

– Elle est ici ?

Mademoiselle acquiesça et ils se dirigèrent vers la première salle du garage.

– Vous connaissez le nom de sa famille ?

– Non. On la rencontre avec sa gouvernante. Toujours au parc. J'ai été voir, la nourrice n'y est pas.

Ils étaient arrivés devant les enfants.

– Qu'est-ce qui se passe ?

– Elle veut habiter chez nous, dit Zoïa à son père.

Le mécanicien s'assit entre les deux petites filles et soupira.

Ils restèrent tous les quatre sur le banc. Konstantin jouait toujours avec le bâton. Mademoiselle s'était assise à l'écart sous une horloge.

– Tu t'appelles comment ?

– Svetlana.

– On l'appelle toujours Setanka, dit Zoïa.

– Setanka, répéta Ivan en posant ses mains sur ses genoux.

Il avait quarante-cinq ans, mais ses mains semblaient beaucoup plus âgées.

– Ça ne va pas chez toi ?

– Non.

– Chez nous non plus, ça ne va pas toujours.

Il regardait trois hommes qui étaient entrés dans le bureau vitré donnant sur le garage. Ils parlaient avec le chef d'atelier.

Ivan prit très précautionneusement la main de Setanka.

– Tu vas dire à la *tioten'ka* où tu habites. Elle te raccompagnera. Et tu pourras venir jouer chez nous un autre jour.

Setanka jeta un coup d'œil vers Mademoiselle, hésitante. Zoïa la soutenait du regard.

Ivan Ivanovitch vit alors le chef d'atelier faire un geste vers lui. Les trois hommes se tournèrent en même temps. Ivan se leva.

Mademoiselle le regardait.

Un des hommes était sorti et l'appelait.

– Attendez-moi ici, dit Ivan aux enfants.

Il contourna une voiture grise. On le fit passer derrière la vitre. Le chef d'atelier s'éloigna discrètement.

Mademoiselle s'était rapprochée des enfants.

Le bureau sentait le tabac et l'essence. On avait fait asseoir Ivan. Un des hommes demeurait en retrait, près de la porte, debout, comme s'il attendait l'autobus.

– Tu as des nouvelles de ton fils, Ivan Ivanovitch ? demanda le plus petit des trois en poussant des outils pour pouvoir s'appuyer sur la table.

– Non.

– Nous non plus.

Ivan regardait droit devant lui.

L'interrogateur avait sorti de sa poche un carré de tissu blanc chiffonné et se moucha bruyamment. Il observait l'atelier par la vitre.

– Tu as toujours été dans la mécanique ? demanda-t-il en s'essuyant la lèvre.

– Oui, dit Ivan.

– Ton fils Andreï Ivanovitch n'avait pas envie de faire comme toi ?

– Il est musicien.

– Je sais. Mais il y a des ouvriers musiciens. Il est paresseux ?

– C'est un grand musicien. Il devait choisir.

– Pourquoi ?

Ivan ne répondit pas.

Le petit enrhumé renifla puis aboya :

– Je t'ai demandé pourquoi !

– Parce qu'il faut choisir.

Ivan posa ses mains ouvertes sur la table. Il montra ses doigts noirs couverts de blessures, l'index tordu. C'était sa réponse. Peut-on jouer du violon avec de telles mains ?

Un deuxième interrogateur prit le relais.

– Andreï est en fuite depuis seize semaines.

Ivan se redressa.

– Je n'ai pas le droit de communiquer avec lui. Je ne sais rien.

– On lui avait fait confiance, Ivan Ivanovitch.

– Il était à Paris pour la musique. Il avait tous les papiers…

– Je ne parle pas des papiers. C'est moi qui lui ai donné ces papiers, imbécile. Il avait une autre mission.

– Je ne sais rien, dit Ivan.

Le petit enrhumé fit un signe à son camarade. Il lui parla à l'oreille. Il voulait rester seul avec le père d'Andreï. Les deux autres sortirent. Il commença à jouer avec un boulon de cuivre qu'il avait trouvé sur le bureau.

– Ivan Ivanovitch Oulanov…

– Oui.

Il tournait le boulon entre ses doigts.

– Ton fils savait ce qui allait vous arriver s'il disparaissait. Voilà ce qui m'étonne. Il sait ce qui vous attend. Et toi aussi, tu le sais.

Oui, il le savait. Depuis deux ans, la grande terreur menée par Joseph Staline conduisait des millions de Russes, des hommes, des femmes, des familles entières dans les camps. À cette période de l'année, dans les mines de Vorkouta, il faisait cinquante degrés en dessous de zéro.

– Andreï va réapparaître, dit Ivan. Il expliquera son absence.

– La personne qui s'en occupe à Paris ne croit pas cela. Seize semaines… C'est très long. Il y a donc deux possibilités. La première, c'est qu'il n'a aucun souci de vous. Il sauve sa peau. C'est tout. Il sacrifie sa famille.

Ivan Ivanovitch avait les paupières baissées. L'homme se tourna encore vers l'atelier.

– Mes camarades croient en cette explication. C'est la plus évidente, bien sûr. Moi, je ne sais pas pourquoi, j'en ai une autre…

L'enrhumé se moucha encore. Il regardait l'un de ses collègues qui manœuvrait la voiture pour la faire entrer dans le garage, près d'une pompe. L'autre avait l'air de jouer avec un petit garçon blond.

– La seconde explication, poursuivit-il en continuant à observer la scène, c'est qu'Andreï Ivanovitch sauve sa peau, parce qu'il pense que vous sauvez la vôtre.

– Je ne comprends pas.

L'homme fit un sourire.

– Il sait que tu as un plan pour ta famille…

– Un plan ?

– Un passage à l'étranger… Ou n'importe quel mauvais tour…

– Nous sommes surveillés jour et nuit.

– C'est pourquoi j'imagine de ta part un plan plus raffiné, un chantage, une machination.

Il fixa Ivan de ses petits yeux brillants.

– Je ne te lâcherai pas.

À l'extérieur, les deux autres avaient garé leur voiture de manière à pouvoir faire le plein. Un ouvrier les servait. Les deux hommes s'étaient approchés des enfants et leur proposèrent de monter dans la voiture, pour jouer. Mademoiselle déclina l'offre mais elle ne put les retenir. Kostia était déjà sur la banquette, les filles suivirent. Ils riaient. Setanka s'installa au volant. Elle avait oublié tous ses malheurs.

Mademoiselle demeura sur le banc.

À côté d'Ivan, derrière la vitre, l'homme regardait la scène.

– Ils sont à qui ces enfants ?

– À moi, dit Ivan.

L'homme laissa passer un long moment et sortit ses lunettes.

– À toi ?

– Oui.

– Qu'est-ce qu'ils font là ?

– Ils passaient…

– Et…

– La femme, c'est la *tioten'ka*, expliqua Ivan. Celle que vous nous avez donnée pour qu'on la garde chez nous.

L'homme observait toujours à travers la vitre.

– Un, deux… trois.

– Comment ?

– Trois enfants.

– Avec Andreï, oui, mais…

– La…

Il serrait les yeux derrière les carreaux de ses lunettes.

– La petite, devant…

Ivan soupira doucement.

L'homme restait là, assis sur la table, à murmurer des sons incompréhensibles.

– La petite… La…

Il lâcha le boulon qui roula sur le sol. Il marcha vers la porte, sortit, s'approcha de la voiture, se baissa à la hauteur de la vitre. La petite fille faisait semblant de conduire.

Il toqua une fois. Setanka se tourna vers lui.

Il fit signe de baisser la vitre, comme à un barrage routier en temps de guerre. La conductrice ne bougea pas. À l'arrière, Zoïa et Kostia se tenaient bien droits sur leur siège. Le petit garçon portait le chapeau d'un des hommes. Setanka hésitait. Elle avait les deux mains sur le volant.

L'homme toqua une nouvelle fois à la vitre.

– Ouvrez, camarade chauffeur, dit Zoïa très sérieusement.

Setanka tourna la manivelle et ouvrit la vitre.

– Bonjour, dit l'homme.

– Bonjour.

Setanka regardait droit devant elle.

– Qu'est-ce que tu fais là, Svetlana Iossifovna ?

– Je pars en voyage.

– Où ?

– Avec mes amis.

– Dis-moi où, Svetlana ? Où partez-vous ?

– En Italie.

En quelques instants Ivan Ivanovitch Oulanov vit l'homme ouvrir la portière arrière en hurlant des ordres, attraper vivement Kostia par le bras et le sortir de la voiture. De l'autre côté, un autre faisait la même chose avec la petite Zoïa qui hurlait. Mademoiselle s'était précipitée et avait pris les enfants contre elle. Setanka s'accrochait au volant.

Le père des enfants sortit du bureau en trombe. On l'empoigna avant qu'il puisse rejoindre les siens. Ivan voulut se défendre mais reçut un coup de coude dans le visage. On le jeta sur la banquette, encadré par deux hommes. À l'avant, Setanka avait été repoussée sur le côté par le chauffeur. Elle se recroquevilla sur son siège. L'automobile démarra, les phares allumés, renversa un chariot, fit une accélération en marche arrière jusqu'à la rue et disparut.

Mademoiselle resta seule avec les deux enfants qui sanglotaient. Zoïa répétait le prénom de Setanka. Et Kostia appelait son père.

Mademoiselle tremblait. Tout cela était peut-être sa faute. La veille, au parc, elle avait enfin confié à la petite Setanka sa lettre pour le docteur Basilio, afin qu'elle la poste le plus discrètement possible. Avait-on découvert quelque chose ?

Elle serrait contre son ventre la tête des deux petits.

Livide, le chef d'atelier vint vers elle.

– Partez d'ici. Je ne veux pas de problème.

Dans la voiture, Ivan avait cessé de se débattre.

– Je ne m'étais pas trompé, dit l'enrhumé, radieux.

Ivan avait la lèvre qui saignait et des dents cassées.

– Mais je ne pensais pas à ce genre de monstruosité. Tu nous expliqueras ce que tu voulais faire avec l'enfant du camarade Staline.

Ivan Ivanovitch Oulanov ne comprenait plus rien. Quelque chose coulait dans son cou. Sa bouche mâchait des mots au milieu de débris de dents. En reconstituant patiemment les paroles en miettes, on aurait pu entendre le prénom de son fils et cette question toujours répétée : « Pourquoi tu nous fais ça ? »

15
Les ruines du jardin

Au large de la Sicile, un mois plus tard, 16 février 1937

Soudain, Vango vit les îles.

Le vent du nord-ouest avait ralenti l'approche. La brume s'était mise en travers du chemin. Mais les îles Éoliennes apparaissaient enfin.

Vango ignorait par quel hasard ce chapelet de pierre, de verdure et de feu, au milieu de la mer, était devenu le cœur de sa vie, son origine. Sept îles et des poussières, le seul endroit où il se sentait respirer à nouveau.

Il tenait ses genoux entre ses bras, assis sous le mât. Le soleil dans les voiles reflétait autour de lui la couleur du safran. Une femme était assise à côté avec des poussins dans une boîte en bois. Elle leur donnait son doigt à picorer. Avec son voile pour se protéger du soleil, elle ressemblait à une Sainte Vierge. Une dizaine de passagers dormaient autour, comme s'ils étaient tous habitués à la splendeur de l'horizon. Vango cherchait des yeux le panache du volcan Stromboli.

Il avait mis longtemps à venir jusque-là. Il s'était effondré sur le chemin, là-haut, en France, dans un autre îlot de roche. Il avait failli se laisser mourir.

Car après l'arrivée du paquebot à Cherbourg, il s'était senti perdu. Cafarello était mort avec son secret en Amérique. Vango ne savait pas par où recommencer à vivre. Il avait passé plusieurs jours dans cette petite ville de Normandie à errer entre le port et la gare. Des bateaux partaient pour l'Angleterre, il aurait pu rejoindre l'Écosse. Mais il craignait ce qu'il trouverait à Everland.

Il était donc parti vers le sud, le long de la mer, pendant plusieurs jours, escorté par les mouettes, oubliant de manger et de dormir. Une croûte de givre se brisait sous ses pas. Dans les villages, il faisait peur aux enfants.

Il était arrivé en pleine nuit au pied du Mont-Saint-Michel.

Les grandes marées avaient balayé la mer. Le rocher était au milieu d'un désert de sable éclairé par la lune. Tout en haut, la pointe de l'abbaye se dessinait, plus noire que la nuit. Vango monta dans les ruelles, hagard, gelé. Il voulut frapper à l'immense porte des bénédictins, pour demander l'hospitalité comme s'il était en route vers une Jérusalem imaginaire. Mais il eut honte. Il ne s'était pas lavé depuis le départ de New York. Il n'était en route vers nulle part. Sur ce récif de sable, il avait plus l'air d'une épave que d'un pèlerin. Il escalada le mur, marcha en équilibre sur les toits. Son ombre chancelait sous la lune. Il grimpa le long de l'église et trouva un abri derrière les colonnes de zinc du clocher. Épuisé, il se coucha là, veillé par l'archange saint Michel.

Vango crut qu'il perdait la raison. Les yeux fermés, il entendait des cantiques, croyait voir le clignotement des flambeaux. Il ne sentait pas le froid de la pierre. Il respirait à peine. En bas commençait l'office de la nuit. La file des moines était entrée dans l'église en chantant. Mais c'était comme s'ils traversaient la tête et le corps de Vango, la torche à la main.

Il n'avait plus la force de faire un geste. Il voulait rester là toute sa vie. L'odeur de l'encens venait l'embaumer. Un instant, il eut peur de cet engourdissement. Zefiro lui avait dit de ne plus fuir, de choisir. Mais il chassa toute idée de résistance. Il était bien. Il oubliait son déracinement. Le froid et la fatigue l'emportèrent.

Un moine le trouva là, le lendemain. Les mouettes avaient fait du tapage au petit matin sous la flèche. Le frère maçon voulait réparer les éventuels dégâts. Il grimpa malgré la grêle piquante du matin.

L'hiver avait été très froid. On montait là-haut si rarement que le moine crut le garçon mort depuis longtemps. Le vent glacial apportait toutes sortes de surprises. Après une saison de tempête, il avait bien retrouvé des poissons sous ce clocher. Et pourquoi pas ce bohémien arraché d'une falaise par le vent ? Le maçon posa son manteau sur le corps de Vango, le bénit. Alors seulement il prit son pouls et découvrit qu'il vivait.

Deux hommes descendirent Vango dans l'église avec des cordes. On lui trouva une chambre et du lait tiède. Trois jours plus tard, il allait déjà mieux. Mais il oublia le temps, il profita de la douceur. Il resta jusqu'à Noël, puis jusqu'à l'Épiphanie, puis jusqu'au mercredi des Cendres.

Ces mois d'hiver passèrent en un instant, comme la minute mystérieuse qui suit le réveil. Vango se souvenait seulement d'une liberté proche de celle de son enfance. Il avait repris ses forces. Il se fit oublier des moines. Il quittait chaque matin la baie et marchait dans les hautes herbes. Il découvrit un cheval noir et ne lui donna pas de nom. Vango apprit seul à monter, comme le premier Indien du monde. Il se nourrissait de tartines de beurre dans la cuisine, et de bigorneaux. Il s'avançait à pied dans la mer, contre le courant gelé, à marée montante. Il plongeait. Il partait grimper la muraille, la nuit.

Vango attendait. Il suivait les offices, couché derrière les vitraux.

Un jour, très haut dans le ciel, il vit un faucon tracer des cercles. En se retournant vers l'abbaye, il pensa à Mademoiselle, évaporée à cause de lui, au monastère invisible qui se croyait orphelin de Zefiro. Le frère Marco avait-il su prendre la place du padre ? Il pensa à sa maison. Il savait que c'était vers là qu'il devait d'abord aller.

Vango laissa un saphir transparent dans la boîte à sel des cuisines, pour payer le toit, le couvert et le beurre. Il reprit sa route. Le cheval sans nom le suivit jusqu'au premier village, puis ils se séparèrent.

Quelques semaines plus tard, il arriva à Salina par le port de Rinella, à l'ouest. Il avait l'intention de suivre par la terre la côte sauvage et les falaises qui séparent ce village du hameau de Pollara où il avait grandi.

La Vierge aux poussins fut accueillie par une bande de petites filles. Elle autorisa la plus jeune à prendre un oisillon dans ses mains.

Vango resta sur le quai à les regarder de loin. Il pensait à Laura Viaggi et à ses sœurs. Elles avaient grandi là, dans l'odeur sucrée de la mer. Et il ne restait rien d'elles.

– Ne serre pas trop, disait la dame. Fais comme si c'était un papillon.

La petite fille s'appliqua tant à obéir qu'elle le laissa filer entre ses doigts. Des rires fusèrent. Le poussin détalait sur les filets de pêche. Vango lui courut après et se faufila entre des caisses entassées. Les enfants applaudirent. Ils suivaient en criant, mais Vango se mit en embuscade et leur fit signe de se taire. Parfaitement caché derrière deux gros flotteurs, il attendit là longuement. Le poussin se croyait sauvé, il reprenait son souffle à trois mètres de lui.

Augustin Avignon portait un chapeau de paille. Il croisa une troupe d'enfants qui semblaient attendre quelque chose sur le port. Une femme était avec eux. C'était une sorte de tableau vivant. Ils avaient l'air très concentrés, regardaient tous en direction d'un poussin blotti contre une bouée. Aucun des enfants ne bougeait un cil. Avignon fit même une photo.

Mais l'un des pêcheurs qui l'accompagnaient le tira par le bras. L'autre les attendait déjà dans le bateau. Ils avaient convenu d'un prix pour la journée. Il ne fallait pas qu'ils soient surpris par la nuit. Il monta à bord. Les deux hommes lui parlaient sans cesse. Avignon ne comprenait pas un mot de leur langue.

Quand ils quittèrent le port de Rinella, Avignon entendit une clameur. On devinait de l'agitation autour du poussin. Les enfants avaient dû l'attraper. Ils formaient une grappe serrée autour d'un garçon qu'on ne voyait pas.

– *Avanti!* dit un pêcheur.

– Non, corrigea Avignon. Pas « *Avanti* » !

Il ouvrit anxieusement la carte de Sicile. Il posa son doigt sur une petite tache grise, l'île que Boulard avait entourée de rouge, et articula :

– A-li-cu-di.

Vango portait vingt-quatre œufs dans une caisse. La Vierge aux poussins les lui avait offerts. Il arriva au-dessus de Pollara à midi. Il contempla les quelques maisons disséminées au fond de cette coupe de terre cuite, brisée en deux vers la mer. À cette saison, le soleil n'atteignait pas le fond du cratère.

Vango descendit lentement. Il s'arrêtait parfois pour regarder le blanc de sa maison. Il aurait voulu y voir un panache de fumée. Il aurait aimé que Mademoiselle paraisse sur la terrasse. Vango observait les autres îles à l'horizon et une minuscule voile blanche qui s'éloignait. Il brisait les tiges de fenouil sec à chaque pas, craignait de marcher sur les petits oiseaux qui se jetaient dans ses jambes. Il sentait l'humidité dans les saignées de la pierre de lave.

Il fit une pause devant l'ancien abri de Mazzetta. L'entrée était bouchée par des branches. Il y avait encore l'anneau scellé dans la pierre pour attacher l'âne.

Vango se dirigea alors vers les deux cubes blancs de sa maison. La fraîcheur et l'ombre rampaient tout autour. Il retrouva la clef dans le trou de l'olivier, posa les œufs sur la terrasse et ouvrit la porte.

Avignon regarda le petit bateau à la voile affalée, qui l'attendait tout en bas. Il espérait qu'on ne l'abandonnerait pas. Il avait tout payé à l'avance. Il montait depuis deux heures mais les marches de pierre se multipliaient devant lui. L'île d'Alicudi n'avait pas de sommet.

Avignon se rendait compte de l'importance de cette exploration. Voloï Viktor appelait ce refuge « le terrier ». Il avait rassemblé à son sujet beaucoup d'informations, la liste des noms de ceux qui s'y cachaient, une lettre de Zefiro pour le Vatican expliquant son projet, mais pas la moindre indication sur l'emplacement du terrier. Viktor avait fait fouiller les poches du pape et de ses secrétaires, visiter les limites inexplorées de l'Europe, toutes les cachettes possibles, les nids d'aigle, les aiguilles creuses et les anciennes mines. Il aurait bien fait bouillir deux ou trois cardinaux comme des homards pour les faire parler.

Avignon n'avait rien dit à Viktor au sujet de son expédition. Voloï Viktor ne lui pardonnait pas d'avoir épargné Boulard lorsqu'il était venu seul dans son appartement pour y trouver refuge. Avignon était donc là en éclaireur. S'il découvrait le terrier, il demanderait à Viktor sa liberté en échange de cette révélation. Le policier pourrait peut-être repartir de zéro, se refaire une innocence. Il ne voulait plus d'une existence déchirée en deux : servir et trahir en même temps, à chaque instant.

Il avait commencé cette double vie juste après la guerre à cause d'un petit truand catalan, un tailleur, qu'il avait coincé et qui lui avait promis de lui livrer bientôt Viktor s'il le laissait filer.

Arrêter Voloï Viktor ! Avignon trouvait enfin l'occasion d'éblouir son maître Boulard et d'être considéré par lui. Il accepta. Mais la promesse du tailleur fut longtemps ajournée. Semaine après semaine, il demanda d'autres faveurs qu'Avignon accorda aussi. L'engrenage se mit en marche. Le Catalan le retrouvait dans une cave du faubourg Saint-Martin. Il lui offrait des costumes sur mesure en lui parlant doucement. Avignon volait des dossiers chez Boulard, faisait passer des messages dans des prisons, étouffait des affaires politiques.

Le jour où le lieutenant Avignon allait enfin se trouver en face de Viktor, il réalisa qu'il était trop tard. Corrompu jusqu'à l'os, il était le recours de tous les trafiquants. Il ne pouvait plus faire demi-tour.

Quand on présenta enfin Viktor à Avignon, il reconnut en lui le tailleur qu'il avait voulu capturer deux ans plus tôt et qui le manipulait depuis ce temps. Cet homme, c'était Voloï Viktor lui-même. L'un de ses nombreux déguisements. La machination du trafiquant d'armes avait parfaitement fonctionné. Avignon était pris au piège.

Avignon accéléra le pas. Il contempla l'île autour de lui. Qui donc pouvait vivre dans cet éboulis de pierres ? Boulard s'était sûrement trompé.

Les pêcheurs avaient d'ailleurs essayé de lui faire comprendre qu'il n'y avait rien à voir sur ce rocher. Rien. Il avait montré son appareil photo et sorti trois cailloux de sa poche.

– Moi géologue. Moi pas touriste.

Il leur parlait avec des gestes, en articulant, comme s'il s'adressait à des autochtones des îles Nicobar.

Il arriva enfin sur une zone presque plate qui traversait l'île vers le nord. Deux lapins détalèrent devant lui. Il gardait sous les yeux les indications du commissaire Boulard.

Le dessin était clair. Il fallait prendre ce haut plateau sur quelques centaines de mètres en laissant la montagne sur la gauche. Avignon grimpa enfin une petite côte assez raide, redescendit dans l'herbe, s'arrêta. Son cœur se mit à battre très vite.

Les alignements de rochers, en dessous de lui, formaient un rectangle régulier exactement comme celui que Boulard lui avait dessiné.

Il descendit vers le vallon.

Avignon se glissa entre deux rochers. Il regarda ce qui l'entourait. On se croyait dans les ruines d'une capitale ancienne, un temple revenu à la nature. Le monastère invisible était devenu un jardin sauvage. La végétation serrée entourait les murs de pierre, s'introduisait par les étroites ouvertures. Le réseau d'irrigation en bois et en terre cuite était souvent brisé. L'eau s'infiltrait dans la terre. Des plantes grimpantes ligotaient les branches du verger. Un lapin dormait sous un amandier qui s'était écroulé sur une terrasse. Il n'y avait plus aucune trace de vie humaine, seulement les souvenirs d'une ancienne civilisation.

Quelques années plus tôt, à Paris, les temples d'Angkor avaient été reconstitués au pied de la tour Eiffel pour l'Exposition coloniale. Avignon les avait visités plusieurs fois. Comme à Paris, en 1931, il avait maintenant peur de marcher sur des serpents ou qu'un tigre l'observe entre les palmes.

Il osa franchir une porte et découvrit des salles obscures entièrement vides aux odeurs de souterrain. Le sol était humide. Les fenêtres à moitié obstruées permettaient juste de voir la mousse qui envahissait certains murs. Où étaient passés les bâtisseurs de ce lieu ?

La mission d'Avignon était un échec. Il resta debout dans la pièce sans lumière. L'horizon se bouchait encore un peu plus pour lui. Pas de Zefiro. Ils étaient tous partis.

Le policier longea une paroi, s'arrêta devant un plateau de pierre scellé sous une fenêtre. Il y avait là un petit tas de fines lamelles de couleur orange. Il se pencha et découvrit des épluchures de carotte. Ces épluchures n'avaient pas eu le temps de noircir. Elles avaient donc moins d'une heure. Avignon en prit une entre ses doigts.

Il pensa d'abord aux lapins. Manifestement, l'île en grouillait. Mais les lapins pèlent-ils leurs carottes ? Avignon n'en savait rien. Né à Paris, il n'avait jamais mis les pieds à la campagne. Le travail avait été fait au couteau. Il fallait donc un lapin bien dégourdi. On disait dans les livres que certains grands singes utilisent des outils…

– Ne vous retournez pas.

Mais Avignon se retourna. Ce n'était pas un orang-outan. C'était seulement Pippo Troisi.

16
La citadelle des femmes

L'homme était debout dans l'ombre des voûtes. Il tenait un couteau dans une main et une carotte dans l'autre. C'était un petit bonhomme rond avec une barbe de plusieurs jours, une sorte de clochard des îles, un chapeau déchiré sur la tête.

– Partez. Vous êtes chez moi.

– Je cherche des gens qui vivaient ici, dit Avignon.

L'homme agita la tête. Ils parlaient chacun leur langue et ne se comprenaient pas. Avignon prononça en italien l'un des rares mots qu'il avait appris :

– Moines ?

– Ils ne sont plus là. Depuis longtemps.

Avignon reposa la lamelle de carotte. Il avait compris.

– Où… moines… sont ?

Il pensait qu'en mettant les mots dans le désordre, il serait plus compréhensible.

– Partis. Directement et sans escale.

– Vous… moine ?

Avignon voulut s'approcher mais l'autre recula et brandit sa carotte. Ce mouvement mit son visage dans la lumière.

– Je vous ai dit de partir, lança Pippo.

– Et Zefiro ?

– Qui êtes-vous ?

– Moi… ami… Zefiro.

– Je ne connais pas ce nom.

De la pointe de sa carotte, Pippo Troisi lui fit signe de se diriger vers la porte et ajouta :

– Disparaissez. Ne parlez de moi à personne.

Avignon sortit, il regarda encore le jardin sauvage, puis se retourna vers Pippo. Avec son pantalon coupé en dessous des genoux, sa chemise élimée, il avait l'air d'un gros Robinson qui n'avait peut-être même pas connu le temps où Zefiro et ses hommes vivaient là. Un lapin passa tout près de Pippo. Il le repoussa dans les buis d'un coup de pied.

– Je m'en vais, dit Avignon en levant les deux mains comme s'il se rendait.

Pippo Troisi le suivit sur des centaines de mètres. Avignon s'était tourné plusieurs fois pour regarder les ruines. À un moment, revenant sur ses pas, il avait demandé :

– Et Vango ? Toi connaître Vango ?

Mais devant l'air ahuri de Pippo Troisi, il avait abandonné.

Quand ils arrivèrent sur le versant de l'île d'où l'on voyait le minuscule bateau des pêcheurs, Pippo s'installa sur un rocher. Les jambes croisées comme un chef huron, il surveilla la descente.

Avignon faisait rouler des pierres sous ses pas. Il jetait parfois des coups d'œil à l'homme qui l'escortait du regard. Il souffrait plus qu'il n'en avait l'air. Il avait tout misé sur ce voyage.

Cinq cents mètres de dénivelé le séparaient encore de

la mer. Il les descendit en moins d'une heure. Les pêcheurs dormaient sous la voile qu'ils avaient installée comme une toile de tente. Avignon dut les secouer pour les réveiller.

Pippo Troisi vit alors le bateau s'éloigner de la côte.

Il attendit encore un peu puis il se remit en route. Il marcha d'abord cinq minutes en direction de ce qui restait du monastère invisible, prit ensuite un chemin à peine tracé qui grimpait à flanc de colline. En haut, très essoufflé, il vérifia que la voile blanche continuait à s'éloigner, injuria quelques lapins au passage, puis traversa un désordre de rochers formant un labyrinthe. Il écarta un tas de branchages, libéra une ouverture ronde creusée dans le sol. Pippo descendit dans ce tunnel, la tête la première. Comme chaque fois qu'il s'y risquait, il commença par rester coincé. Il agitait ses jambes à l'extérieur. Ses hanches n'étaient pas la partie la plus fluette de son anatomie. Il tirait sur ses bras.

Quand il franchit enfin ce passage, il jaillit dans la galerie qui partait presque à la verticale et la dévala jusqu'en bas. Il fut ramassé par deux hommes. Des gros cierges bourgeonnants de cire fondue éclairaient une crypte en pierre noire.

– Ils sont partis, dit Pippo en se relevant.

Le frère Marco se tourna vers les trente moines du monastère invisible. Pippo Troisi ajouta :

– Je ne sais pas qui c'était. Il cherchait Zefiro et Vango.

Si l'on supprime la reine dans un nid d'abeilles, la colonie dépérit. On dit que la ruche devient bourdonneuse. Elle se terre et retourne à l'état sauvage.

Depuis la disparition de Zefiro, les moines avaient le bourdon. Ils vivaient dans la peur. Ils avaient abandonné leur monastère, laissé la nature effacer lentement leurs empreintes et s'étaient réfugiés dans cette galerie souterraine. Pippo était chargé de jouer les Robinson fous si un visiteur égaré survenait.

On appelait leur nouvel abri « la citadelle des femmes » parce que les femmes s'y cachaient dans les temps anciens quand les pirates envahissaient les îles pour les piller. Les hommes restaient alors sur le rivage, défendant leurs maisons. Trente moines et leurs robes de bure avaient remplacé les femmes sous les voûtes en lave sombre.

La nuit, ils ne pouvaient s'empêcher de penser à elles, mères, jeunes filles, enfants, qui avaient attendu comme eux dans le noir, en chantant peut-être, qui avaient craint comme eux que surgissent des hordes d'assassins. Tant qu'ils ne sauraient pas ce que Zefiro était devenu, les moines auraient peur des envahisseurs.

Pendant la journée, ils restaient pourtant à l'air libre. Ils avaient abandonné toutes leurs cultures, éventré les ruches, mis les essaims d'abeilles dans les trous des falaises. La pire journée de Pippo Troisi fut celle où il fallut ouvrir l'enclos des lapins. Il regarda leurs insolents derrières disparaître dans les fourrés. Il se mit à haïr encore plus ces animaux. Mais les lapins le vénérèrent plus que jamais pour sa libéralité.

Les moines vivaient donc comme des chasseurs-cueilleurs de l'âge des cavernes. Ils avaient changé de civilisation. À l'aube, ils partaient ramasser les fruits et légumes dégénérés des anciens potagers, cueillaient des figues de Barbarie, chassaient les lapins avec des arcs et des flèches, pêchaient ce qu'ils pouvaient. Ils ne laissaient aucune trace de leur passage. Ils recouvraient de terre l'emplacement de leurs feux. Le soir, le frère Marco suspendu à des cordes récoltait son miel sur la falaise. Il en donnait une cuillère à chaque moine, comme un remède.

Les arbres fruitiers offrirent le nécessaire pendant la belle saison. Mais, l'hiver venu, la subsistance de trente moines sur ce rocher se révéla difficile. La mer agitée interdisait de pêcher. Ils attrapaient des oiseaux avec des hameçons posés sur les rochers. Deux fois par semaine, une petite équipe de chapardeurs prenait la mer à la nuit tombée et s'en allait dans les autres îles, à l'assaut des greniers et des poulaillers. Le lendemain, dans l'odeur du lard qui cuisait et des pains de maïs sous la cendre, ils se confessaient l'un après l'autre devant l'un des leurs qui, la serviette autour du cou, pardonnait d'un signe de croix tous leurs pillages.

À quelques îles de là, dans sa maison de Pollara, Vango regardait deux objets posés sur la table. Une gourde et un livre. Il avait fait du feu dans la cheminée et fermé quelques volets.

Il venait de se plonger le visage dans un seau d'eau et s'essuyait avec une serviette brodée de lianes de rosier. Il faisait nuit. Pendant deux jours, il avait fouillé la maison de son enfance et les alentours, pour trouver un indice laissé par Mademoiselle ou ses ravisseurs. Il n'avait rien ramassé d'autre que ce livre inconnu sous l'évier et cette bouteille en métal qui flottait dans le puits.

La gourde était vide mais fermée avec un bouchon tenu par un levier en métal. Elle pouvait avoir été jetée là par un chasseur venu s'asseoir sur le rebord du puits. Elle n'avait rien de remarquable dans sa forme, ne contenait pas de message de détresse roulé comme un parchemin avec une adresse secrète. L'intérieur ne sentait rien d'autre que le vieux métal.

Mais il y avait un ours gravé sur le goulot. C'était à cause de cet ours qu'il l'avait posée sur la table. L'animal lui semblait exotique.

Il regarda longuement l'ours qui se tenait debout sur ses pattes arrière.

L'autre objet, le livre, était un dictionnaire de russe. Vango savait bien que la présence de ce livre ne signifiait rien. Il ne l'avait jamais vu dans la maison, mais Mademoiselle avait vécu là des années sans Vango... Elle connaissait le russe, elle pouvait s'être procuré cet ouvrage.

Il y avait surtout peu de chance que l'une des brutes qui avaient enlevé Mademoiselle soit arrivée avec son dictionnaire comme arme de poing et l'ait jeté sous l'évier dans la précipitation du départ. Ce livre n'était l'indice de rien du tout, mais Vango le prit entre ses mains, l'ouvrit et entra dans une longue méditation.

Il se vit avec Mademoiselle, jetés sur la plage du Scario, naufragés. Il réalisa soudain que tout ce qui survivait de leur passé, tout ce qui n'avait pas disparu sous la mer était fait de langues, de chansons, de recettes de cuisine, de gestes. C'était un héritage de mots et de goûts que Mademoiselle lui avait transmis. Il n'avait jamais pensé à interroger ces langues ou ces chansons.

Pourquoi comprenait-il les mots de ce dictionnaire de russe ? Pourquoi faisait-elle mieux que personne cette soupe ? Pourquoi Vango s'était-il toujours endormi sur des berceuses grecques ? D'où sortaient ces roses hérissées qu'elle avait brodées sur les serviettes et qu'on ne trouvait pas sur cette île ? Tout cela venait du passé, hurlait les secrets du passé et il ne l'avait jamais entendu. Chaque instant de son enfance devenait un petit colis entouré de papier de soie, resté fermé depuis le premier jour.

Et le trésor ? Il en possédait un tiers : la part de Mazzetta et de son âne. Vango l'avait cachée comme un pirate dans une caverne introuvable de son île. Les deux autres tiers avaient disparu avec Cafarello.

Vango prit le dictionnaire et la bouteille, et se dirigea vers la fenêtre.

Tout à coup, sautant sur le sol la tête la première, il roula, se jeta en boule près de la cheminée. Cela n'avait même pas duré trois secondes.

Il posa les deux objets à côté de lui, attendit que le battement de son cœur ralentisse. Il parcourut la pièce du regard. Il se redressa légèrement, traversa, plié en deux, vers une autre fenêtre. Il regarda par une fente du volet et se baissa à nouveau.

Vango rampa vers la porte. Cette fois, il n'eut même pas à glisser un œil. On entendait un craquement dans les broussailles de ce côté-là aussi. La maison était cernée. Il avait vu au moins cinq ombres. Il y en avait sûrement deux autres à l'arrière.

C'était sûr. On avait retrouvé sa trace. Il fit un tour de clef dans la serrure.

Vango prit le seau d'eau dans lequel il s'était lavé le visage. Il le renversa sur les dernières braises qui soupirèrent à peine en s'éteignant. La pièce était plongée dans le noir.

Vango entendit le couinement de la poignée. Il avait fermé la porte juste à temps.

Quelqu'un marchait sur le toit. Vango savait qu'il n'avait pris aucune précaution en arrivant dans l'île. Il n'avait pu s'empêcher de jouer avec ces enfants qui l'avaient porté en triomphe. Tout cela à cause des tribulations d'un poussin ! Il croyait qu'en débarquant dans le petit port de Rinella, il ne pourrait pas être repéré. Il aurait pu filer immédiatement vers la côte sauvage en longeant la mer. Mais il avait d'abord fait le clown pour le sourire de trois petites filles, pour le souvenir de Laura Viaggi et de ses sœurs.

Comment s'enfuir ? Il connaissait ce cube blanchi à la chaux. Il n'y avait pas d'échappatoire. Toutes les fenêtres étaient surveillées. Le conduit de la cheminée était à peine assez large pour y passer le bras. Il n'y avait ni cave, ni grenier, ni recoin. Il ne pouvait que se battre.

Il vit, à quelques pas de lui, un levier en bois faire exploser un premier volet. Un peu de lumière venue de la nuit étoilée entra par le carreau qui se brisa aussitôt comme par l'action de cette lueur. Une main passa par le trou et fit tourner la poignée. Vango s'était précipité sous cette fenêtre. Il resta dans l'obscurité.

Une ombre enjamba la fenêtre. Sans un bruit, sans un cri, Vango l'attrapa et la plaqua sur le sol. Il lui donna un coup derrière la tête. L'homme s'était évanoui sous ses mains. Une deuxième ombre s'aventura et Vango la neutralisa de la même manière. De l'extérieur, on n'avait entendu que le bruit d'un froissement de vêtements. Une minute passa. Vango entendait des voix étouffées de l'autre côté de la maison. Malgré le froid, il était trempé de sueur, paniqué de sentir ces deux corps qui s'appuyaient contre ses jambes. Ses huit années de fugitif avaient acéré son instinct de survie. Il redoutait ce que pouvaient faire ses propres mains.

Le troisième homme lui échappa et ils roulèrent ensemble vers la cheminée. Vango avait réussi à lui bâillonner la bouche avec la main, mais l'homme se débattait de toutes ses forces. Vango sentit contre son épaule le dictionnaire de russe, il l'attrapa avec le pouce et l'index et, d'un coup sec, assomma son ennemi. L'homme glissa sur le sol. Vango prit aussi la flasque métallique et retourna sous la fenêtre, muni de ces deux armes.

Une voix ronronnait à ses pieds. L'un des hommes retrouvait ses esprits. Les mots qu'il articulait étaient incompréhensibles. Vango fut à deux doigts de lui faire entendre le dictionnaire tout entier. Mais, alors qu'il brandissait le livre, il reconnut ce qu'il disait.

Ce n'était pas du russe. C'était du grec ancien. Le début de l'Évangile de saint Jean. « Au commencement était le Verbe… »

Vango reposa le livre.

– Frère John ?

– Vango ? demanda l'homme en grimaçant de douleur. C'est toi ?

Une autre voix appela le frère par la fenêtre.

– Je suis là. Il y a Vango !

Un quatrième homme franchit le rebord.

– Vango ? Qu'est-ce que tu fais ici ?

– Et vous ?

– On a faim, là-haut.

– Faim ?

– Pippo Troisi nous avait dit que cette maison était abandonnée depuis longtemps. On cherchait de quoi manger. Où sont les autres ?

– Ils sont là.

– Et le frère Pierre ?

– Je crois qu'il a pris un coup sur la tête. Je suis désolé.

– Qui a fait ça ?

Vango haussa les épaules. Le moine avait compris.

Une dernière ombre parut. Ils étaient cinq. Cinq moines gentlemen cambrioleurs, avec de grands sacs sur l'épaule, vêtus de la couleur de la nuit.

– Remplissez le seau dans le puits, dit le frère John. Je vais tenter de ranimer les autres. Il faudra les porter jusqu'au bateau.

– Je viens avec vous. Je vous aiderai, dit Vango. Je veux parler au frère Marco.

– Tu as quelque chose à manger ?

– Des œufs.

– Combien ?

– Vingt-quatre.

– Pippo doit nous attendre sur la plage.

Pippo Troisi n'était pas sur la plage. Il avait longé les falaises jusqu'au port de Malfa pour accrocher la barque à une bouée. Puis il s'était laissé glisser dans la mer, avait nagé jusqu'au quai. Il restait maintenant assis, le dos contre la cabane de la dame du port, Pina Troisi, sa femme, et il écoutait.

Pippo Troisi faisait maintenant cela chaque fois qu'il emmenait les moines chapardeurs. Il avait osé s'approcher pour la première fois, la veille de Noël, et il avait entendu sa femme parler à quelqu'un. C'était le docteur Basilio. Elle lui racontait son attente, sa patience. Elle lui parlait du navire qui ramènerait un jour Pippo. Basilio lui faisait réciter les horaires des bateaux, leur provenance et Pippo écoutait, troublé.

Presque toujours, en venant là, le soir, il avait entendu la voix du docteur. Pina et Basilio devenaient de bons amis. Le docteur écoutait la femme de Pippo. Il essayait de comprendre son monde et ce qui l'avait menée là. Il lui parlait d'autre chose, lui racontait ses patients.

Elle lui préparait une petite dînette dont l'odeur chatouillait les narines de Pippo Troisi. Cette nuit-là, il reconnut le parfum des fausses pâtes qu'elle taillait dans des courgettes. Pippo salivait. Il entendait le petit claquement de la lampe à alcool, derrière la fine paroi de bois, comme le bruit d'un drap qu'on tend.

— Je reviens de Lipari, dit Basilio.

— Je vous ai vu arriver, ce matin à neuf heures vingt-sept.

— Il y a ce vieil homme qui est là-bas en résidence surveillée. Il a passé sept ans dans l'ancien bagne. Il va mourir.

— Vous le soignez ?

— Oui. C'est un communiste de Venise. Le signor Mussolini ne l'aime pas. Alors il l'a mis là. Depuis sept ans.

— Je n'ai jamais vu de communiste, dit Pina. C'est comment ?

Derrière la cloison, la question fit sourire Pippo.

— Il n'est même plus vraiment communiste. Il a passé quatre ans à Moscou et il a changé. Mais il fait semblant de l'être pour énerver le pouvoir.

Il s'essuya la bouche.

– S'il revient un jour, votre Pippo, il sera différent. Il aura beaucoup changé.

– Moi aussi, dit-elle. Heureusement.

Pippo Troisi tendit l'oreille.

– Ça ne vous fait pas peur ?

– Si, ça me fait peur. Heureusement.

Et elle ajouta tout de suite :

– Vous n'aviez pas peur les premières fois avec elle ?

Les deux amis parlaient parfois de cette femme que Basilio n'arrivait pas à oublier. Mademoiselle.

– Mais, vous savez, je lui serrais à peine la main.

– Ça fait combien de temps ? demanda-t-elle.

– Je ne compte pas. Et vous ?

Il connaissait la passion de Pina pour les chiffres. Elle disait : « Si je ne compte pas les jours, à quoi sert chaque jour de plus ? »

– Alors ? redemanda Basilio.

– Cent vingt-deux mois, deux semaines et trois jours qu'il est parti.

Pippo Troisi s'en alla, ému, comme chaque fois qu'il était venu. Il courut jusqu'à la mer, nagea jusqu'à sa barque, manqua de la renverser en grimpant à bord. Il se mit à ramer, tout mouillé sous les étoiles. Il pensait à Pina.

Dans la cabane minuscule de Pina Troisi, Basilio venait de dire :

– Vous savez, la lettre dont je vous avais parlé… La lettre qu'elle m'a envoyée.

– Oui. Redites-moi la phrase que vous aimiez.

– « D'être loin de chez nous me fait changer un peu. »

– Oui, loin de chez vous. Je me souviens.

– Il y avait aussi une enveloppe pour le garçon, Vango.

– Vango, le petit de Pollara, dit-elle.

– Il n'est plus ici depuis longtemps. Alors, je ne sais pas si j'ai bien fait, mais je l'ai fait : j'ai ouvert la lettre.

– Aujourd'hui ?

– Non, il y a des semaines.

– Vous ne me l'aviez pas dit.

Basilio fit un sourire gêné.

– La lettre est écrite en russe.

– Alors, c'est comme si vous ne l'aviez pas ouverte, dit-elle pour le soulager.

– Aujourd'hui, le vieil homme de Lipari me l'a traduite. Le Vénitien. Il parle russe.

Elle attendit et demanda :

– Qu'est-ce qu'elle dit dans cette lettre ?

Il ne répondit pas tout de suite.

– Elle dit tout. Elle raconte tout à Vango. En cinq pages. J'ai tout recopié. Vous n'imaginez pas…

Basilio paraissait hésiter.

– Vous vous souvenez comment ils étaient arrivés sur la plage, dans l'auberge de Tonino, un soir de tempête ?

– Oui, je me souviens. Pippo était là.

– Elle raconte d'où ils venaient, le petit et elle. Les parents de Vango. Vous n'imaginez pas, Pina. Vous n'imaginez pas cette lettre. Elle raconte des secrets.

– Alors ne me les dites pas.

Pippo Troisi découvrit six silhouettes sur l'étroite plage de Pollara. La plupart étaient couchées sur les galets. En s'approchant, il reconnut Vango, debout dans la mer avec de l'eau jusqu'aux genoux. Il embarqua tout ce monde, infirmes et valides, serra très fort la main de Vango. Les voiles ne frémissaient même pas.

– Tu disparais mais tu reviens toujours, dit Pippo.

Ils s'éloignaient de la plage. La barque allait passer le rocher du Faraglione.

– La vie est devenue difficile, ajouta Pippo en ramant.

– Marco a pris la suite de Zefiro ? demanda Vango.

– Pas vraiment.

– Qui l'a remplacé ?

Ni Pippo, ni aucun des moines ne répondit. Il faisait froid. Un long silence accompagna l'embarcation vers les îles. Une voix à l'arrière répondit enfin :

– La peur. La peur l'a remplacé.

C'était le frère Pierre qui reprenait ses esprits. Le bateau se dirigeait vers Arkudah. On entendait les rames qui plongeaient dans l'eau. La voile ne servait à rien.

– Je viens parler à Marco, dit Vango. J'ai des nouvelles de Zefiro.

17

Retour à Everland

Inverness, Écosse, trois semaines plus tard, mars 1937

Un personnage étrange entra dans la boutique pour s'abriter. Andreï le reconnut tout de suite. Il le dévisagea.

Boulard avait pourtant sur le nez de grosses lunettes carrées qui lui rapprochaient curieusement les yeux. Il portait un chapeau de pluie en toile cirée et un imperméable de la même couleur de crème anglaise. Le commissaire était chaussé de bottines noires dans lesquelles il avait enfoui le bas d'un pantalon trop grand pour lui. Assurément, il était déguisé. Incognito. Et, pour le prouver, il sifflotait.

Les mains dans le dos, il commença à regarder les échantillons de couleurs.

Andreï travaillait dans cette boutique depuis qu'il avait quitté Everland. Il s'était arrêté là, dans la première ville traversée, pour ne pas reparaître devant Vlad le vautour. Il avait été engagé comme magasinier-livreur dans cet établissement de peinture en face de la gare. Son patron faisait une bonne affaire puisqu'il ne le payait qu'à mi-temps et qu'Andreï ne quittait jamais le magasin un instant et dormait même dans l'arrière-boutique.

Le patron sortit de derrière son tiroir-caisse et se dirigea vers Boulard. Andreï resta en retrait.

– Vous cherchez quelque chose ?

– Oui.

– Vous êtes français ?

Boulard se rembrunit. Comment pouvait-on deviner ?

– *Well*... J'avais des ancêtres en France, expliqua le commissaire, essayant de parler un anglais très pur comme s'il avait sa carte du Bullingdon Club d'Oxford. Vous avez l'oreille fine, monsieur... Colors.

Il venait de lire le nom sur la pancarte au-dessus de la caisse : Gregor Colors.

– Gregor, corrigea le patron. Francis Gregor. Colors, c'est la boutique.

– Oui, évidemment. Dites-moi, je vais voir une jeune amie charmante de l'autre côté du loch Ness. C'est une petite surprise pour elle.

Il voulut faire un clin d'œil mais ses grosses lunettes descendirent d'un cran et il se mit le doigt dans l'œil en voulant les rattraper.

– Elle va être ravie ! commenta Gregor en regardant l'allure de vieux chien du commissaire, sa valise en carton qui fondait dans sa main, les bouchons de tissus débordant de ses bottines.

– J'attends une voiture depuis ce matin, dit Boulard, mais je n'y crois plus vraiment.

– Il n'y a pas de taxi.

– C'est ce que je me disais. Auriez-vous l'amabilité de me rapprocher ?

– Il n'y a pas de taxi, répéta M. Gregor qui avait la seule

boutique de la place de la gare et regrettait chaque jour de ne pas avoir ouvert une gare routière plutôt qu'un magasin de pots de peinture.

Boulard tourna la tête vers la rue où se déversaient des flots de pluie.

– Je crois voir le long du trottoir un véhicule à votre nom, monsieur Colors.

– M. Gregor.

– Gregor, oui.

– Ce véhicule est réservé aux livraisons.

Le commissaire acquiesça.

– Bien sûr. Les livraisons. C'est dommage. Il me reste donc à vous souhaiter une bonne fin de journée.

Boulard se dirigea vers la porte.

– Mais je peux vous vendre un parapluie, lança Gregor effrontément.

– Tiens, dit Boulard en se retournant, un parapluie ? Volontiers.

Francis Gregor sortit un parapluie et annonça un prix exorbitant.

– Mon Dieu, dit Boulard en fouillant dans sa poche, il est en quoi ce parapluie ? En amarante ou en ébène de Macassar ?

Il sortit un billet, le posa sur le comptoir et repartit vers la porte vitrée toute brouillée de pluie. Le parapluie était resté sur la caisse.

– Vous avez oublié votre parapluie, dit Gregor, méprisant.

– Pas du tout. Je ne le prends pas tout de suite.

Gregor écarquilla les yeux. Boulard revint sur ses pas. Il ajouta en pliant ses lunettes :

– En effet, je ne vous ai pas précisé : je souhaite une livraison.

Le patron resta bouche bée. Andreï était fasciné.

– Une… Pour le parapluie ?

– Oui.

– À quel… endroit ?

– Je vous l'ai dit, chez une demoiselle de l'autre côté du loch Ness.

– Mais…

– Oui, pour la route, c'est un peu compliqué à expliquer. Je vais vous emmener, monsieur Colors.

Mary et la princesse d'Albrac étaient en panne au bord de la route. Mary avait laissé la princesse dans la voiture. Le capot ouvert fumait sous la pluie. Il y avait même eu un début d'incendie qu'elle avait étouffé avec son manteau. Mary était donc au bord du fossé, sous le déluge, à attendre une voiture qui pourrait l'aider. Elle portait son manteau calciné sur la tête. Chaque goutte de pluie était grosse comme une bombe à eau. Dans les hautes terres de l'Écosse, les pluies peuvent atteindre deux ou trois mètres d'eau les meilleures années. Juste assez pour noyer les grenouilles.

Mary regrettait cette aventure. Quelques heures plus tôt, la princesse s'était retrouvée sans laine pour son tricot. On lui avait apporté toutes sortes de pelotes qui ne convenaient jamais. Elle avait des exigences d'épaisseur et de couleur. Mary l'avait donc assise dans une automobile sans rien demander à personne. Elle voulait l'emmener dans la filature où l'on apportait la laine des moutons d'Everland.

– Altesse, votre laine, vous la choisirez sur la bête !

L'idée excitait la vieille princesse. Sur la bête ! Mme Boulard applaudissait sur la banquette arrière. Les deux femmes s'entendaient parfaitement. L'équipée avait été merveilleuse pendant au moins trois kilomètres. Elles en avaient oublié qu'aucune des deux ne savait conduire.

Mary était très ennuyée de ne pas avoir averti Ethel avant de partir. Elle imaginait ce qui se serait passé si la voiture avait brûlé complètement et qu'elle avait rapporté la princesse d'Albrac toute carbonisée.

La route était boueuse. Elle glissait. Andreï était au volant du fourgon. Boulard avait essayé d'engager la conversation mais le garçon ne répondait que par des phrases courtes. Non, il ne travaillait pas là depuis longtemps. Oui, M. Colors était un bon patron. Non, il n'avait jamais entendu parler d'Everland Manor. Il conduisait pourtant très vite, évitant les trous comme s'il les connaissait. À chaque tournant, dans le coffre, on entendait rouler le parapluie, unique chargement de cette livraison.

Soudain, à cinq cents mètres devant eux, ils virent une voiture arrêtée.

Andreï commença à ralentir. Il était impressionné de revenir dans ces lieux après plusieurs mois. Mais il n'avait pas vraiment hésité quand son patron lui avait confié la mission. Il continuait à être irrésistiblement attiré vers Everland. Il n'avait revu Ethel qu'une seule fois pendant l'hiver, un jour où elle était venue choisir une couleur de peinture, sûrement pour l'avion. Nicholas attendait dans la voiture, à l'extérieur. Andreï s'était caché dans la réserve pendant que le patron servait Ethel. Elle prenait son temps. Il l'avait entendue lire à haute voix les noms des couleurs :

– « Bleu de cobalt, terre d'ombre brûlée, jaune de Naples… »

Elle murmurait les noms comme un poème.

– « Caramel, cuisse-de-nymphe, passe-velours… »

Andreï sentait sa tête tourner, et ce n'était pas à cause de l'odeur des dissolvants.

Quand Ethel était sortie, il n'avait pas pu s'empêcher de quitter l'arrière-boutique pour la regarder. Il soupçonnait Nicholas de l'avoir reconnu en partant. Au fond de lui, il le souhaitait peut-être. Mais Ethel ne revint jamais.

En conduisant sur cette route d'Everland, il savait juste qu'il n'irait pas jusqu'au perron. Personne ne devait savoir qu'il rôdait encore dans la région.

Andreï freina encore un peu.

– Ces pauvres gens ont eu un accident, dit Boulard. Arrêtez-vous juste après eux.

Ils étaient à quelques dizaines de mètres. La voiture fumait. Quelqu'un s'abritait sous une cape.

Andreï se pencha en avant pour regarder. On ne voyait pas souvent ce genre de naufragés sur cette route.

– Il y a aussi quelqu'un dans la voiture, dit Andreï.

– Vous êtes sûr ? demanda Boulard.

Un visage semblait collé au carreau arrière. Le fourgon Gregor Colors arrivait presque au niveau de la voiture en panne.

– Voyons, murmura le commissaire en frissonnant, la femme qui nous fait des signes, sous le manteau, c'est Mary !

Il n'avait pas encore reconnu sa mère assise à l'arrière.

Andreï appuya de toutes ses forces sur l'accélérateur, la voiture patina un instant avant de repartir à toute vitesse. À l'instant où la portière de Boulard passa à la hauteur de celle de sa mère, le jaillissement de boue de l'accélération vint s'étaler sur la vitre. Il ne put voir qu'une forme grise qui s'agitait comme un fantôme.

– Vous êtes fou ? hurla Boulard.

Andreï augmenta encore sa vitesse. Est-ce que Mary avait eu le temps de le reconnaître ? Il fit les derniers kilomètres sur les chapeaux de roue, sous les reproches du commissaire Boulard.

– Une pauvre femme en détresse au bord du chemin ! Vous êtes un sauvage, jeune homme ! J'exige que vous fassiez demi-tour.

Andreï déposa son passager au bout de l'allée, à l'endroit exact où il était arrivé des années plus tôt.

– Mufle ! Arroseur de dame ! Livreur de parapluies ! Vous êtes pire que votre patron !

Il envoya encore quelques noms d'oiseau à son chauffeur. Mais le fourgon était déjà reparti par un autre chemin.

À deux cents mètres de là, Everland était dans tous ses états. Des cris résonnaient de tous côtés. Le domaine avait été fouillé de fond en comble. On cherchait même dans les hortensias. La princesse s'était volatilisée.

Ethel regrettait de ne pas avoir été plus prudente.

– Quelqu'un l'a enlevée, c'est sûr, dit-elle à Scott.

Celui-ci écarquillait les yeux. Il pensait aux histoires de princesses enlevées par des dragons. Mais qui donc enlevait les princesses de quatre-vingt-huit ans ? Des vieux dragons ?

Ethel s'appuyait contre la fenêtre. Où la chercher ? Elle leva les yeux et découvrit une petite silhouette qui paraissait nager au milieu de l'allée sans parvenir à ouvrir son parapluie. Elle regarda plus attentivement.

– C'est lui. C'est Boulard !

Elle descendit l'escalier et se précipita dehors. Le commissaire l'attendait, le plus droit possible… Ses bottes faisaient un bruit de succion à chaque fois qu'il bougeait. Elle en était sûre, Boulard avait récupéré sa mère.

– Qu'est-ce que vous lui avez fait ? Où est-elle ? lui cria Ethel.

Le commissaire ne savait pas comment réagir.

– C'était pour vous protéger ! continua Ethel. Elle tenait à vous. Je sais qu'elle vous a écrit à Paris. Dites-moi où vous l'avez emmenée.

Boulard ne comprenait rien. De qui parlait cette jeune fille ? Il pensa soudain à Mary.

– Attendez, dit-il, croyant saisir. Vous vous trompez. Je n'ai enlevé personne. C'est un pur hasard. Elle est sur la route, dans une voiture en panne. Il faut aller la sortir de là.

Ethel paraissait incrédule mais elle se dirigea vers sa voiture. Boulard la suivit.

– Oui, elle m'a écrit à Paris, dit-il. N'en parlez à personne, Ethel. Comment le savez-vous ? Des mots intenses. Oui, mon cœur a été touché, je l'avoue. Mais vous m'imaginez venir enlever une femme comme dans les tribus du désert ? Moi, commissaire Boulard ? Non, je ne suis pas venu pour elle.

– Sous la pluie, marmonnait Ethel, la pauvre, sur le bord de la route… Elle est si vieille.

– Vous exagérez, dit-il toujours trottinant. C'est vrai que

je suis nettement plus jeune qu'elle. Mais c'est une très belle femme.

Ethel s'arrêta. Elle avait un doute. Parlait-il bien de sa mère ?

– Pardon, commissaire. Il s'agit bien…

Boulard baissa la tête, l'eau du chapeau coula sur ses pieds.

– De sentiments…, dit-il. Il s'agit de sentiments.

– Mais de qui ?

Il s'enflamma.

– D'un policier qui est aussi un homme. D'un cœur qui bat sous une Légion d'honneur et une croix de guerre. D'un…

– Mais elle !

– Mary ? Oh… Je crois qu'elle a compris que je reste un briscard solitaire. L'histoire n'ira pas beaucoup plus loin entre nous.

Ethel parut si secouée que Boulard se crut obligé d'expliquer :

– Je ne le lui dirai pas de cette façon, ne craignez rien. Elle comprendra.

– Vous n'avez vu que Mary à Everland ?

– Pour qui me prenez-vous ? Pour le bourreau des cœurs ? Vous croyez que j'ai séduit toutes les domestiques ?

– Près de la voiture en panne, vous n'avez vu personne d'autre ?

– Une passagère, je crois, à l'arrière, mais les circonstances…

– Tant mieux.

– Qui est-ce ?

– C'est une invitée. Miss… Turtledove.

– Turtledove ?

– Oui. On ne savait plus où elle était passée.

Les trois jours qui suivirent ressemblèrent à trois actes de vaudeville. D'abord il y eut les retrouvailles entre le commissaire et la femme de chambre. Ce fut une longue scène silencieuse avec des yeux baissés et des paupières papillonnantes. Par chance, Mme Boulard avait attrapé un coup de froid, elle resta alitée, cloîtrée dans sa chambre. On expliqua à Mary et à tout le personnel que sous aucun prétexte il ne fallait parler à la princesse d'Albrac de la présence du commissaire. Mary fut très curieuse de ce mystère. Mais quand Ethel lui expliqua que c'était à cause d'un lien très ancien et intime entre la princesse et Boulard, Mary se trouva bouleversée.

– Il ne faut pas rouvrir la plaie, avait dit Ethel.

De se croire la rivale d'une princesse fut pour Mary un véritable sacre. Elle ne marchait plus de la même manière. Elle sentit une grande compassion pour cette femme brisée et défendit le secret comme un chien de garde.

Quant à Boulard, on lui raconta que l'invitée du premier étage, Miss Turtledove, était hautement contagieuse. Il ne devait pas la croiser.

Tout cela donna un spectacle compliqué. On entendait claquer les portes. Des ombres circulaient la nuit dans les couloirs.

Mais à côté de ce théâtre de boulevard se jouait tout autre chose.

– Ethel, je veux vous parler de Vango.

241

Le commissaire avait fermé la porte de la petite bibliothèque après le dîner. Ils étaient seuls. Ethel voulait sortir mais il faisait barrage de son corps.

— Cette fois, dit-il, je suis là pour son bien. Les choses ont changé. Je n'ai plus de certitude sur Vango.

— Vous êtes le seul à en avoir eu à son sujet.

— Mademoiselle, vous avez devant vous un homme traqué.

— Pauvre homme.

— Je suis sorti de la préfecture par les égouts.

— Je vous plains.

— Vous entendez ? Par les égouts !

— J'entends et je sens. Laissez-moi sortir ou je crie. Votre Vango ne m'intéresse plus.

— Asseyez-vous une minute. Écoutez-moi.

— Je n'aime pas m'asseoir. Je suis debout ou couchée.

— Ethel, je suis venu pour vous demander votre aide. Je dois voir Vango. Je crois savoir qui le poursuit. Je peux l'aider, Ethel. Il est en danger.

— En danger ? demanda-t-elle. Ce n'est pas son genre.

— Je sais qu'il connaît un certain Zefiro. Savez-vous qui est Voloï Viktor ?

Elle ne répondit pas.

— Voloï Viktor est un assassin, dit Boulard.

— Vous aimez faire peur aux filles, commissaire Boulard.

— Vango peut m'aider à trouver Viktor.

Ethel montra du doigt le visage de Boulard.

— Vous voyez. Vous êtes venu ici parce que vous voulez vous servir de lui.

— Non.

– Laissez-moi aller me coucher.

– Zefiro a tenté de s'attaquer à Viktor, et maintenant son île a été saccagée. Il n'en reste plus rien. J'ai envoyé quelqu'un là-bas. Il est formel. Pas un survivant. Des ruines. Voilà ce qui attend Vango.

– Oui, vous aimez faire peur aux filles.

Boulard soupira.

– Donnez-moi une adresse, l'endroit où il se trouve.

– Mes parents sont morts, mon frère Paul est peut-être en train de mourir au combat, en Espagne, et vous croyez que si je pouvais sauver la vie de Vango, je ne le ferais pas ?

Boulard laissa passer un long silence. Il observait chaque frémissement du visage d'Ethel. Il n'avait vécu ni tragédie personnelle, ni passion, il n'avait jamais tenu dans sa main que celle d'une petite Aveyronnaise quand il avait dix ans, mais il connaissait bien l'âme humaine.

– Et si je pense que vous savez où il est ?

– Laissez-moi passer.

Le commissaire Boulard ouvrit la porte et dit :

– Un jour, vous recevrez de lui un appel au secours et il sera trop tard. Vous vous souviendrez de moi.

Il la regarda encore.

– Vous vous souviendrez de moi.

Boulard s'en alla vers sa chambre.

Ethel le vit monter l'escalier, au bout du couloir. Elle était restée dans la bibliothèque. Comme toujours, quand elle était toute seule, un passage s'ouvrait en elle. La peur, le doute, la solitude, ces sentiments cachés au regard des autres se répandaient comme des fluides. Que pouvait-elle faire ? Oui, il y avait un lieu, au croisement de deux rues

243

à New York, qui avait été la dernière adresse de Vango. Il devait encore être là.

Jusqu'au bout, Ethel hésita à parler à Boulard de ce qu'elle savait de Vango. Quelques semaines plus tard, et pour des années, elle regretterait de ne pas l'avoir fait.

Mais le lendemain, la comédie reprit de plus belle. Mary pleura dans la cuisine. Des lettres furent glissées dans la chambre du commissaire. Il les attendait, à genoux sur le parquet, juste derrière la porte.

Il y eut des rendez-vous manqués à l'entresol, des cache-cache dans les couloirs. On entendit une nuit des airs d'Offenbach chantés à pleins poumons. Par chance, Boulard dormait trop profondément et ne put reconnaître la voix de sa mère. Il fallut cinq personnes pour la faire taire, comme si Mme Boulard, la princesse d'Albrac et Miss Turtledove chantaient d'une seule voix.

Quand le commissaire s'en alla, on retrouva l'espoir d'un peu de calme.

Mais Mary se calfeutra dans sa chambre avec le parapluie que Boulard avait oublié. On entendait des sanglots jusqu'au grenier. La princesse d'Albrac chantait pour couvrir les lamentations. Ethel frappait à la porte de Mary. Elle avait peur qu'elle se donne la mort avec ce parapluie, comme Didon avec l'épée de son amant enfui.

Deux jours après, au matin, Mary réapparut. Elle fit un thé au lait pour la princesse, beurra des petits gâteaux.

Le rideau était tombé. La fièvre avait quitté les murs de la maison, mais dans la chair d'Ethel l'inquiétude ne cessa de grandir.

18
Sang et honneur

Berlin, Allemagne, 25 mars 1937

Hugo Eckener coupa par le jardin zoologique. C'était l'heure des bébés, des nourrices et des vieillards qui lézardaient, les pieds dans les jonquilles. Le reste de l'Allemagne était au travail. Il était onze heures du matin.

Le commandant Eckener s'arrêta pour regarder une volière en travaux. Il observa soigneusement l'assemblage des grilles. Habituellement, tout l'intéressait autour de lui. Les soudures d'une cage ancienne, le vol d'un moineau, ou la toile qui recouvrait les berceaux. Il s'inspirait de tout. L'immense dirigeable Hindenburg volait depuis à peine un an et déjà Hugo Eckener avait en tête de nouveaux projets. Mais ce matin-là, son regard traversa discrètement la dentelle de la volière pour se fixer sur un jeune homme qui attendait plus loin, les mains dans les poches, une casquette sur la tête.

Il l'avait déjà vu la veille à l'autre bout de la ville. Eckener était souvent suivi par les autorités, mais on ne lui mettait habituellement pas dans les pattes des gamins de dix-huit ans. Il reprit sa marche et se dirigea vers un pavillon en briques. Le jeune homme lui emboîta le pas. Le commandant était exaspéré. Il avait rendez-vous dans un café à deux pas de là. Aucune envie d'y arriver avec cette sangsue collée dans le dos.

Il entra dans le pavillon des reptiles. Cela sentait la viande décomposée. Les allées étaient désertes. Un boa triste dormait en tas derrière une vitre. Hugo Eckener traversa la salle le plus vite possible et passa par une porte de secours qui s'ouvrait entre deux vivariums pleins de lézards. Il referma doucement la porte derrière lui. Grâce au cauchemar que vivait son pays, il continuait à près de soixante-dix ans à jouer au chat et à la souris dans les jardins publics. La dictature, ça conserve. Il n'était pas loin de le penser.

Il souffla quelques instants, repéra trois jeunes femmes qui poussaient des landaus. Voilà ce qu'il lui fallait. Eckener se glissa parmi elles. Il s'éloigna ainsi, se pencha sur les bébés, joua les grands-pères, fit des sourires aux dames, des tours de magie avec ses mains, montra comment il pouvait faire apparaître et disparaître la croix gammée sous l'aigle d'une pièce de deux reichsmark.

– Et hop.

L'une des femmes, pensive, lui demanda s'il n'était pas le monsieur des ballons.

– Moi ?

Il s'excusa beaucoup, dit qu'on lui avait déjà souvent demandé cela, mais que le grand patron des dirigeables était beaucoup plus vieux que lui, avec moins de cheveux. Non, pour tout avouer, il était représentant en cigares. Il en sortit un de sa poche.

– Vous lui ressemblez tellement.

– Un peu, c'est vrai, mais il a un plus gros nez, non ?

Il avança avec cette douce caravane qui sentait le lait d'amande, jusqu'à une haie derrière laquelle il se glissa. Il salua la compagnie, alluma son cigare. Il marcha vers la grille du jardin. Personne derrière lui.

Il traversa la première rue, entra dans un restaurant presque vide.

À la seule table occupée se trouvait un homme qui lisait un journal. C'était son camarade Esquirol, le médecin parisien.

Hugo Eckener le regarda. Il se rappelait la première fois où ils s'étaient rencontrés dans le café de la rue de Paradis, un soir d'hiver, avec Zefiro et le boxeur coiffeur ivoirien Joseph Jacques Puppet. À cette époque, la guerre se terminait enfin, tout leur paraissait possible. Mais ils se trompaient. Au contraire, depuis ce jour, chaque fois qu'ils s'étaient revus, cela voulait dire qu'un péril menaçait.

Eckener s'assit en face de son ami.

– Tu lis en allemand, docteur Esquirol ?

L'autre baissa son journal.

– Non, je regarde les images.

Il montra une photo avec le chancelier Hitler qui portait un enfant dans ses bras. Eckener ne la regarda même pas. Il serra chaleureusement la main d'Esquirol.

– Cela fait combien de temps ? demanda Eckener en crachant la fumée de son cigare.

– Deux ans, au moins.

– Où est M. Puppet ?

– Sur la Côte d'Azur, à travailler son bronzage.

Eckener fit un signe au serveur. Ils commandèrent des

chocolats chauds, se regardèrent en silence au milieu de la fumée.

– J'ai peur quand tu viens me voir, dit Eckener.

Esquirol fit un sourire.

– Des nouvelles de Zefiro ? ajouta le commandant.

– Aucune.

C'était toujours du côté de Zefiro qu'Eckener s'inquiétait.

– Alors ?

– Alors rien, dit Esquirol. Paris va bien. Mes patients aussi. Je soigne le président du Conseil, qui vous salue.

– Il est très aimable, répondit Eckener, méfiant.

– J'ai juste un petit service à vous demander.

Le commandant Eckener écrasa son cigare. Tout commençait toujours par des petits services. Ils virent arriver les tasses de chocolat. La crème fouettée débordait dans les soucoupes.

– Je prépare un voyage, lâcha Esquirol.

Eckener observait son ami.

– Un de mes patients doit être soigné par un confrère à l'étranger. En Amérique. Ce patient ne supporte pas le bateau.

– Pauvre petit.

– C'est un homme important.

Eckener ignorait ce qu'était un homme important. Il avait déjà écrasé le nez d'une célébrité qui fumait en cachette dans le Graf Zeppelin.

– Quel genre d'importance ? demanda le commandant. Il ne passe pas dans les portes ?

Esquirol goûta la crème et dit :

– Je voudrais qu'il prenne votre Hindenburg.

– Quand ?

– Le premier départ pour New York.

– Il n'y en a pas en ce moment.

– La date du premier vol ?

– Le 3 mai. Départ de Francfort.

– Alors il attendra le 3 mai, décida Esquirol.

– Je le croyais gravement malade.

– Son mal attendra.

Eckener lécha un peu de chocolat sur son doigt en dévisageant son ami.

– Je sais que vous avez une nouvelle cabine, dit Esquirol, équipée d'une fenêtre sur l'extérieur et de quatre lits. Ce monsieur voyage avec deux personnes qu'il souhaite avoir auprès de lui.

– Il me veut aussi en petite tenue dans sa salle de bains ?

– Non.

– Ça tombe bien. Je ne serai même pas à bord.

– Comment ? s'inquiéta Esquirol.

Eckener tartinait avec soin un morceau de brioche.

– Je serai en Autriche cette semaine-là. C'est Max Pruss qui commandera.

Le docteur Esquirol se tassa dans son fauteuil.

– Ce M. Valpa que je soigne, dit-il, avait l'intention de vous serrer la main.

– Pardon ?

– Il n'embarquera pas s'il ne vous a pas serré la main.

– Vraiment ?

– Oui.

– De quelle sorte de maladie s'agit-il ? Cela me semble grave.

– Je vous dis qu'il doit vous serrer la main.

– Alors, j'espère que ce n'est pas contagieux.

Eckener parut se résoudre. Il tendit son couteau à beurre à Esquirol. Puis découvrit son poignet droit.

– Tranche. Tu lui donneras.

– Arrêtez, commandant. C'est très sérieux.

– Oui, c'est ce qui m'inquiète. C'est sérieux. Et je crois que je ne peux pas t'aider.

Eckener regarda son ami en silence.

Le docteur Esquirol recula un peu sa chaise et dit :

– J'ai vu les images de vos Jeux olympiques l'été dernier.

Hugo Eckener remuait son chocolat avec la petite cuillère. Esquirol continua :

– Cent mille âmes dans un stade qui saluent le ballon le bras tendu… C'était la gloire, pour vous, non ?

En août 1936, les Jeux olympiques de Berlin avaient été le sacre d'Adolf Hitler et du dirigeable Hindenburg. Le zeppelin, décoré aux couleurs nazies, avait survolé les cent mille spectateurs du stade de Berlin.

– Tais-toi, Esquirol.

– Pourquoi je me tairais ?

– Hitler voulait que le Hindenburg porte son nom…

– C'est joli, Adolf, pour un ballon.

– J'ai refusé. Alors, il a fallu faire un geste d'apaisement. Mais je n'ai jamais autant haï ce pouvoir.

– Un geste d'apaisement ! ricana Esquirol.

– Arrête. Tu me comprends très bien.

– Non. Je ne vous comprends pas. Je vous demande juste de serrer la main de cet homme. Je paierai sa cabine pour lui et ses amis. Je paierai aussi la mienne.

– La tienne ?

– Je la partagerai avec Joseph Puppet.

Eckener planta ses yeux dans ceux d'Esquirol.

– Il est malade aussi ? C'est une épidémie.

– Il ne connaît pas New York. Je l'emmène.

– Charmant.

Eckener soupira. Que préparaient encore ses amis ? Il tapota la table avec le pouce. Esquirol regardait autour de lui. Il n'y avait toujours aucun client dans le restaurant. Deux serveuses déjeunaient près de l'entrée.

– Vous avez un ami dehors, dit Esquirol.

Eckener ne se retourna pas.

– Où ?

– Il est arrivé juste après vous. Il s'est assis sur le banc devant la vitrine, sur le trottoir. Il porte une casquette de marin.

– Quel âge ?

– Moins de vingt ans.

Hugo Eckener poussa un juron, se retourna et appela l'une des serveuses.

– Allez me chercher le petit, là-bas, par la peau du dos !

Quelques instants plus tard on planta le jeune homme devant les deux amis. Il resta presque au garde-à-vous avec un léger balancement d'avant en arrière.

Eckener sauçait le fond de sa tasse avec du pain.

– Tu vas prendre ta casquette de caboteur et disparaître de ma vue.

– Oui, commandant.

– Qui t'envoie ?

Les yeux du garçon hésitaient.

251

– Qui t'envoie ? hurla Eckener.

Le docteur Esquirol observait la scène.

– Je… m'envoie tout seul, commandant.

Eckener avait posé ses grandes mains sur ses genoux.

– Comment ?

– Je m'envoie tout seul.

– Qu'est-ce que tu veux ?

– Venir avec vous, dit le garçon.

– Je n'ai besoin de personne. Dehors.

– J'ai une lettre.

Hugo Eckener sentit une secousse dans sa poitrine. Des années plus tôt, un garçon avait prononcé ces mots, « j'ai une lettre », et avait sorti une lettre du père Zefiro qui le recommandait à son attention.

– Donne la lettre.

Le garçon ouvrit sa veste et on put apercevoir quelques instants la doublure en laine couverte d'insignes nazis.

Il sortit de sa poche un papier étrangement plié en forme de triangle.

Hugo Eckener tourna l'objet entre ses mains. Il le déplia.

Quelques mots y étaient inscrits. Mais Eckener sembla lire longuement. Il regarda le jeune homme.

– Tu t'appelles comment ?

– Shift.

– Ça vient d'où ce nom ?

Le garçon se mit à réciter très vite les paroles d'une chanson nazie. C'était un texte qui parlait de « rangs serrés » et de « bataillons bruns ».

– Ça va. Merci, interrompit Hugo Eckener.

– Je suis dans votre camp, dit Shift.

Il sortit de sa poche un poignard. Esquirol se leva mais le commandant lui fit signe de se rasseoir. Il prit le couteau des mains du garçon. Les mots « Sang et honneur » étaient gravés sur le manche, la devise des jeunesses hitlériennes.

— Vous voyez, je suis avec vous.

— Oui. Range ça, maintenant.

Shift commença à réciter un autre poème.

— Tais-toi.

Eckener sortit une carte de visite. Esquirol le regardait faire, accablé. En écrivant, le commandant continuait à parler, comme un médecin rédigeant sa prescription.

— Qu'est-ce que tu sais faire, Shift ?

— Tout.

— Tu peux porter des choses lourdes ?

— Oui.

— Va à l'aérogare de Francfort. Tu la connais ?

— Oui.

— Tu montreras ce mot que j'ai écrit à M. Klaus. Il te donnera du travail. Tu y vas directement, d'accord ?

— Oui.

— Sans t'arrêter. Tu prends le train. Tu demandes bien M. Klaus et tu restes là-bas.

Le jeune homme prit la lettre, fit claquer ses talons et s'en alla. Il avait laissé le poignard « Sang et honneur ».

En le suivant des yeux, Eckener crut encore voir la silhouette de Vango quelques années plus tôt.

Le docteur Esquirol se tenait droit devant lui.

— Il y a des demandes que vous ne refusez pas, Eckener.

— En effet.

— Vous avez changé, dit-il.

– C'est vrai, j'ai changé.

Eckener prit une grande inspiration.

– Tout le monde change à un moment ou à un autre…

– Vous m'écœurez.

– Par exemple, tu sais que j'ai étudié la psychologie à Leipzig ?

– Ce n'est pas le sujet, commandant Eckener.

– Je voulais être psychiatre. J'ai passé un doctorat. Et j'ai changé d'avis. Il faut savoir changer, Esquirol. Je sais maintenant comme j'aurais souffert. Dans les hôpitaux psychiatriques, on ne soigne plus les malades, on les élimine.

– Je ne vous parle pas de cela, dit Esquirol.

Parmi tant d'autres lois ahurissantes, celui-ci connaissait bien les mesures prises par les nazis contre les malades mentaux. Hitler parlait depuis plus de dix ans de supprimer « les existences inutiles ».

– Vous mélangez tout, insista Esquirol.

– Non, je te parle de ce que je vis et que tu ne connais pas.

– Vous êtes complice de tout cela. Vous donnez du travail à ce type qui vient vous voir parce qu'il a des recommandations venues de haut.

Eckener grattait doucement la nappe avec son pouce. Il paraissait fatigué. Il fit glisser le papier du garçon devant Esquirol.

– Tu veux la voir, la recommandation venue de haut ?

– Non.

Mais il avança la main. Il prit le papier. C'était une lettre présentée avec soin, signée d'un nom illisible. Esquirol ne savait pas lire l'allemand.

– Qui a écrit ça ? demanda-t-il.

– C'est lui. Shift.

– C'est un faux ?

– Non, c'est la vraie recette du porc aux choux.

– Pardon ?

– Le porc aux choux, une heure et demie de cuisson. Ne jamais remuer.

– Mais il est fou ?

– Oui, schizophrénie chronique avec discordance. Tu n'as rien remarqué ? On fait quoi pendant les études de médecine à Paris ? On se promène dans le Quartier latin avec les filles ?

Le docteur Esquirol était un peu perdu.

– Tu as vu ses yeux ? continua Eckener. Le mouvement de sa tête ? Tu n'as rien remarqué ? Ce garçon n'a jamais mis les pieds aux jeunesses hitlériennes, heureusement. Sinon, un homme en blouse blanche serait déjà dans un laboratoire à faire des expériences sur son cerveau.

– Alors…

– Je le mets à l'abri. C'est peut-être mes amis de l'université qui me l'envoient. Peut-être le hasard. Peu importe. Il portera des bonbonnes et des caisses dans nos hangars de Francfort, c'est mieux pour lui.

Muet, Esquirol tenait toujours la lettre entre ses mains.

– Je suis désolé, dit-il enfin.

– Moi, docteur, je dois choisir chaque jour entre sang et honneur.

Eckener se leva, posa un billet sur la table, y planta le poignard et se dirigea vers la porte. Esquirol le rappela :

– Attendez. Quand pourra-t-on se revoir ?

Eckener eut l'air surpris.

– Et au mois de mai, pour l'embarquement du Hindenburg ? Ce n'est pas un rendez-vous sérieux ?

Il sortit. Dans la rue, on ne voyait que lui : tignasse blanche et manteau d'alpaga. Esquirol le regarda arrêter les voitures de la main pour passer, comme Moïse traversant la mer Rouge.

Esquirol but un verre d'eau et resta quelques minutes à réfléchir.

Il demanda l'emplacement du téléphone. On lui indiqua le sous-sol. Dix minutes plus tard, après s'être battu avec une standardiste à l'aide du peu de mots allemands qu'il connaissait, il parvint enfin à joindre un numéro à Genève.

Il demanda Vincent Valpa.

– Monsieur Valpa ? C'est moi, le docteur Esquirol. Je suis à Berlin. Tout sera prêt début mai.

De l'autre côté, il n'y eut même pas un mot.

– Vous m'entendez ? Nous partirons le 3 mai de Francfort.

On raccrocha le combiné.

C'était toujours la même chose.

Qu'il soit dans la peau de Vincent Valpa, de la grande Victoria ou de n'importe quel autre de ses avatars, Voloï Viktor ne parlait jamais au téléphone. Il écoutait et raccrochait.

19
Quatre mots
sur un télégramme

Moscou, 20 avril 1937

Un inconnu était torse nu dans l'escalier. Il portait juste un pantalon. Il regardait Mademoiselle qui venait d'ouvrir la porte d'entrée et paraissait surprise.

– Est-ce qu'Ivan Ivanovitch Oulanov est là ? demanda-t-il.

– Non. Qui êtes-vous ?

– Quand va-t-il revenir ?

Mademoiselle ne répondit pas. Il insista :

– Et sa femme ?

– Elle travaille la nuit à l'usine depuis que M. Oulanov n'est plus ici.

Mademoiselle était gênée de se retrouver en face de cet homme au milieu de la nuit. Il paraissait un peu engourdi, gardait ses bras le long du corps. Elle avait ouvert la porte sans réfléchir en entendant frapper. Elle espérait toujours le retour du père de Kostia, Zoïa et Andreï.

– Je suis le voisin du premier étage, dit l'homme. Je sais que la famille a des problèmes.

– Ne vous inquiétez pas pour eux, merci.

Mademoiselle commençait à repousser la porte.

– Attendez.

Il bloqua la porte avec son pied.

– S'il vous plaît, murmura fermement Mademoiselle, les enfants dorment.

Elle donna un coup dans la chaussure de l'homme et parvint à claquer la porte.

– Ouvrez, dit l'homme.

– Revenez demain. Je suis seule avec les enfants. Je n'ai pas le droit d'ouvrir.

– Attendez, murmura-t-il. Écoutez-moi ! Je viens d'avoir un appel téléphonique d'Andreï. Il veut parler à son père. Il va rappeler dans quelques minutes.

Il y eut un long silence et la porte s'ouvrit très lentement.

– Andreï ?

– Le fils Ulanov. Il fait parfois passer des messages par chez nous. Andreï s'entendait bien avec mon fils. Il veut parler à son père.

– Je vous ai dit que son père n'est pas là.

– Alors, venez. Il va rappeler pour avoir des nouvelles.

– Je n'ai jamais connu Andreï. Qu'est-ce que je lui dirai ? Il était déjà parti quand je suis arrivée. J'occupe sa chambre.

– Vous êtes la seule qui puisse lui répondre.

– Les enfants… Je ne peux pas les laisser.

– Ils dorment.

Mademoiselle repensait à ce qu'avait raconté le père

d'Andreï sur leurs destins liés. Ce que faisait Andreï décidait de leurs vies.

L'homme prit un balai qui était sur le palier et le posa en travers de la porte.

– Venez avec moi. La porte restera ouverte.

– Je ne sais pas ce qu'il faut lui dire.

– Venez.

– Je ne peux pas.

Elle parlait ainsi mais elle descendait les marches en se retournant pour regarder la porte. Elle entra dans l'appartement du premier étage. Le téléphone était dans la cuisine. Ils traversèrent un couloir très sombre. Une vieille dame était assise à la table.

– C'est ma mère. Ma femme dort dans la chambre, à côté.

Ils s'assirent tous les trois autour de la table. On donna du thé à Mademoiselle. La vieille dame servait le thé comme dans les grandes maisons que Mademoiselle avait connues. Ils attendaient. Le téléphone était accroché au mur près de la porte.

– On sortira quand il appellera, dit l'homme. Je ne veux pas entendre ce que vous lui direz.

Sur le mur, il y avait une affiche toute neuve célébrant les vingt ans de la révolution. Mademoiselle regardait les visages dessinés, un enfant qui portait des briques dans ses bras, une femme montrant l'horizon avec une truelle. Devant elle, la vieille dame restait immobile, les mains sur la table, et fixait la visiteuse.

– Vous êtes française ? demanda la dame en français.

– Oui, dit Mademoiselle.

La dame fit un sourire.

– J'ai grandi et travaillé là-bas, à Paris, expliqua Mademoiselle. Mais je ne suis pas rentrée chez moi depuis très longtemps.

Et cela faisait autant d'années qu'elle n'avait pas dit des phrases si simples et si précises sur elle.

– Moi, je ne connais pas la France, répondit la vieille dame. Mais je parlais bien français. Je n'oublie pas. Je parle toute seule dans ma chambre.

– Tais-toi, maman, dit l'homme qui ne comprenait pas ce qui se disait en français.

Ils restèrent sans prononcer un mot. Puis la dame articula très vite :

– Il faudra que vous rentriez à Paris. Il faut revenir chez soi un jour. Mon mari est mort en exil. C'est triste.

Pour prévenir la colère de son fils, la dame se leva et apporta la théière près de l'évier, puis elle se dirigea vers la porte de la cuisine. Au moment où elle allait la franchir, le téléphone sonna.

L'homme donna le bras à sa mère. Ils sortirent et fermèrent la porte. Mademoiselle était à côté du téléphone. À la cinquième sonnerie, elle décrocha.

– Allô ?

– Allô ?

La voix était très lointaine et hésitante.

– Maman ?

– Non.

Mademoiselle était affolée. Que pouvait-elle dire ?

– Allô ? répéta la voix d'Andreï. Qui est là ?

– Ce ne sont pas tes parents, Andreï.

– Qui est là ?

– Je suis la *tioten'ka* qui s'occupe de ton frère et de ta sœur.

– Où sont-ils ?

– Ton père a été emmené. Je ne sais pas pourquoi.

À l'autre bout du fil, la voix s'était tue.

– Allô ? interrogea Mademoiselle.

La ligne était peut-être coupée. Face à ce silence, elle sentit en elle un grand courage. Elle se mit à parler :

– Je ne sais pas pourquoi ton père a été arrêté, Andreï, je ne sais pas où tu es et ce que tu fais. Je ne sais rien. Je ne te connais pas. Tu m'entends ? J'ai tes petits violons au-dessus de mon lit. De ton lit. Je suis arrivée ici par hasard. On ne me dit rien.

Elle écouta le grésillement de la ligne et reprit :

– Mais je veux t'avertir d'une chose. Je pense que ce que tu fais est regardé par quelqu'un, ce que tu fais change ce qui se passe ici. C'est ton père qui m'avait expliqué cela avant de partir. J'ai peur qu'ils aient pris ton père à cause de toi.

Il n'y avait toujours pas un son dans le téléphone. Mademoiselle parlait peut-être toute seule dans la cuisine, comme le faisait la vieille dame le soir, qui récitait des poèmes de Verlaine pour la table vide, la grande affiche et le samovar.

– Andreï, tu m'entends ? Dis-moi si tu m'entends. Réfléchis bien. S'il y a une chose que tu pouvais faire et qui permettrait à ton père de revenir… Il a besoin de toi. Ton frère et ta sœur ont besoin de toi. Ta mère a besoin de toi. Est-ce que tu es encore là, Andreï ?

Elle garda le téléphone entre ses doigts pour murmurer :

– Courage, si tu m'entends…

261

La ligne n'était pas coupée. Andreï avait tout entendu. Mais il n'arrivait pas à dire un mot. Il était à Inverness, Écosse, dans la boutique de peinture Gregor Colors, en pleine nuit. Il avait osé prendre le téléphone pour appeler.

Le grésillement augmenta. Puis on n'entendit plus rien. Il reposa le téléphone. Il prit son visage entre ses mains. Son père...

Il n'avait plus le choix. Son plan était prêt depuis longtemps. Quatre mots sur un télégramme. Il ne restait qu'à le porter à Everland. Mais il avait simplement hésité des semaines durant à se servir d'Ethel pour sauver sa propre famille.

Andreï regarda le téléphone sur le bureau. On ne devait pas souvent appeler à Moscou depuis ce poste. De toute façon, il serait bien loin quand la facture arriverait à son patron. Et Vango serait déjà entre les mains du vautour.

Car, au moment de rejoindre l'appartement, de border le petit Kostia qui pleurait dans son sommeil, Mademoiselle ignorait la gravité de ce qu'elle venait de faire. Par ces quelques mots à Andreï, elle avait relancé la chasse derrière Vango.

Sotchi, au bord de la mer Noire,
le lendemain, 21 avril 1937

Setanka s'était enfermée dans le bureau de son père. Elle écoutait crier sa nourrice, Alexandra Andreïevna, derrière la porte.

– Il va arriver et il ne va pas être content ! Sors d'ici ou je casse cette porte.

Setanka savait que sa nourrice ne casserait pas la porte du bureau de Joseph Staline. Elle avait même un peu honte de mettre dans cet état une femme qu'elle adorait et qui lui servait de mère et de bien d'autres choses.

– C'est lui qui me tient prisonnière dans cette maison. Je veux rentrer à Moscou ! On ne fait pas ça à une fille de onze ans.

Elle était assise dans le fauteuil du bureau. Elle ouvrit un tiroir.

Setanka était dans la datcha de Sotchi depuis presque quatre mois, depuis qu'elle avait été récupérée dans le garage où travaillait le père de son amie Zoïa. La police politique avait parlé de tentative d'enlèvement. Setanka aurait bien aimé que quelqu'un l'enlève, mais elle expliqua à tout le monde que malheureusement elle avait simplement tenté de changer de famille. Elle ne parla pas de l'enveloppe italienne postée pour la *tioten'ka*. Elle adorait les secrets.

– Setanotchka, ouvre-moi la porte… Ton père va arriver.

Parfois, pour faire venir Setanka qui se cachait toute la journée sous un meuble sans se montrer, la nourrice jetait deux poignées de sucre dans une poêle chaude et attendait. L'odeur du caramel était plus forte que tout.

Setanka sortit du tiroir une lettre qu'elle venait souvent regarder. C'était un papier ancien, une écriture qui paraissait couchée par le vent. La lettre était très mystérieuse. Elle commençait par « Chère maman », et Setanka se disait toujours qu'elle aurait pu écrire ces premières phrases qui disaient « Je suis en vie, je sais que vous ne m'oubliez pas… ». Setanka aurait aimé adresser ces mots à sa mère morte depuis l'année de ses six ans. Pourquoi son père gardait-il dans son tiroir une lettre écrite par un inconnu qui donnait rendez-vous à sa «Chère maman» sur un pont de Moscou et lui disait aussi «S'il vous plaît, vous ne descendrez pas de voiture, ne vous arrêtez même pas. Mais vous me verrez vivant sous les chevaux sculptés du pont».

Setanka regardait surtout le petit dessin qui servait de signature. Un mot qui n'était pas écrit en russe, ROMANO, et un grand W juste en dessous.

– Cette fois, il arrive, Svetlana. Sors vite !

Une porte claqua en bas. Setanka rangea la lettre et ferma le tiroir.

Alexandra Andreïevna entendait les pas dans l'escalier de bois. Elle vit Joseph Staline apparaître sur le palier.

– Camarade, la petite n'arrive pas à sortir de votre bureau. La clef doit être coincée.

– Pauvre, pauvre petite…

La nourrice vit tout de suite qu'il était d'excellente humeur.

– Et tu n'es pas passée par la fenêtre pour la sauver, nourrice ?

Il souriait. Elle ne répondit pas.

Staline sortit de sa poche une grosse clef et s'approcha de la porte.

Setanka regardait cette porte. Elle vit la clef avec laquelle elle avait fermé sortir de la serrure et tomber sur le tapis. Une seconde plus tard, la porte s'ouvrit.

– Voilà. Délivrée ! dit son père.

Il la prit dans ses bras comme s'il voulait la sauver d'un incendie. Elle ne riait pas du tout.

– Je veux rentrer à Moscou, grommela-t-elle.

Joseph Staline la posa sur le sol juste au début du couloir.

– Je veux rentrer à Moscou.

– Oui. Je pense que tu vas rentrer, dit-il avec les yeux brillants. Le petit problème est presque réglé.

Ce petit problème l'occupait depuis exactement vingt ans. Ce problème s'appelait Vango.

Setanka s'en alla dans le couloir.

Son père rentra dans son bureau, ferma derrière lui. Il regarda par la fenêtre les rosiers tristes. Il ne s'en occupait plus depuis longtemps. Il ouvrit le tiroir de son bureau et en sortit la lettre.

Voilà. Il en aurait bientôt fini avec cette obsession. Une chasse permanente. Il pourrait bientôt déchirer cette lettre que ses hommes avaient trouvée dans un palais saccagé de Petrograd, au milieu des photos de famille et des images pieuses.

En ce temps-là, il était jeune, il revenait de plusieurs années d'exil en Sibérie.

C'était la révolution de 1917. Staline était de retour dans la capitale des tsars. Il voulait qu'il ne reste rien de l'ancien empire et de ses héritiers. Et puis cette lettre avait été mise entre ses mains. Elle parlait d'un enfant qui allait naître.

En 1929, deux de ses hommes, Kakline et Antonov, qui accompagnaient le tour du monde en dirigeable de la société Zeppelin, avaient retrouvé à bord la signature de cette lettre sur un mouchoir que portait avec lui un garçon de quatorze ans. Staline en avait été immédiatement informé. Il venait justement de se donner les pleins pouvoirs dans son pays.

Il n'avait eu qu'à donner des ordres. La traque durait depuis ce jour d'été. L'Oiseau paraissait insaisissable.

Mais il allait enfin être abattu.

Paris, sept jours plus tard, 28 avril 1937

Dans l'hôtel particulier de Ferdinand Atlas, de la cave au grenier, la fête battait son plein. Mais sa fille, la Taupe, était sur le toit.

En bas, on jouait du fox-trot et des javas. On dansait l'un en face de l'autre en faisant vibrer le marbre du carrelage et les coupes sur les buffets. Il y avait deux orchestres. À l'étage, un quatuor à cordes rapprochait les couples. Des gens chuchotaient sur les banquettes. Il y avait des chandeliers sur les cheminées. Les caves étaient grandes ouvertes. Les invités descendaient se servir. Certains hommes, élégamment vêtus, cachaient des bouteilles dans le sac à main de leur femme pour les rapporter chez eux. Mme Atlas faisait semblant de ne rien voir.

La Taupe regardait son père qui était assis sur le balcon, en dessous d'elle. Il avait monté une chaise en bois de la cuisine. Il regardait les convives qui continuaient à arriver dans la cour. Personne ne le voyait, derrière la rambarde de pierre. Il était comme les enfants punis qu'on a oubliés sur leur chaise et qui n'osent pas se lever.

La Taupe avait abandonné sa chambre. Il était temps. On avait tenté de forcer sa porte. C'était l'invasion. Ils pénétraient partout.

La Taupe regrettait de ne pas avoir suivi Ethel qu'elle avait retrouvée le matin même à Montmartre. Elles avaient

266

parlé ensemble quelques minutes à peine et s'étaient séparées. Les nouvelles étaient inquiétantes. Elles auraient dû partir toutes les deux en quête de Vango. Au moins, la Taupe ne serait pas là à défendre son lit contre les envahisseurs.

Elle avait poussé l'armoire pour empêcher d'entrer. Une heure plus tôt, elle avait entendu des rires dans le couloir.

– C'est la chambre de leur fille…

– Ils ont une fille ? Tu plaisantes ?

La Taupe avait finalement pris sa couverture et s'était réfugiée sur le toit pour observer son père.

Quelqu'un apparut derrière Ferdinand Atlas. Elle reconnut le chauffeur.

– Vous êtes gentil d'être monté, Pierre. Posez le paquet sur la table.

– Bonne nuit, monsieur.

Il rappela le chauffeur qui s'en allait.

– Pierre. Redites-moi le nom de la petite ville dont vous parliez ce matin.

– Guernica.

– C'est chez vous ?

– De l'autre côté de la frontière, mais c'est mon pays. Je suis basque.

– Guernica.

– Oui.

– Ils l'ont détruite ?

– Hitler voulait essayer ses avions. C'est arrivé hier.

– Combien de morts ?

– Je ne sais pas.

Ferdinand Atlas acquiesçait en silence.

– Pierre, vous croyez que c'est la guerre qui commence ?

– Il y a la guerre en Espagne depuis presque un an.

– Mais pourquoi les Allemands en Espagne ?

– Je ne sais pas.

La Taupe vit que son père desserrait la cravate noire qu'il avait autour de son cou. Il fit un geste vers Pierre.

– Merci. Vous pouvez aller vous coucher. Je vous envie beaucoup. Moi, je vais devoir rejoindre tous ces gens.

Quand le chauffeur ouvrit la porte, la chambre se remplit de rires. Trois ou quatre personnes s'engouffrèrent, menées par Mme Atlas.

– Il est là, le bon Ferdinand. Regardez : il boude.

Le père de la Taupe se leva de sa chaise.

– Ferdinand, ces dames voulaient voir notre chambre et le balcon.

Les invitées poussaient des cris d'émerveillement. Elles piétinèrent une peau de tigre, se pressèrent sur le balcon.

La Taupe se tapit sur le toit. Elle vit son père prendre tranquillement la chaise en bois par la barre du dossier et la soulever au-dessus de lui. Les cris joyeux s'arrêtèrent. Il jeta la chaise de toutes ses forces vers la chambre, à travers la porte vitrée qui se brisa.

– Ferdinand ! cria sa femme.

Mais il avait disparu.

Des invités arrivaient par groupes, attirés par le bruit. Ils entraient dans la chambre. La Taupe vit son père, tout en bas, traverser la cour à grandes enjambées.

Après quelques minutes pendant lesquelles les gens se promenèrent autour du lit, glissèrent sur les morceaux de verre, comme des touristes sur un champ de bataille, l'orchestre du bas rappela presque tout le monde sur la piste en

jouant *Tout va très bien madame la marquise*, l'air qui triom-
phait depuis deux ans dans les guinguettes.

La Taupe pensa être enfin tranquille. Mais trois hommes
restaient à fumer sur le balcon.

– Ça sent la poudre, dit l'un.

– Il faut en profiter. Il n'y aura pas éternellement des
fêtes dans cette maison.

On n'entendait pas le troisième homme qui parlait d'une
voix sourde. Quelqu'un reprit :

– Oui, son nom a été cité à la Chambre des députés par
M. Vallat ou un de ses amis… Un jeu de mots très drôle
sur lui et sur ses affaires mirobolantes, je ne sais même plus.

– S'ils tiennent Atlas, ils ne le laisseront plus tranquille.

L'homme à la voix sourde dut se souvenir du jeu de
mots en question, puisqu'il dit quelque chose de bref qui
occasionna un fou rire chez ses amis. La Taupe avait juste
entendu le mot « juif », ce mot qu'elle avait vu inscrit en
grand sur le portail, un matin, avant qu'il soit repeint en
noir, ce mot qu'elle n'avait jamais entendu prononcer chez
elle. Elle détacha une ardoise du toit.

Sur le balcon, on discutait des tableaux vus dans le grand
salon, du charme de Mme Atlas, malgré tout, et de la qualité du champagne. Quelqu'un parla de loyauté envers cet
homme qui les avait toujours bien reçus. Il voulait d'ailleurs
en parler au député de l'Ardèche.

– Loyal, oui, moi je le défendrai !

– En tout cas jusqu'à sa dernière bouteille.

Les autres firent semblant de se scandaliser. Mais ils
étaient un peu éméchés et eurent beaucoup de mal à s'arrêter de rire.

Les trois hommes virent alors l'ardoise sortir de la nuit et tournoyer vers eux. Elle décapita une coupe de champagne, égratigna la joue de l'homme à la voix sourde. Elle alla se briser sur le parquet de la chambre.

La Taupe n'en pouvait plus. Elle sauta sur le toit voisin.

Tous les orchestres étaient au repos. On entendit longtemps l'ardoise glisser sur le plancher avec le bruit que fait la glace quand on la jette sur un lac gelé.

La Taupe courait sur les toits. Juste après avoir lancé l'ardoise, elle avait vu quelqu'un surgir et la prendre en chasse. Elle connaissait ces toits depuis l'âge de sept ans. Il était normalement très facile pour elle de semer un poursuivant. Elle distançait les chats de gouttière à la course et n'avait peur de personne sur ce terrain. Celui qui la suivait était de son espèce. Il ne mettait pas exactement ses pas dans les siens. Il la suivait à la même vitesse, mais légèrement sur sa droite, comme s'il savait que la cavalcade sur les toits détachait parfois des morceaux de ferraille ou de tuile et que c'était toujours le second dans la course qui risquait de glisser.

La Taupe ne pouvait croire que l'un des trois hommes ait pu réagir si vite. Il y avait heureusement un peu plus loin, dans une cour prise entre des immeubles, un marronnier dans lequel elle pourrait se réfugier. Il restait deux bâtiments à survoler. Le premier était coiffé d'une grande terrasse. Le second avait trois rangées de cheminées qu'il fallut escalader l'une après l'autre. Quand la Taupe se retourna, debout sur la gouttière, devant l'arbre, son poursuivant n'était plus derrière elle. Les plus hautes branches se dressaient en dessous. Elle prit son élan et sauta. Au même instant, alors qu'elle était encore dans l'air, elle vit une ombre jaillir de l'autre côté de la cour et se jeter aussi dans les branches.

Ce fut comme une lutte de pigeons dans le feuillage du marronnier. Les branches s'agitaient. Les deux adversaires se poursuivirent d'un bout à l'autre de l'arbre, puis tout s'immobilisa.

— Tu vas arrêter ?

Le silence s'installa.

— Qui est là ? demanda enfin la voix de la Taupe.

— C'est moi, répondit Vango.

La Taupe grimpa très vite dans les cimes et se retrouva face à face avec Vango. Ils ne s'étaient pas vus depuis trois ans.

— Qu'est-ce que tu fais là ?

— J'étais venu à cette fête en espérant te voir.

— Tu étais là ?

Ils ne se touchaient pas. La Taupe était toute tremblante et essoufflée.

— Tu t'es barricadée quand j'ai voulu entrer dans ta chambre, dit Vango.

— Moi ?

— Oui.

— C'était toi ?

— Et quand je suis passé par le toit, tu t'es enfuie…

— Je ne savais pas, dit la Taupe avec un sourire. Ce n'était pas à cause de toi.

Elle était heureuse de le voir. Elle attrapa sa manche, ce qui était le geste le plus tendre qu'elle ait jamais fait.

— Alors, tu as vu Ethel ? dit la Taupe.

271

– Non. Je pars vers chez elle, je voulais…

La Taupe s'écarta.

– Mais tu l'as vue aujourd'hui ? Elle est au courant que tu es là ?

– Ne t'inquiète pas. Je sais qu'elle ne veut plus me voir…

– Vango…

– Il faut que je lui parle.

La Taupe haussa la voix.

– Vango ! Elle est partie.

– Qui ?

– Elle a reçu ton message. Elle est partie te retrouver.

Vango tordit la branche au-dessus de lui pour essayer de laisser passer un peu de lumière. L'ombre fut à peine plus claire sur le visage de la Taupe.

– Où est-elle ?

– Elle a dû quitter Paris ce soir.

– Mais où est-elle partie ?

– Tu lui as écrit de te rejoindre.

– Qu'est-ce que tu racontes ? Elle m'avait demandé de ne pas lui écrire.

– Elle m'a montré le télégramme. Quatre mots sur un télégramme. Tu l'appelais au secours.

Vango sentait son cœur s'emballer.

– Ils vont la suivre, dit-il. Ils veulent la suivre pour me trouver. Où est-elle ?

– Elle parlait d'une adresse que tu lui as donnée il y a longtemps, une adresse au coin de deux rues, dans un immeuble en construction. Ethel est partie pour New York.

Vango pensa immédiatement à Zefiro. Ethel allait les conduire à Zefiro.

Et, comme chaque fois, instantanément, la Taupe se retrouva seule dans les branches. Sans même un au revoir.

Vango arriva dans une gare déserte. Le dernier train pour Cherbourg venait de partir. Il secoua des mécaniciens qui dormaient. On lui montra le dernier quai. Il sauta dans un wagon de marchandises à destination de Caen.

Tourmenté, Vango se coucha entre des sacs de blé. Il ne dormit pas un instant. Au petit matin, devant la gare de Caen, il put monter sur le toit d'un camion, s'arrêta à Valognes où il emprunta une bicyclette pour les vingt derniers kilomètres.

Il entra dans le port de Cherbourg, courut sur la jetée. Trop tard.

Le bateau *Europa* était parti dans la nuit.

20
Écris-moi qu'il va bien

Francfort, 3 mai 1937

– Dors, Hindi, dors encore un peu.

Shift poussait un chariot de bonbonnes vides. Des techniciens tourbillonnaient dans le hangar. Au-dessus de lui, le Hindenburg avait avalé ses deux cent mille mètres cubes d'hydrogène. Shift ne le quittait pas des yeux. Le ballon avait la panse rebondie. C'était un géant, long comme douze terrains de tennis. Dans son antre, il était de la couleur de la poudre. Shift lui parlait du matin au soir en bougeant les lèvres sans un son. Il l'appelait Hindi comme si c'était un ami.

– Dors jusqu'à ce soir…

Hugo Eckener avait demandé à Shift de parler dans sa tête. Le garçon essayait d'obéir. En travaillant bien, il se faisait oublier. Il fallait des centaines de bouteilles de gaz pour rassasier Hindi. Shift les transportait une par une pendant des jours entiers.

Les ouvriers du zeppelin faisaient les derniers contrôles. Il y en avait encore deux ou trois suspendus dans les cintres.

274

Le départ du Hindenburg pour l'Amérique était annoncé pour le soir même. Il avait déjà fait quelques traversées vers le Brésil en début de saison. Pour New York, c'était son premier vol de l'année 1937. Une douzaine de cabines avaient été ajoutées pendant l'hiver. Les réservations n'étaient pas complètes à l'aller. Mais toutes les places étaient déjà réservées pour le retour de New York. Le zeppelin Hindenburg pouvait maintenant digérer soixante-douze passagers et presque autant de membres d'équipage. C'était un ogre.

Le capitaine Pruss passa à côté de Shift qui arrêta son chariot. La bouche ouverte, il regardait fixement les quatre bandes dorées sur les manches de la veste du capitaine. Celui-ci était accompagné d'un assistant qui énumérait les derniers problèmes. Pruss était habitué à cet inventaire. Le générateur de la cuisine était tombé en panne, les garçons de cabine ne savaient pas faire les lits, les milliers de tonnes d'eau étaient trop longues à charger, la femme de l'ingénieur-chef allait accoucher…

— Que voulez-vous que je vous dise ? Remplacez l'ingénieur à son poste, ou bien emmenez sa femme !

L'assistant prenait des notes.

— Dites-moi juste qu'il n'y a pas d'orage prévu, grogna Pruss.

— Pas cette nuit. Mais le piano…

— Qu'est-ce qu'il a, le piano ? dit le capitaine avec agacement.

Il y avait dans le salon tribord du dirigeable, sur le pont supérieur, un piano à queue en aluminium recouvert de cuir jaune. On pouvait jouer du Schubert à l'aplomb du Cap-Vert ou d'Ellis Island.

– L'accordeur est devant la porte, je ne sais pas ce que je dois faire. Vous lui avez demandé…

– Moi ? Je ne lui ai rien demandé ! dit le capitaine Pruss. Vous croyez que je n'ai pas mieux à faire ? Il sonne juste, le piano ?

– Je ne suis pas un expert, mais quand je fais…

L'homme chanta très mal un nocturne. Il pianotait dans l'air.

– C'est bon, dit Pruss. Faites-le accorder.

Shift bougeait toujours les lèvres en regardant les quatre bandes du capitaine.

– Il est toujours là, celui-ci ? demanda Pruss quand il vit le garçon.

– Le commandant y tient.

– *Heil Hitler !* fit Shift en levant le bras droit.

Pruss continua son chemin.

– Il paraît que le commandant Eckener est dans son bureau.

– Il paraît, capitaine.

– Je croyais qu'il devait être en Autriche pour ses conférences.

– Je ne sais pas.

Ils s'éloignèrent. Shift fit rouler son chariot vers la sortie.

À huit heures du soir, au bout du champ aérien, au milieu de nulle part, deux automobiles arrivèrent de directions différentes. La première était une voiture allemande noire, elle portait un numéro suisse. La seconde était une grosse Bugatti rouge, rutilante, qui fauchait la prairie avec son pare-chocs.

Les automobiles s'arrêtèrent à une distance respectable l'une de l'autre. Les moteurs se turent. Elles restèrent ainsi en silence.

Deux hommes descendirent de la première voiture. Ils avaient la main droite glissée dans leur veste, sous l'aisselle gauche, et fixaient des yeux l'autre véhicule, prêts à dégainer. Le dirigeable était déjà sorti de son hangar, il brillait sous le soleil du soir à moins d'un kilomètre.

L'automobile rouge resta plus d'une minute les portières fermées. Les deux hommes, de l'autre côté, attendaient. Ils s'adressaient parfois à quelqu'un qui était assis à l'intérieur. Ils ne voulaient pas montrer leur inquiétude. Soudain, trois portes de la Bugatti rouge s'ouvrirent en même temps. Le conducteur sortit le premier. C'était un vieil homme avec des gants blancs en cuir et une livrée de chauffeur. On avait l'impression qu'il avait passé les deux dernières heures à faire briller ses chaussures, presque blanches à force d'être noires. Il avait un visage digne et sans expression. Et son accent anglais s'entendait sans qu'il ait besoin d'ouvrir la bouche.

Derrière lui, un homme apparut à son tour. C'était Esquirol. Il était au mieux de son élégance. Sa longue veste tombait sur un pantalon rayé en soie sauvage. Il jouait avec son chapeau sur lequel se détachait un ruban bordeaux. Ses cheveux noirs grisonnaient sur les tempes. Il les avait collés avec une insoupçonnable eau de parfum.

Le docteur Esquirol s'appuyait à la portière, la main légèrement en l'air pour se protéger du soleil. Même les petits moucherons dans la lumière volaient en silence. On entendait juste parfois le grincement d'un cylindre qui refroidissait.

Enfin parut le troisième personnage. C'était un petit homme à la peau noire, avec de larges épaules qu'il fit passer l'une après l'autre par l'ouverture de la porte. Il était vêtu comme un prince andalou. Veste émeraude au col mauve, gilet couleur perle, cravate noire, très large, presque dénouée, pantalon bordé d'un galon. Joseph Puppet en avait peut-être fait un peu trop. Mais on lui avait dit de ne pas lésiner. Il avait obéi.

Il portait des lunettes sombres en écaille de tortue, trois bagues à chaque main, une canne dont le pommeau sculpté représentait un moineau. Il était pieds nus dans des chaussures italiennes taillées chacune dans un seul morceau de cuir. À son poignet, il portait juste le lacet qui appartenait au gant droit de son dernier combat de boxe. Celui pendant lequel il avait mis KO un Américain au stade Buffalo de Montrouge avant d'arrêter sa carrière. J.J. Puppet ressemblait à un prince, mais à un prince urbain, dernier cri, avec, à l'autre main, une montre étroite qui aurait pu être celle d'une dame, des pièces en brocart sur ses coudes, des boutons de manchette en bois de rose, et des bretelles noires dont une pince en ivoire apparut sous le gilet quand il s'accouda à la carrosserie.

Le docteur Esquirol fit quelques pas vers la voiture noire. Un des deux hommes armés s'approcha. Esquirol leva les deux bras. On le fouilla soigneusement.

– Les autres ! ordonna l'homme.

Puppet et le chauffeur anglais s'avancèrent. Ils furent fouillés à leur tour.

Le garde du corps retourna près de la voiture et ouvrit la portière arrière.

Un homme en sortit. Il fit une dizaine de pas dans l'herbe vers Esquirol et Puppet. Il était vêtu d'un costume ennuyeux sans aucun rapport avec les gravures de mode qu'il avait en face de lui. Son visage paraissait tendu.

– Où est M. Eckener ?

– Monsieur Valpa, il y a un problème avec le commandant Eckener. Il n'est pas avec nous.

– Je suis là pour parler avec Eckener, dit Valpa.

– Je n'ai pas pu vous avertir. Le commandant Eckener ne va pas embarquer ce soir dans le Hindenburg.

Vincent Valpa sortit un mouchoir de sa poche et le pressa sur sa bouche.

– Vous m'avez… fait venir pour rien de Genève ?

– Sûrement pas, dit Esquirol. Vous connaissez Joseph Jacques Puppet, le boxeur ?

– Oui, je crois, dit-il en regardant le prince andalou.

– Il est ici pour la même raison que vous. Il fait partie du grand contrat. Il se méfie. Il veut rencontrer Eckener avant de signer.

Puppet fit un sourire et rectifia :

– Je ne suis pas méfiant, docteur, vous exagérez. Mais j'ai seulement vu le nom d'Eckener en bas d'une page. J'ai besoin de son poing dans le mien pour le croire. J'investis aussi beaucoup d'or dans ce contrat, l'équivalent du poids de vos deux gardes du corps, monsieur Valpa. Je suis comme vous. Je veux être sûr de ce que je fais.

Valpa se tourna pour évaluer la masse de ses deux hommes. On parlait donc de trois cents kilos d'or. Il regarda Puppet avec un peu plus de considération.

Puppet, lui, souriait parce qu'il savait que le seul or qu'il possédait sur terre était ce petit rayon de soleil qui se couchait sur ses chaussures à cet instant. Il n'était même pas propriétaire d'une paire de ciseaux dans le salon de coiffure où il travaillait à Monaco.

On lui avait pourtant demandé de jouer ce rôle d'un riche retraité des rings de boxe qui investissait son argent dans les trafics d'armes. Et Puppet se révélait excellent acteur.

— Vous allez pouvoir saluer le commandant Eckener, messieurs, dit Esquirol. Il ne s'envolera pas pour New York avec nous, mais il vous attend dans son bureau.

Quelques instants passèrent, puis Vincent Valpa plia son mouchoir. Puppet mit le moineau de sa canne sous son bras. Ils rentrèrent chacun dans leur voiture et roulèrent au pas vers le Hindenburg comme un convoi funèbre.

Dans la première automobile, Esquirol se pencha vers le chauffeur.

— Harry, vous nous déposez et vous rentrez à Monte-Carlo…

— Oui, monsieur.

— Remerciez encore Mme Solange.

Mme Solange était la veuve d'un ambassadeur, cliente du salon de Joseph Puppet. Elle avait prêté sa Bugatti rouge et son chauffeur Harry en échange d'un carnet de vingt shampooings.

Esquirol faisait le pari le plus fou qu'il ait jamais imaginé. Hugo Eckener ne savait pas un seul mot de toute cette affaire. Il allait falloir improviser.

Il y avait un peu d'agitation au pied du dirigeable. Une voyageuse qui arrivait d'Italie venait de découvrir qu'elle devrait payer cinq marks pour chacun des quinze kilos de bagages qu'elle avait en trop. Elle disait n'avoir jamais été prévenue. L'hôtesse Imhof, unique femme de l'équipage du zeppelin, essayait de la calmer. Mais la dame disait qu'elle pesait bien vingt kilos de moins que la plupart des passagers et elle montrait un peu plus loin Mme Kleeman, la femme d'un gros fabricant de motocyclettes.

Dans le zeppelin, l'inamovible Kubis, le maître d'hôtel, parcourait les salons à grandes enjambées pour vérifier que tout était en ordre. Il allait être huit heures quinze. Les passagers monteraient dans quelques instants.

L'un des jeunes cuisiniers, Alfred, posait des bouquets sur les tables. Kubis remarqua qu'il boitait. Des porteurs passaient dans les couloirs. On commençait à installer les bagages dans les chambres. Il y avait une odeur de lys dans l'escalier. Kubis découvrit le garçon de cabine assis sur le tabouret du piano.

– Qu'est-ce que tu fais ?

Werner sursauta et fit tomber le paquet de serviettes de bain qu'il était censé déposer sur les lavabos.

– Il ne marche pas, expliqua-t-il.

– Qui ?

– Le piano.

Kubis s'approcha et plaqua un accord. Le piano fit un bruit terrible.

– Où est l'accordeur ?

– Il a dû repartir.

Kubis appuya encore sur quelques touches.

– Il l'a mis dans un sale état, ce piano.

– Vous voulez que je le trouve ?

– Sûrement pas. Occupe-toi de ces serviettes.

Kubis regarda sa montre. Il n'avait pas le temps d'en appeler un autre. Il s'en occuperait au retour. Ce serait un voyage sans piano, ce qui n'était pas plus mal pour le maître d'hôtel qui savait que le capitaine Lehmann allait être du voyage. Lehmann passait son temps à l'accordéon ou au piano. Cela faisait la joie des voyageurs et le calvaire de Kubis. L'hiver précédent, il avait d'ailleurs beaucoup plaidé pour supprimer ce piano.

Une minute plus tard, Kubis descendit la passerelle, à la rencontre des voyageurs. Il salua chacun. Il en manquait encore cinq. Ils n'avaient pas pris le bus de l'hôtel et devaient arriver par leurs propres moyens. Kubis fit enlever un chariot de bonbonnes vides qui traînait et faisait peur à une femme et ses trois enfants.

– Éloigne-toi, Irène, disait-elle à sa grande fille.

– Ces bouteilles sont vides, madame, expliqua un steward.

Personne ne tenait à avertir cette dame qu'elle aurait de toute façon cent fois cette quantité de gaz explosif au-dessus de la tête pendant tout le voyage. C'étaient les risques de ces ballons, tant que les États-Unis refuseraient de vendre de l'hélium aux Allemands. L'hydrogène était un peu plus porteur mais surtout très inflammable. Par superstition, on parlait très peu de ce danger à bord. Il n'y avait d'ailleurs eu aucun accident grave depuis bien longtemps dans la firme Zeppelin.

Les passagers avaient hâte de monter à bord. Le capitaine Lehmann, qui embarquait en simple observateur, parlait à deux personnes, un peu à l'écart. Il prenait la pose. On disait que ce couple de journalistes berlinois écrivaient un livre sur lui. Lehmann avait pris de plus en plus d'importance dans le commandement des dirigeables parce qu'il n'avait pas l'allergie farouche d'Eckener à l'égard du pouvoir nazi.

Il y avait aussi, au pied de la passerelle, Joseph Späh, un acrobate américain qui terminait une tournée en Europe. Il avait sauté d'un taxi avec sa chienne Ulla quelques minutes plus tôt. Il racontait sa vie à un Suédois en manteau et chapeau noirs. Quand il parlait, Späh se mettait sur les pointes comme un danseur. Il avait raté le bateau de Hambourg mais son prochain spectacle avait lieu la semaine suivante et il avait donc réuni les centaines de dollars du ticket d'entrée pour le ciel…

Hugo Eckener regardait par la petite fenêtre de son bureau qui donnait sur le dirigeable.

— Moi, je ne suis pas inquiet, alors ne le sois pas. Tu comprendras tout dans trois jours.

Il parlait à quelqu'un qui était assis dans l'ombre. Eckener fit un tour nerveux sur lui-même et se dirigea vers la porte. Il allait toucher la poignée lorsqu'il vit cette porte s'ouvrir en grand. C'était le jeune médecin de bord, le docteur Rudiger, rouge vif.

— Kurt ?

— Commandant, il y a ici des gens qui disent qu'ils ont rendez-vous avec vous.

— Vous ne frappez pas, Kurt ? C'est nouveau ?

— C'est qu'ils sont en train de…

Le visage d'Esquirol apparut derrière son épaule. Eckener écarta Rudiger.

— Je pensais bien que c'était toi. La délicatesse française.

283

Quand Eckener vit surgir J. J. Puppet et son habit de lumière, il resta pantois. Esquirol se dépêcha d'occuper le terrain. Il parlait précipitamment.

– Commandant, me voilà, comme prévu. Peut-être avec quelques minutes de retard. Voici donc nos amis que je vous avais annoncés.

Trois autres hommes étaient entrés à la suite de Puppet.

– Vous savez l'importance que ces gens ont pour nous. Permettez-moi d'abord de vous présenter M. Vincent Valpa, dont nous avons beaucoup parlé ensemble à Berlin.

Valpa voulut lui serrer la main. Eckener observait Esquirol qui lui jeta un regard suppliant. Le commandant prit la main de Valpa et la serra.

– Enchanté, dit l'autre.

– Oui, mon ami m'a parlé de vous, grommela Eckener. Je ne sais pas ce qu'il vaut comme docteur, mais si ça ne va pas, vous pourrez toujours aller voir le docteur Rudiger qui sera le médecin de la traversée.

Le petit Rudiger fit un signe de tête.

– J'espère rester en bonne santé jusqu'à New York, dit Valpa, surpris.

– Espérons-le, répondit Eckener avec compassion. En tout cas, vous aurez une très belle cabine. Elle est neuve. Je sais que vous êtes accompagné.

Il lança un sourire contraint aux deux costauds qui attendaient derrière.

– Et puis, dit Esquirol à Eckener, je ne vous présente pas J. J. Puppet. Vous savez le grand champion qu'il a été. Vous savez qu'il est maintenant notre partenaire dans la belle aventure que… que vous n'ignorez pas.

Ils se serrèrent la main. Eckener ne comprenait rien. Puppet, hilare, ne lâchait pas sa main. Le commandant ouvrit la bouche pour parler, mais Esquirol enchaîna le plus rapidement possible :

— Vous avez certainement suivi la carrière de notre ami, ses combats…

À nouveau, Eckener voulut rugir quelque chose comme « Qu'est-ce que c'est que ce cirque ? », mais en même temps que Puppet lui écrasait les doigts, il entendit Esquirol reprendre son remplissage sonore :

— Oui, vous avez dû connaître sa grande époque, commandant. Si je vous dis…

— Moi, je le connais, fit une voix au fond de la pièce. Je l'ai déjà vu.

Dans le fauteuil d'Eckener, assise derrière le bureau, ils découvrirent une jeune femme que personne n'avait remarquée.

Puppet lâcha enfin la main d'Eckener.

— Je m'en souviens très bien, ajouta-t-elle.

Le commandant se massait lentement le poignet.

— Vous ne m'avez pas laissé le temps de vous présenter cette demoiselle.

Ethel se leva. Eckener expliquait :

— Nous étions en train de discuter quand vous êtes arrivés avec toute cette…

— Toute cette confiance, acheva lourdement Esquirol qui s'approchait pour saluer Ethel.

Mais celle-ci ne regardait que Puppet.

— Cette demoiselle va partir par le même vol que vous, dit le commandant Eckener. Elle vient de me l'annoncer.

Elle arrive à l'instant. C'est ma filleule. Elle part pour New York retrouver…

Il hésita.

— Retrouver mon fiancé, compléta Ethel.

Décidément, tout le monde finissait les phrases du commandant.

— Oui, monsieur Puppet, je vous reconnais bien, murmura-t-elle avec un sourire.

Eckener fronça les sourcils.

— Je vous ai vu à Londres au Holborn Stadium, continua Ethel. J'avais cinq ou six ans. Mon père m'emmenait aux combats de boxe.

Ils se saluèrent chaleureusement. De l'autre côté, Vincent Valpa tira Esquirol par le bras. Il chuchota :

— Nous avions parlé d'un rendez-vous en tête à tête avec Eckener.

— Bien sûr, c'est prévu, assura Esquirol. Le commandant y tient beaucoup.

Il fit un pas vers Eckener et s'arrêta. Il tendit l'oreille. La corne du Hindenburg retentit. Pour lui, ce fut comme les cloches de l'armistice, la paix du combattant, le gong du boxeur, la grâce du condamné. Il fallait partir.

— Mon Dieu, dit Esquirol en levant les yeux au ciel. On n'a plus le temps ! Il s'en va !

Piteux et ravi, il se tourna vers Valpa.

— Je suis désolé.

Les deux minutes suivantes furent pleines de confusion.

Un mouvement s'amorça vers la sortie du bureau. Le petit Rudiger se cogna dans les hommes de Valpa. Eckener essaya d'attraper Esquirol par le col pour avoir des explications mais il lui échappa. Vincent Valpa grognait.

Seule Ethel s'attarda un peu.

Eckener marchait derrière elle dans le couloir.

– Écris-moi quand tu le trouveras, cria-t-il.

– Oui, je vous écrirai.

– Écris-moi qu'il va bien.

La passerelle allait être levée. Ils coururent tous dans l'herbe.

Ethel monta la dernière. On largua les amarres et le ballon s'envola.

21
Le fumoir du Hindenburg

Avec trente-six passagers seulement, alors qu'il pouvait en accueillir le double, le Hindenburg prenait des allures de palace hors saison. On se croyait un peu à Deauville ou à San Remo au printemps quand les établissements tournent au ralenti. On recoud les parasols, beaucoup de tables restent vides, le plagiste prend le temps de parler avec les clients. Les soixante et un membres d'équipage étaient aux petits soins. Il y avait cinq cuisiniers pour trois douzaines de voyageurs. Eckener n'avait donc eu aucun mal à trouver une cabine pour Ethel quand elle était arrivée par surprise deux heures avant l'envol.

En quittant la Taupe à Paris, Ethel avait eu l'idée d'aller à Friedrichshafen pour prendre le zeppelin plutôt que le bateau.

Elle espérait gagner quelques jours, mais elle perdit en fait beaucoup de temps. Le lendemain, sa voiture glissa sur une route bordée d'arbres et se retourna. Dans le village voisin, on lui fit la promesse de la réparer rapidement, mais deux jours plus tard elle était toujours à l'hôtel du Lion d'Or, attendant des miracles qui ne venaient pas. L'hôtel était vide, il appartenait comme par hasard au garagiste. La réparation lui permit d'aller jusqu'au bout de la rue. Le moteur lâcha encore. Elle abandonna la jolie Napier-Railton toute froissée et sauta dans un train.

À Friedrichshafen, elle trouva des hangars vides. Le Graf était en escale au Brésil et le Hindenburg partait de Francfort le lendemain. Elle reprit donc un train vers Francfort et arriva juste à temps. Elle avait perdu une semaine.

Eckener l'accueillit avec chaleur.

Ethel lui montra le télégramme de Vango. Le commandant regardait le papier bleu :

Urgence. Me rejoindre. Vango.

Il lut et relut les quatre mots, essaya d'être le plus rassurant possible.

– C'est un garçon courageux, ma petite. Il sait très bien se débrouiller tout seul.

C'était exactement ce qui inquiétait Ethel. Un appel au secours d'un garçon courageux était forcément un acte désespéré. Eckener fit prévenir aussitôt les bureaux afin qu'on réserve une cabine à la jeune femme. Quelqu'un lui répondit que deux autres billets venaient d'être achetés par des voyageurs arrivés de Norvège qu'on n'attendait pas non plus. Avec un peu de chance, on finirait par faire le plein.

Ethel était dans la première cabine juste en haut des escaliers du pont supérieur. En montant à bord, elle avait découvert que les cabines du Hindenburg occupaient deux étages. Cinquante couchettes se trouvaient en haut. On en avait ajouté une vingtaine au niveau inférieur, côté babord. À peine entrée dans sa cabine, Ethel s'allongea sur sa couchette et s'endormit. Il était neuf heures du soir. Elle se réveilla à minuit, se mouilla le visage au-dessus du lavabo, regarda encore le télégramme qu'elle avait accroché au miroir, puis elle sortit.

Ethel faillit se perdre. Ce n'était pas la petite pension de famille qu'elle avait connue à bord du Graf Zeppelin. C'était un vaisseau amiral. Les cabines se trouvaient au milieu de la gondole, tandis que deux belles promenades vitrées s'étendaient des deux côtés. Les lieux paraissaient déserts. Tout le monde dormait. Ethel découvrit le piano demi-queue qu'elle caressa de la main. Une pancarte « hors service » avait été posée sur le pupitre. Motivée par cette interdiction, Ethel voulut appuyer sur une touche. Elle fit un *si* bémol qui sonna comme un estomac malade, puis un *fa* dièse terrible. Plus loin, elle poussa une porte et découvrit enfin quelqu'un. C'était une salle d'écriture et de lecture, décorée de peintures. Un homme lisait un journal illustré qu'il avait déployé sur une petite table. Il leva les yeux, baissa ses lunettes sur son nez. Ethel lui fit signe de ne pas se déranger. Elle alla juste regarder à la grande fenêtre inclinée. Le temps était couvert. Il faisait nuit. On ne voyait que de rares lueurs sur la terre.

Ethel aurait aimé qu'on éteigne toutes les lumières du ballon pour contempler la nuit. Elle se rappelait le soir où, avec Vango, ils avaient suivi deux petits phares qui se déplaçaient très loin en dessous d'eux. C'était en survolant la Russie pendant le tour du monde de 1929. En ce temps-là, Vango imaginait des histoires, à la fenêtre du Graf

Zeppelin. Deux bicyclettes sur une route de campagne en pleine nuit. Ils revenaient d'une fête, sûrement. Vango leur inventait des noms. La fille s'appelait Ielena. Elle roulait un peu devant. Le garçon suivait. Quand les lumières accéléraient, Vango disait que c'était une grande descente, il demandait à Ethel d'écouter. Selon lui, on entendait des cris de joie dans la descente. Et puis les lumières ralentissaient et se rapprochaient. Elles s'arrêtaient. Ethel regardait Vango. Tout s'éteignait.

– Et maintenant ? demandait-elle.

Vango souriait.

– Qu'est-ce qui se passe, maintenant ? insistait-elle.

Mais il était incapable de répondre.

Ethel quitta la fenêtre. Elle s'approcha du lecteur qui s'était endormi sur son journal, la joue écrasée sur une image où l'on voyait un paquebot abordé par un sous-marin. Elle éteignit sa lampe et sortit de la pièce.

Ethel s'en voulait de ne pas avoir rejoint Vango plus tôt. Elle avait voulu le laisser plonger seul dans son passé, pour qu'il lui revienne un jour, libéré. Elle avait donc attendu sagement, mettant toute son impatience dans ce petit avion qu'elle avait remis en état. Elle se demandait si elle n'inventait pas des dangers autour d'elle pour justifier que Vango ne soit pas là. Pour le protéger, elle avait cessé de lui écrire, lui avait ordonné de faire de même. Mais chaque matin, elle arrachait le courrier des mains de Mary, cherchant son écriture sur les enveloppes.

Ethel descendit les marches, devant sa cabine. L'ambiance du pont inférieur s'annonçait beaucoup plus éveillée. Le bar était encore ouvert. Il était minuscule. Trois hommes discutaient sur des banquettes. Le barman découpait des citrons sur son comptoir. Il y avait surtout, derrière une porte de haute sécurité, le fameux fumoir, qui constituait les vingt mètres carrés les plus populaires de l'ensemble du navire aérien.

Ethel y entra. Max, le barman, la suivit et referma derrière elle la porte pressurisée. Une dizaine d'hommes étaient installés au creux des fauteuils dans la fumée. Elle mit quelques secondes avant de reconnaître J. J. Puppet sous le nuage de droite. Il lui fit un sourire. Il était seul, près de la baie vitrée, avec un cigare énorme.

— Vous fumez ? demanda-t-il quand elle vint vers lui.

— Non. Mais ici, même les tapis fument.

Et en effet, sans allumer une cigarette, Ethel devait absorber une tasse de goudron en ouvrant la bouche.

Puppet surveillait discrètement un des hommes de Valpa, assis près de la porte.

— Alors, dit-il, votre père aime la boxe ?

— Oui, dit Ethel.

— Et vous ?

— Je ne sais pas.

Ethel ne voulait pas dire que la boxe la faisait pleurer à cause du souvenir de la voix de son père quand il lui soufflait des mots à l'oreille pour lui expliquer les combats.

— Ce n'est pas un sport de petite fille, dit Puppet.

— Si, justement. Mais je suis grande.

Il la regarda.

— Qu'est-ce que vous allez faire à New York ? demanda Ethel.

— Aucune idée.

Il regardait l'homme de Valpa qui s'était levé.

– Ne le dites à personne, continua-t-il, mais je ne sais pas ce que je fais ici. Je rends service à un ami.

– Il est là ?

– J'espère. Je ne l'ai pas encore vu.

Ethel ne parut pas surprise. Elle aimait bien les mystères.

– Où est-il ?

– Je ne sais pas. Peut-être qu'il est caché dans le piano, là-haut.

Ethel se mit à rire.

Elle ne savait pas qu'au même moment, dans le salon désert situé au-dessus d'eux, le couvercle du piano venait de se soulever légèrement. Deux yeux scrutèrent la salle. Personne. Le piano s'ouvrit un peu plus. Un homme en sortit. Il était tout engourdi. C'était l'accordeur.

– Alors je comprends que ce piano sonne faux, dit Ethel dans le fumoir.

– Vous l'avez essayé ? Vous n'auriez pas dû. C'est mon ami qui prend les coups de marteau quand on frappe les touches.

Joseph Puppet se leva à moitié.

– Max !

Il faisait signe au barman.

Ce dernier s'approcha avec un plateau.

– Je ne vous avais pas oublié, dit-il à Puppet.

– Non. Donnez plutôt ce verre au monsieur qui veut s'en aller.

Il montra l'homme debout près de la porte.

Le barman obéit. Ethel vit l'homme se rasseoir avec son verre.

– Je ne veux pas que ce type traîne dans les couloirs, chuchota Puppet à l'intention d'Ethel.

À l'étage du dessus, dans le salon désert, l'accordeur refermait doucement le piano. Il arrivait tout juste à tenir debout tant il avait mal partout. Il avait récité des chapelets entre quatre heures de l'après-midi et deux heures du matin pour faire passer le temps. Il s'étira et fit craquer ses doigts.

Il n'avait pas des mains de pianiste mais des mains de jardinier.

C'était Zefiro.

La porte s'ouvrit derrière lui.

– Monsieur ?

Il ne se retourna pas. Quelqu'un venait de sortir de la salle de lecture, le visage bouffi de sommeil.

– Monsieur ?

– Oui, dit Zefiro.

– On est arrivés ?

Il se tourna vers lui. L'homme tenait un illustré dans la main.

– Je ne crois pas. Le voyage dure trois jours.

– C'est vous qui avez éteint ma lampe ?

– Non. Vous devriez aller dormir.

– On est où ?

L'homme s'éloigna vers le bout du salon. Zefiro soupira longuement.

Au fumoir, Ethel s'était enfin assise.

– Vous connaissez du monde à bord ? demanda-t-elle à Puppet.

– Pas vraiment. Vous avez remarqué ces deux hommes qui font semblant de ne pas vous regarder ?

294

– Non.

– Vous ne voyez pas que tout le monde vous regarde ici ?

– Non.

– Une femme dans un fumoir, c'est comme un Noir dans un dirigeable allemand. Ça se regarde.

Ethel était intéressée par Joseph Puppet. Elle l'écoutait attentivement.

– Par exemple, ces deux-là, dont je vous ai parlé, ceux qui vous regardent encore plus que les autres, j'apprends tranquillement à les connaître.

– Alors ? demanda Ethel.

– Ils prétendent qu'ils sont norvégiens.

Elle jeta un rapide coup d'œil. Puppet progressait dans son cigare.

– Vous connaissez la Norvège ? dit-il.

– Non.

– Moi non plus. C'est dommage. Et eux non plus, d'ailleurs.

– Comment ?

– Je crois qu'ils n'y ont jamais mis les pieds.

– Pourquoi ?

– Parce qu'ils parlent russe.

Il écarta la fumée avec les doigts comme la page d'un livre. Ethel était très concentrée.

– J'ai haché un Russe en 1919 sur un ring en Belgique. Je vous jure qu'il parlait la même langue qu'eux.

– Haché ?

– Façon tartare.

Zefiro donna quatre coups légers dans la cloison de la

cabine. La porte s'ouvrit. Zefiro et Esquirol se tombèrent dans les bras.

— Espèce de forcené, dit Esquirol. Tu ne te rends pas compte de ce que tu nous fais faire.

— Tu as promis autant que moi.

Chacun d'eux se rappelait le pacte Violette, dans la clairière de Falbas. Une promesse faite ensemble au milieu des combats. Un prêtre soldat italien, un aviateur allemand, un docteur français et un tirailleur ivoirien.

— Voloï Viktor est là ?

— Valpa est là, corrigea Esquirol.

Zefiro acquiesça.

— Je me fiche de son nom d'aujourd'hui.

— Il est dans sa cabine, en bas. Ses deux hommes se relaient pour le garder. Il ne sort pas. On lui monte ses repas.

— Et Eckener ?

— Je crois que ça ne s'est pas si mal passé. Une histoire de fou. Valpa lui a serré la main. On ne pouvait pas faire mieux, puisque tu refusais d'expliquer tes plans à Eckener.

— Il n'aurait pas joué notre jeu.

— On ne sait jamais, Zefiro.

— Viktor est dans la grande cabine du fond ?

— Oui. Il y a une famille avec trois enfants qui comptait s'y installer. J'ai tenu bon. Toutes les autres couchettes de son couloir sont libres.

— Et le garçon de cabine ?

— Il sait qu'il n'entre ni chez lui, ni chez nous. C'est entendu avec lui.

— Bon.

Esquirol regarda Zefiro dans les yeux.

— Ce sera pour quand ? demanda-t-il.

— Pour la dernière nuit, avant d'atterrir. Où est Joseph Puppet ?

— Tu n'as pas été raisonnable de lui faire jouer ce rôle d'investisseur en armement lourd. C'est de la folie.

— Tu avais quelqu'un d'autre à proposer ?

— Puppet est connu partout pour ses engagements pacifistes.

— Où est-il ? demanda Zefiro.

— Il surveillait l'autre garde du corps dans le fumoir. Maintenant que tu es sorti du piano, je vais pouvoir aller libérer le vieux Puppet.

Esquirol se tourna vers la porte.

— Rapporte-moi à manger, dit Zefiro.

Le padre s'allongea par terre et ferma les yeux.

— Tu ne veux pas une couchette ?

— Je suis moine, Esquirol. Je dors sur le sol dur ou bien dans un piano.

Quand il vit apparaître Esquirol à la porte du fumoir, Joseph Puppet se leva.

— Je crois qu'on vient me chercher.

Il prit la main d'Ethel, s'inclina jusqu'à ce que cette main touche son front.

— Bonne nuit, mademoiselle.

Quelques voyageurs les regardaient avec réprobation.

Puppet était ravi. Il savait que l'été précédent, après avoir battu Joe Louis, un Noir de l'Alabama, au douzième round, le grand boxeur allemand Max Schmeling avait embarqué dans le même Hindenburg pour rentrer en Allemagne. Pour les nazis, ce retour triomphal devait être le symbole de la supériorité de la race allemande.

Puppet, le sourire aux lèvres, fit une petite révérence vers l'ensemble de la compagnie et il sortit.

Ethel ne resta que quelques minutes de plus mais elle prit le temps d'observer les deux Norvégiens. Ils lui tournaient maintenant ouvertement le dos. Elle vit qu'ils avaient emporté avec eux leurs propres boissons, des bouteilles en métal qui ne devaient pas contenir que du lait, parce qu'à chaque gorgée les hommes faisaient des grimaces.

L'un des deux était très grand et costaud, barbu. Il avait le crâne rasé et ne parlait pas. L'autre, un petit nerveux, fumait des cigarettes. Il les roulait sur ses genoux avec du tabac blond. Il murmurait des choses à son collègue qui hochait la tête à chaque silence.

En passant devant eux pour sortir, Ethel remarqua, gravée sur le goulot de leur bouteille en métal, la forme d'un ours montrant les dents.

Le vent du nord-ouest se leva avec le jour. Le capitaine Pruss avait choisi de prendre un cap qui les emmenait vers l'Atlantique Nord. Le dirigeable se retrouva donc avec le vent dans le nez. La navigation s'annonçait délicate. Les passagers ne s'en rendaient même pas compte. La stabilité du Hindenburg était remarquable par tous les temps. Mais l'équipage voyait le capitaine Pruss un peu préoccupé. Il ne s'attardait pas à table, et passait beaucoup de temps dans le poste de pilotage. Le dirigeable prenait du retard. Pruss savait que, parmi les très nombreux passagers du vol retour, beaucoup d'Anglais qui allaient embarquer à New York comptaient arriver à temps en Europe pour le couronnement du roi George VI, la semaine suivante. Il ne fallait pas être en retard.

La panne de piano n'arrangeait pas les choses. Un peu de musique aurait pu détendre l'atmosphère. Quelques mois plus tôt, le capitaine Lehmann avait fait oublier un orage grâce à un récital d'une heure et demie.

Juste avant la seconde nuit, Esquirol alla frapper à la cabine de Vincent Valpa. Elle se trouvait au bout d'un long couloir qui partait dans la quille du ballon. C'était une des rares cabines équipées d'une fenêtre donnant sur l'extérieur. C'était surtout la seule à être assez vaste pour accueillir quatre couchettes.

– Qui va là ?

La question était posée à travers la porte close.

– C'est moi, dit Esquirol.

Un des deux gardes entrouvrit la porte.

– Qu'est-ce que vous voulez ?

– J'aurais aimé offrir un verre à M. Valpa dans la salle à manger.

Esquirol voulait surtout vider cette cabine pour quelques minutes afin de repérer les lieux avant l'opération de Zefiro.

– Non, marmonna Valpa sans se montrer. Je n'ai pas soif.

– Il ne veut pas sortir, relaya l'homme.

– Il y a une bouteille de champagne qu'a laissée le commandant Eckener à notre intention.

– Buvez-la.

La porte se referma.

Esquirol retrouva Zefiro qui attendait avec Puppet, assis sur la banquette de la cabine.

— Il ne sortira pas.

Zefiro était déjà en tenue de combat. Il portait des vêtements noirs.

— Alors j'irai l'attraper dans son placard. Débrouillez-vous pour qu'ils y soient tous les trois.

— Je croyais que tu ne voulais que Viktor.

— Personne ne doit donner l'alerte avant que le zeppelin se pose à Lakehurst.

Zefiro posa devant lui un luger parabellum chargé pour trois coups.

22
Le voile blanc

À une heure du matin, au cours de cette nuit du 5 au 6 mai 1937, dans le ciel de l'Atlantique Nord, il se passa un phénomène irrationnel.

Ethel était allongée sur sa couchette qu'elle avait très peu quittée jusque-là. Elle gardait les yeux ouverts. Elle ne dormait plus depuis le premier soir. Boulard l'avait prévenue : un jour, Vango l'appellerait à l'aide et il serait trop tard. Le ventre noué, elle ne pensait qu'à lui.

Elle entendit soudain le bruit du piano.

Quelqu'un jouait une fugue de Bach et le piano sonnait parfaitement.

Elle se redressa sur ses draps, écouta attentivement. Puis elle se leva, mit un manteau sur sa chemise de nuit et sortit dans le couloir. Beaucoup de voyageurs accouraient. Les mains du capitaine Lehmann se promenaient sur le clavier.

Un voyageur désœuvré avait dû appuyer sur une des touches blanches avant d'aller se coucher. Le piano fonctionnait à merveille.

Qu'avait-il pu se passer ? Comment s'était réalisé ce prodige ? Personne ne se doutait qu'on avait juste vidé ce piano des quatre-vingts kilos qui l'occupaient. Quelqu'un jurait qu'il avait trouvé un chapelet de bois d'olivier dans les cordes. Cette histoire frôlait le miracle.

Quand tout le monde fut rassemblé autour du piano, Esquirol alla prévenir Zefiro, resté caché dans sa cabine.

Aussitôt, celui-ci souleva le carré qu'il avait découpé dans le plafond en contreplaqué léger, et se hissa dans la forêt de métal.

Zefiro entendait le piano en dessous de lui. La musique de Bach remplissait l'espace. Zefiro marchait dans le noir sur le plafond du pont supérieur. Il essayait de suivre les poutrelles rigides pour ne pas perdre son chemin, ni passer au travers du plafond et atterrir dans une cabine. Il comptait les travées. Il devait maintenant être au-dessus de l'escalier. Il prit sur la gauche et commença à descendre le long d'un poteau d'aluminium percé de trous. Le piano était juste de l'autre côté de la paroi.

Zefiro se promenait alors au-dessus des nouvelles cabines du pont inférieur. Celle de Voloï Viktor devait être la dixième, mais Zefiro s'arrêta juste avant. Il vérifia son arme dans son dos, sortit de sa ceinture une lame tranchante comme celle d'un rasoir. Il découpa un passage sous lui et s'y glissa. Viktor et ses hommes devaient être juste là, dans la cabine voisine. Un peu de lumière parvenait d'une fenêtre étroite aménagée d'un côté. C'était le faisceau des phares du zeppelin sur les nuages noirs qu'il traversait.

Comme Zefiro l'avait espéré, la cabine dans laquelle il se trouvait était bruyante. On était très près des moteurs. Il allait pouvoir agir sans être remarqué. En collant l'oreille à la paroi, il entendait malgré tout de légers mouvements. Quelqu'un se déplaçait dans la cabine de Viktor.

Zefiro regarda sa montre. Il était une heure vingt du matin. Esquirol et Puppet savaient que l'opération était prévue à une heure trente. Ils devaient s'assurer qu'à cette heure-là les deux gardes du corps auraient bien rejoint leur patron.

Zefiro avait donc dix minutes pour préparer son attaque éclair. Il devait découper la cloison sous la couchette du bas. Cette fente tout près du sol resterait invisible. Il n'aurait plus qu'à pousser la plaque au dernier moment. À une heure trente, il pourrait enfin entrer. Il avait répété chaque geste. Il connaissait les angles de tir qui ne risquaient pas d'endommager par une balle perdue l'un des ballonnets d'hydrogène du grand dirigeable.

Ce qu'il s'apprêtait à faire était une opération délicate, comme s'il retirait une tumeur à la périphérie d'un organe vital. Le zeppelin était une bombe prête à exploser. Mais Zefiro avait attendu plus de dix-huit ans pour en arriver là. Il se sentait capable de tout.

Il se baissa dans la pénombre pour passer sous la banquette.

Au moment où il mit la paume sur le sol, une main moite s'accrocha à son poignet. Il faillit crier quand des ongles se plantèrent dans son avant-bras. L'agresseur surgit de sous la couchette et saisit le corps de Zefiro entre ses jambes. Il commença à serrer de toutes ses forces comme s'il voulait l'étouffer. Zefiro tenta de résister. Il n'arrivait pas à attraper son couteau ou son pistolet. Ils roulèrent tous les deux jusqu'au lavabo, de l'autre côté de la cabine. Pour l'instant aucun son n'avait été émis. On entendait simplement le bruit étouffé de la lutte. Enfin, Zefiro parvint à libérer l'un de ses bras mais il était maintenu sur le dos et ses armes restaient inaccessibles. Il agrippa, au-dessus de lui, le rideau qui fermait une penderie, l'arracha d'un coup sec. En un mouvement, il passa ce rideau comme une corde autour du cou de son ennemi. Quelques secondes plus tard, Zefiro avait repris la situation en main. L'autre abandonna toute résistance quand il sentit le rideau se serrer autour de sa gorge.

Zefiro avait cru avoir affaire à l'un des gardes de Viktor, mais quand il tourna la tête de son agresseur vers la fenêtre, il vit que c'était un tout jeune homme. Il n'avait pas plus de vingt ans et le regardait avec des yeux suppliants.

– Qui est-tu ? murmura Zefiro.

– *Heil Hitler*, dit l'autre.

Zefiro lui écrasa la main sur la bouche pour qu'il parle moins fort.

Quand il la retira, le garçon chuchotait des paroles confuses parmi lesquelles on reconnaissait les mots « Reich », « race » ou « sang ».

– Ton nom ? demanda Zefiro.

– Shift.

Le padre avait lâché le rideau. Le jeune homme ne résistait plus du tout.

– Qu'est-ce que tu fais là ?

– Hindi m'a mangé.

– Qui est Hindi ?

– Le ballon. Hindi.

Zefiro n'arrivait pas à croiser son regard. Les yeux de Shift voletaient dans la pièce, affolés.

Un clandestin.

Il devait être caché depuis près de trois jours dans ce trou. Zefiro le lâcha et s'assit sur la banquette. Il sortit sa montre. Il n'avait plus le temps de passer par la cloison. Les trois cibles n'allaient pas rester longtemps ensemble dans la cabine.

– Hindi m'a mangé, répéta Shift.

Zefiro serra les poings. L'année précédente, à New York, Vango lui avait fait rater Viktor. Et voici que ce garçon d'à peine vingt ans, qui ressemblait tellement à Vango, allait lui jouer le même tour.

– Tu sais compter jusqu'à mille ?

– Un, deux, trois, quatre…

– Tu vas compter jusqu'à mille sans bouger.

– Cinq, six…

– Arrête ! Tu vas compter quand je te le dirai.

Il le regarda.

– Si tu bouges, Hindi ne sera pas content. D'accord ?

Shift fit un hochement de tête.

– Remets-toi dans ta cachette et compte.

Le garçon obéit.

– Un, deux…

– Plus bas.

– Trois, quatre…

– Plus bas !

Là-haut dans le grand salon, le piano s'était arrêté.

Zefiro s'approcha de la fenêtre, il fit un bandage avec le tissu du rideau autour de son poing et cassa le carreau. Il attendit. Aucun mouvement particulier à côté. Un vent glacé entrait par le carreau brisé. La veille, les passagers avaient vu des morceaux d'iceberg se promener sur la mer. Zefiro cassa à nouveau trois carreaux. Puis il retira les baguettes qui les séparaient.

– Soixante-seize, soixante-dix-sept…, murmurait Shift rapidement derrière lui.

Zefiro coucha l'échelle en aluminium sur le sol devant la fenêtre. Il sortit son arme de sa ceinture, la garda dans sa main. Il se pencha par le trou aménagé dans la fenêtre. Le froid était très intense. Le ballon, malgré le vent, allait à cent kilomètres à l'heure. Zefiro avait glissé ses jambes dans l'échelle qui l'empêchait de tomber.

Il passa son corps dehors jusqu'à la taille. L'échelle était venue se coincer contre la fenêtre. Lentement, il se redressa pour aller regarder dans la cabine voisine. Le vent sifflait à ses oreilles.

D'abord, il ne remarqua personne à travers la vitre. Puis, se pliant un peu plus, il le vit, de dos, devant la glace. Où étaient les deux autres ? Zefiro eut envie de tirer sans attendre. Il n'avait pas approché Viktor de si près depuis longtemps. Mais il pensa à Esquirol et à Puppet qui risquaient leur vie eux aussi. À cet instant, sur la gauche, il découvrit le pied de l'un des deux gardes qui sortait d'une couverture sur la couchette. Il dormait. Il n'en manquait qu'un seul.

Dans le fumoir, Esquirol venait de s'approcher du second homme de Valpa.

— M. Valpa vous demande.

— Quoi ?

— M. Valpa, répéta Esquirol.

— Qu'est-ce qu'il a ?

— Votre collègue est venu me dire que M. Valpa réclame un verre d'eau.

L'homme le regarda un instant, incrédule, puis il se dirigea vers la porte. Il était une heure vingt-neuf. Esquirol jeta un coup d'œil à Puppet qui observait le charbon des nuages par la fenêtre.

– Ils annoncent du mauvais temps, disait-il à Max, le barman.

– Il y a la chienne de M. Späh qui hurle dans la cale. Il lui a donné les os du bœuf aux morilles d'hier, mais ça ne la calme pas.

– Elle n'aime pas l'orage, dit Puppet.

– Le capitaine Pruss dit qu'on restera à attendre au-dessus de la côte que ça passe.

Zefiro, toujours pendu à sa fenêtre, vit la porte de Valpa s'ouvrir. Le second de ses hommes entra avec un verre d'eau et dit quelque chose. Le padre n'entendait rien. Valpa referma la porte. Zefiro essayait de bouger ses doigts gelés. Il allait devoir tirer trois coups. Trois pressions de l'index sur la détente. L'autre garde s'était levé de sa couchette. Ils étaient tous les trois debout dans la cabine. Voloï Viktor tournait toujours le dos. Zefiro n'avait pas encore vu son visage. Il attendait. Le moteur ronflait à quelques dizaines de mètres devant lui.

Le temps qu'un des deux hommes passe devant Viktor, ce dernier se retourna et apparut dans la lumière électrique de la cabine.

Des larmes de glace étaient apparues autour des yeux de Zefiro.

Valpa regardait le verre d'eau qu'on venait de lui donner.

Mais ce n'était pas Voloï Viktor.

« Dorgelès ! » pensa Zefiro.

Vincent Valpa n'avait jamais été Voloï Viktor. Le bras

307

droit de Viktor avait pris sa place pour ce séjour en Europe. Ils s'étaient donc tous fait avoir. La méfiance animale de Viktor les avait encore trompés.

Zefiro pleurait dans le vent. Il sentait ses jambes perdre leurs forces. Il lâcha d'abord le pistolet qui s'enfonça dans l'abîme.

Il pensa se laisser tomber. Pour la seconde fois de sa vie, il criait silencieusement contre le ciel, contre Dieu. Il l'avait fait une fois à Verdun, pendant la guerre, quand dix hommes avaient été broyés à deux pas de lui. Il le faisait à nouveau à quatre cents mètres au-dessus de la mer, en voyant triompher le mal. Qui viendrait à l'aide ?

Alors, tout près de lui, une voix l'appela.

– C'est fini.

La tête de Shift était apparue entre les barreaux de l'échelle.

– J'ai tout compté. Jusqu'à mille.

Zefiro le regarda et dit :

– Tire sur mes jambes, mon garçon. Tire-moi à l'intérieur.

Esquirol et Puppet attendaient. Ils s'étaient assis à côté du piano que Kubis avait recouvert d'un tissu noir pour qu'on ne lui casse plus les oreilles. Ils guettaient tous les deux le bout du salon.

C'est Puppet qui le vit en premier.

– Regarde.

Esquirol retint son souffle.

L'homme qui approchait était le garde du corps de Vincent Valpa.

Il vint vers eux et les dévisagea l'un après l'autre. Puppet était en robe de chambre d'organza bleu. Esquirol portait un simple gilet en daim et un pantalon large.

– M. Valpa ne voulait pas de verre d'eau.

– Non ? dit Esquirol. Vous êtes sûr ?

– Pourquoi m'avoir demandé de lui apporter de l'eau ?

– J'avais cru qu'avec le temps sec… Vous sentez, l'orage ?

Le garde de Valpa renversa le verre et le brisa avec sa main sur le piano. Puis il leur tourna le dos.

Puppet et Esquirol allèrent s'enfermer dans leur cabine. Qu'avait-il pu arriver à Zefiro ?

Le lendemain, au petit déjeuner, le capitaine Pruss parla aux passagers :

– Nous allons repousser l'atterrissage de quelques heures. Il y a de l'orage au-dessus de Lakehurst et assez de carburant pour se promener un peu du côté des plages du New Jersey. Nous devrions arriver dans l'après-midi.

– Ma femme m'attend avec mes trois enfants, dit Joseph Späh.

– Elle sera prévenue.

– Qu'elle profite de ses derniers instants sans ce cabot, dit une dame qui n'avait pas dormi à cause des aboiements du chien de Späh.

Un homme expliqua qu'il espérait apercevoir sa maison qui était plus haut sur la côte.

– Nous essaierons, cher monsieur, si cela vous fait plaisir. Je vais vous envoyer l'officier de navigation.

Il y eut à peine un frémissement de lassitude dans le groupe. Ils avaient hâte d'arriver, mais le pain était chaud, le bacon faisait des bulles sous les œufs, une fumée délicieuse s'échappait des cafetières en argent. Il ne fallait pas se plaindre.

Seule Ethel fut terrassée par ce retard. Elle suivit Pruss dans l'escalier.

– Vous êtes sûr qu'on ne peut pas se poser maintenant ?

– Oui, mademoiselle. On vous attend, vous aussi ?

– Oui. C'est important.

– Vous voulez qu'on avertisse quelqu'un ?

– Non.

Elle vit, juste derrière elle, l'un des Norvégiens dont Puppet avait dit qu'ils étaient russes. C'était le grand barbu. Il ressemblait aux portraits de Raspoutine qu'on trouvait dans les livres. Elle avait l'impression qu'il ne la quittait pas d'une semelle.

Ethel entra dans sa cabine et claqua la porte. Elle s'allongea sur ses draps.

Dans le fond de la carcasse du zeppelin, deux silhouettes étaient recroquevillées. Zefiro et Shift se cachaient entre des ballons d'hydrogène.

– Qu'est-ce que tu vas faire après ? demanda Zefiro.

Shift ne répondit pas. Il n'avait même pas l'air de comprendre.

– J'aimerais bien flotter comme toi, dit Zefiro. Flotter. Moi, je nage à contre-courant. Je suis fatigué.

Mais quand il croisa enfin le regard de Shift, il comprit qu'il se trompait. La vie de Shift avait été une bataille autant que la sienne. Il n'était pas un bout d'écorce flottant dans le ruisseau. Il avait dû apprendre très tôt à nager.

– Si tu veux, je vais t'emmener chez moi.

Shift leva les yeux.

– Je vis avec des amis au milieu de la mer. J'ai des abeilles.

Shift fit un sourire. Et Zefiro se rappela encore les premiers jours de Vango dans le monastère invisible.

– Je t'emmène et on ne bougera plus.

Il sortit de sa poche une petite boule de soie bleue brodée de jaune, et l'enroula autour de son poignet. Le V de Vango apparut dans un repli sur le mouchoir.

– Et puis, écoute-moi, petit : un jour, je te présenterai un ami qui te ressemble un peu.

Lakehurst, deux heures plus tard, 6 mai 1937

Le dirigeable tournait lentement au-dessus de la foule.

En bordure du champ d'atterrissage, un hangar de bois gris s'étendait sur presque trente mètres de long. Le rez-de-chaussée était encombré de ferraille. En haut, on mettait le foin, quand on fauchait la prairie une ou deux fois par an. Mais comme les dirigeables ne mangent pas de foin, même l'hiver, le stock augmentait tous les ans. On ne savait plus quoi en faire. Les balles de foin s'entassaient jusqu'au toit.

Près d'une fenêtre, à l'étage, un espace avait pourtant été aménagé dans l'odeur de poussière et d'herbe sèche. Voloï Viktor observait le Hindenburg avec des jumelles. À côté de lui, un homme avait assemblé les différentes pièces d'une carabine à longue portée. Il avait ouvert sur le plancher un étui de contrebasse qui contenait tout un arsenal.

– Il faut regarder la dernière fenêtre sur le flanc droit. C'est là qu'ils afficheront le signal, expliqua un autre homme qui avait l'air d'un danseur de tango argentin.

Viktor baissa ses jumelles et se retourna vers lui avec

mépris. Il savait cela. Il demandait juste du silence. Voloï Viktor avait envoyé Dorgelès en Europe, sous le nom de Vincent Valpa, pour rapporter les preuves que la transaction était bien une affaire sérieuse. L'Irlandais voulait aussi ces preuves. Aux dernières nouvelles, Dorgelès avait reçu toutes les confirmations nécessaires pendant son voyage, mais il restait la rencontre avec Hugo Eckener, seule garantie valable à leurs yeux. Si le commandant Eckener avait bien reçu Valpa, Dorgelès devait mettre un voile blanc à la fenêtre de sa cabine. Si le voile était rouge, au contraire, ce serait pour prévenir qu'ils avaient la preuve que l'affaire était une manipulation.

Le tireur d'élite qui comptait ses cartouches à côté de lui était là pour cette hypothèse. Il avait plusieurs doigts cassés, mais un seul suffisait pour faire un massacre. En cas de voile rouge, Viktor ferait immédiatement abattre ce M. Puppet et son mystérieux collègue quand ils mettraient le pied sur la terre américaine.

Le Hindenburg continuait à descendre. Il avait fait une dernière large manœuvre. Il présentait maintenant vers eux son nez et sa cabine de pilotage. On allait enfin voir le côté droit du ballon.

– Alors ? demanda le danseur de tango.

Viktor ne quittait pas ses jumelles. Il savait qu'une déception lui coûterait quelques milliards, le plus beau contrat de sa vie. Un tissu rouge à la fenêtre appellerait aussi beaucoup de sang pour laver son honneur. Le tireur attendait à côté de lui. Le ballon tourna encore un peu.

– Blanc, dit Viktor. Blanc.

– Bravo, dit l'Argentin derrière lui. Tout est confirmé. Félicitations.

23

Ô l'humanité

Au même moment, à cinq cents mètres de là

– Ethel...

Le prénom bondissait de son cœur à ses lèvres. Vango courait vers le Hindenburg.

Son bateau l'avait déposé à New York deux jours plus tôt. Il s'était précipité dans la tour, grimpant par les échafaudages. Le chantier n'avait toujours pas repris. Vango trouva le repaire de Zefiro déserté, les grandes lettres d'acier à l'abandon. Plus personne n'y vivait depuis longtemps. Plus aucune trace du padre. Ethel avait-elle conduit l'ennemi à Zefiro ? Avait-elle été prise avec lui ?

Vango attendit là une nuit. Puis il traversa la rue, inconscient. Bravant le danger, il s'adressa à la réception du Sky Plaza.

– J'ai quelque chose pour Mme Victoria qui occupe la suite, au quatre-vingt-cinquième étage.

– Pardon ?

– Mme Victoria.

L'homme fouilla dans ses registres.

– Nous n'avons pas de cliente à ce nom. Nous n'en avons jamais eu.

– Quelqu'un a occupé le quatre-vingt-cinquième étage pendant plusieurs mois cet hiver. Je me trompe peut-être de nom. Vérifiez.

– Non, assura le réceptionniste, le quatre-vingt-cinquième étage est en travaux depuis trois ans. Il n'y a pas de chambres à cet étage.

– Je vous assure…

– S'il vous plaît. N'insistez pas. Allez-vous-en.

Vango était donc parti à travers la ville, au hasard.

Et puis, il avait trouvé un journal oublié sur un banc dans la gare centrale. À la dernière page, sur quelques lignes, on annonçait l'arrivée du Hindenburg près de New York. Vango avait levé les yeux vers l'horloge.

Ethel serait à bord. Il en était certain.

En courant dans la prairie vers le ballon, Vango avait l'impression d'avoir tendu un piège à Ethel. C'était à cause de lui qu'elle se trouvait là, suivie par des assassins, loin de chez elle. Quand il l'avait laissée seule, dans les blés de Lakehurst, près de dix ans plus tôt, après leur tour du monde en Graf Zeppelin, c'était justement pour la préserver de cette mort que Vango sentait sur son épaule à tout moment. Quand il l'avait abandonnée sur le quai de Southampton, c'était aussi parce qu'il tenait à elle plus que tout.

Un coupé Ford bicolore passa devant lui à toute vitesse. Les pneus dérapaient. Ils laissaient des ornières dans l'herbe mouillée.

Dans le dirigeable, Ethel gardait sa minuscule valise à ses pieds. Elle attendait devant la verrière du salon. Elle se penchait sur la vitre et voyait peu à peu la terre se rapprocher. Déjà, les gens paraissaient moins petits dans l'herbe. Elle pouvait voir des enfants. Elle distinguait même des plumes sur les chapeaux des dames ou, là-bas, une voiture noir et blanc approchant d'un hangar.

Le coupé Ford se gara devant la porte. Un homme en descendit et grimpa l'escalier, à l'extérieur de l'entrepôt.

Voloï Viktor regardait le tireur démonter son arme. Pour une fois, Viktor était content que cette arme ne serve pas. Il avait parfois douté de ce coup de poker à dix milliards qu'il faisait. Mais il commençait à y croire.

— Monsieur Viktor…

C'était l'accent argentin qui résonnait encore. Viktor se tourna brusquement pour le faire taire.

— Il y a quelqu'un pour vous, dit l'homme dont la chevelure brillait comme ses souliers pointus.

Viktor fit un quart de tour de plus et vit une silhouette qui venait d'apparaître entre les bottes de foin.

C'était l'Irlandais. Il frottait sa veste pleine d'herbe sèche.

Viktor fit un petit sourire qu'il n'aurait fait pour aucun autre homme au monde. Un petit sourire presque respectueux.

— Vos hommes m'ont laissé passer en bas, dit l'Irlandais. Ils ne sont pas très prudents.

— Ils connaissent mes amis comme je les connais.

L'Irlandais s'était approché de la fenêtre. Il regardait

315

le dirigeable qui était encore à cent cinquante mètres d'altitude.

– Vous avez une belle vue.

Viktor acquiesça.

– Quelles sont les nouvelles du bord ? ajouta l'Irlandais.

– Elles sont bonnes.

– C'est-à-dire ?

– Mes hommes ont pu tout confirmer en Europe. Le marché est propre.

– Ah, oui ?

– Je ne vous entraînerais pas dans un mauvais coup.

– C'est vrai ? Qui sont vos hommes à bord ?

– Dorgelès et deux autres. Dorgelès travaille avec moi depuis le début.

– Ça ne nous rajeunit pas.

L'Irlandais brossait toujours nerveusement sa veste avec sa main alors qu'il n'y avait plus un brin de foin dessus.

– Je peux m'en aller ? demanda le tireur qui avait refermé son étui à contrebasse.

– Non, dit doucement l'Irlandais avant que Viktor puisse répondre.

Voloï Viktor sursauta légèrement. L'Irlandais s'approchait de lui.

– Je peux vous demander un service ?

– Oui, dit Viktor.

– J'ai les mains sales à cause de cette étable à cochon. Vous pouvez sortir la photo qui est dans ma poche intérieure ? J'ai peur de tacher ma chemise.

Viktor approcha lentement sa main. Il la plongea dans la veste de l'Irlandais, fouilla un peu. Il était tout près de lui, légèrement mal à l'aise. Il n'avait jamais vu d'aussi près le foulard rouge que portait toujours l'Irlandais.

«Un cadeau d'un ami disparu», lui avait-il dit un jour.

Viktor fouilla encore. Il sentit un carré de papier dans la poche.

– Tenez, dit-il en sortant une photo.

– Non, regardez-la. Je vous dis que j'ai les mains sales.

Voloï Viktor se rapprocha de la fenêtre et observa la photo.

– C'est J. J. Puppet, dit-il tout de suite.

– Oui.

Les moteurs du Hindenburg bourdonnaient moins fort, mais il volait de plus en plus bas. Viktor regarda attentivement l'image.

Il comprit aussitôt.

Sur la photographie, Puppet avait ses gants de boxe autour du cou. Il était au milieu d'un champ de croix blanches. Le cimetière de Douaumont près de Verdun. Quinze mille tombes et dix fois plus de soldats inconnus. Il y avait une légende écrite en italique juste en dessous :

Le boxeur J. J. Puppet, champion du monde et combattant de la paix.

– Vous êtes sûr que vous connaissez vos amis ? demanda l'Irlandais.

Voloï Viktor resta silencieux. Il regardait maintenant par la fenêtre. Il venait de perdre une fortune, il allait aussi perdre son plus riche partenaire. Il fallait donner un signe fort et rapide. Il fallait renverser la situation.

317

– Prépare la carabine, dit-il.

Le tireur posa à nouveau sa contrebasse.

– Vous disiez que le marché était propre, reprocha l'Irlandais. Mais c'est un piège à rats. Et j'allais me faire prendre la patte, monsieur Viktor. À cause de vous. Comme un rat. Puppet est un habitué de ce genre de complot. C'est une vaste machination. Je ne sais pas le nom de l'autre, c'est un Français de la même espèce. Et votre Dorgelès est incompétent.

– Je réparerai, dit Viktor d'une voix blanche. Puppet, Dorgelès et tous les autres. J'en ferai un souvenir.

Et il se pencha pour prendre une balle tout en longueur dans le haut de l'étui du tireur d'élite. Il la lui tendit. L'Irlandais observait.

– C'est une balle incendiaire…, dit le tireur au doigt cassé.

– Chargez-la.

– Je n'en ai qu'une. Et je ne peux pas tuer un homme avec une balle comme celle-là.

– Je sais. Vous n'aurez qu'une seule balle à tirer.

Il se tourna vers le ballon qui venait de lâcher une demi-tonne d'eau pour ne pas descendre trop vite.

– Dépêchez-vous, dit-il.

– Mais…

Le tireur venait de comprendre.

– Nous avons trois hommes à bord. Il y a Dorgelès…

– Je ne connais pas ce Dorgelès, rétorqua Voloï Viktor en menaçant le tireur avec une arme qu'il avait sortie de sa poche. Faites ce que je vous dis.

L'Irlandais paraissait sensible à cet effort de rachat. Il

fit un sourire amusé et passa entre les meules de foin. Il ne devait pas rester dans le coin. Il descendit, reprit sa voiture et s'en alla.

Vango était maintenant au bord de la zone où allait se poser le Hindenburg. Des câbles venaient d'être jetés du zeppelin. Quelques gouttes d'eau tombaient. Un instant, il crut voir le visage d'Ethel à la fenêtre. Il essaya d'avancer un peu plus mais on le repoussa. Des hommes allaient attraper les amarres qui avaient touché le sol, mais le Hindenburg était encore à plusieurs dizaines de mètres.

Soudain, un scintillement éclaboussa l'arrière du zeppelin.

Des flammes. Un hurlement retentit dans la foule.

Vango ne savait même pas s'il criait aussi.

Il fallut quelques secondes pour que le ballon devienne une torche. À côté de lui un journaliste n'avait pas lâché son micro. Sa voix se brisait :

– De la fumée, des flammes et tout s'effondre ! Oui, tout s'effondre sur le sol ! Ô l'humanité !

Vango ne pensait qu'à Ethel au milieu de cet incendie. Le piège ! Il avait l'impression d'avoir allumé ces flammes. Ce champ de cendres qui le suivait depuis si longtemps. La proue du Hindenburg venait d'atteindre le sol à la verticale. Vango se mit à courir vers le feu alors que des dizaines d'ombres s'en écartaient. Tous ceux qui avaient voulu tirer les câbles pour le ramener vers le sol. La débâcle.

– Ethel !

Il put enfin entendre sa propre voix hurler dans le souffle des flammes.

– Ethel !

Il avait suffi d'une minute. Et tout était presque fini.

– Ethel !

L'hydrogène avait propagé le feu de manière foudroyante. Et pourtant, en s'approchant, il vit quelques fantômes sortir des flammes. Des survivants. Il y avait des survivants ! Vango recueillit le premier dans ses bras. Il était noir de fumée. Il le tira à l'écart, fit des signes pour qu'on vienne le prendre. Des silhouettes accoururent pour venir en aide aux rescapés.

De l'autre côté, non loin de là, un homme venait de sortir du brasier. La moitié de son corps était brûlée mais il ne sentait rien. Il portait dans ses bras un corps inanimé, méconnaissable. Il le posa dans l'herbe rase et s'écroula à côté de lui.

– Shift, dit Zefiro en secouant le corps.

Mais Shift ne vivait plus. Zefiro, en se laissant tomber, comprit que lui aussi avait peu de temps devant lui. Il sentait s'espacer les battements de sa douleur. Ses paupières ne bougeaient plus. Il crut pourtant voir un visage se pencher.

– Padre…

Vango était là.

Zefiro essayait de remuer les lèvres.

– C'est vous, padre ? demanda Vango.

Il se pencha encore plus.

– Vis… Va-t'en et vis, Vango. Laisse tout. Recommence.

– Padre…

– Oublie.

Zefiro fit un insensible sourire.

– Moi, je n'ai pas su le faire. Jure-le-moi. Abandonne les armes. Oublie.

Vango hésitait.

– Jure.

Il jura.

Et Zefiro leva le bras droit lentement. Vango vit son foulard bleu noué au poignet du padre.

– Prends-le, dit-il.

Vango obéit avec beaucoup de douceur. Il regarda le tissu dont seul un angle était calciné. Le noir s'arrêtait à l'étoile.

– C'est à toi. Mais tu vas le donner à ce petit qui te ressemble. Il aurait été content.

Il montra Shift.

– Fais-le, Vango. Cela te sauvera. Ils sauront tous que Vango est mort.

Zefiro ajouta :

– Et tu vivras.

Vango avait posé sa joue sur celle de Zefiro, et le padre lui parlait à l'oreille. Les larmes de Vango coulaient sur le visage de son ami.

– Va-t'en, souffla Zefiro, là où personne ne te connaît. Tu ne seras plus un danger pour personne.

L'Irlandais s'était arrêté à deux kilomètres dans la prairie, pour le plaisir, et il fumait devant ce spectacle, assis sur le capot de sa voiture, comme s'il regardait un coucher de soleil.

Ethel sortit des décombres pieds nus. Elle avait marché sur les braises, sorti un par un des flammes tout ce qui avait encore forme humaine autour d'elle. Elle était étrangement trempée au milieu de cette fournaise, à cause de la réserve d'eau qui lui avait sauvé la vie en explosant au-dessus d'elle au moment de l'incendie. C'était comme si elle s'était jetée dans les chutes Victoria en criant. Maintenant que les secours arrivaient, elle ne voulait qu'une chose : une voiture pour New York. C'était une question de vie ou de mort. Quelqu'un vit une brûlure profonde qui partait de son épaule droite. Des pompiers essayèrent de l'attraper, mais elle pensa à Vango et leur échappa. Elle repartit en courant vers la carcasse du Hindenburg, il y aurait peut-être une voiture de l'autre côté.

Quand elle vit le mouchoir bleu sur le corps brûlé, elle ne s'arrêta pas tout de suite. Elle essaya d'effacer cette vision. Elle courait.

Une voiture. New York. Cinquième Avenue. Trente-quatrième Rue. Il n'y avait que cela.

Mais elle se sentit ralentir, puis revenir sur ses pas. Très lentement.

Elle tomba à genoux à côté du corps sans visage. Muette, elle prit le mouchoir dans ses mains.

Vango la vit à ce moment-là de très loin. Il l'appela une fois mais elle n'entendit pas. Il se précipita. À vingt mètres, il s'arrêta.

Un homme regardait Ethel. Son manteau était brûlé. Il ne la quitta pas des yeux pendant plusieurs minutes. C'était un rescapé, celui qui ressemblait à Raspoutine. Il semblait très calme. Vlad le vautour buvait dans une petite bouteille en métal.

L'homme s'approcha encore un peu, jeta sa bouteille très loin de lui, près de Vango. Ethel était pétrifiée devant ce corps méconnaissable posé sur le sol.

– Vango…

Vango ramassa la bouteille dans l'herbe. Il reconnut l'ours gravé sur le goulot. Ils étaient toujours là. Il eut la certitude que seule sa mort pouvait tout arrêter. Ne plus être un danger pour personne.

Un groupe de sauveteurs s'était approché d'Ethel. Ils lui parlaient doucement. Elle ne se rendait même pas compte de leur présence. Elle tenait le mouchoir entre ses doigts. Ils la prirent par les bras. Elle commença à se débattre mais ils étaient quatre. Elle criait.

D'autres hommes emportaient les dépouilles de Zefiro et de Shift sur des brancards. On avait déjà compté vingt et un morts et douze disparus. Soixante-quatre survivants, ce qui était déjà miraculeux.

Vango suivit du regard Ethel dans le nuage de fumée. Elle répétait son nom.

Vlad le vautour se dirigea tranquillement vers les bâtiments. Il devait prévenir Moscou. Tout était fini.

Vango partit tout droit vers la prairie déserte.

Un homme arrêta les deux brancardiers qui portaient Zefiro.

– Je cherche mon frère, dit l'homme.

Il souleva le tissu qui couvrait le visage du padre.

– C'est lui ?

– Oui.

– Je suis désolé pour vous. Donnez-nous son nom. Cela aidera.

– Il s'appelait padre Zefiro.

Pour la première fois, Voloï Viktor prononçait ce nom avec plaisir.

Tandis que les charognards planaient sur les ruines du dernier zeppelin, Vango marchait dans l'herbe. Des éclairs zébraient le ciel vers le nord.

Il avait arraché sa chemise. Il abandonnait tout, jusqu'à son amour.

Il ne savait pas que son père, à la fin du siècle précédent, avait vécu cela. Une nouvelle naissance.

Mademoiselle le racontait dans la lettre qui attendait Vango, chez Basilio. Un matin, son père avait fendu les herbes. Ignoré du monde entier, il était reparti de zéro. Comme lui, Vango sentait dans son corps la faim et l'épouvante qui envahissent peut-être, nul ne le sait, les nouveau-nés.

« *Vango se mit à courir vers le feu alors que des dizaines d'ombres s'en écartaient.* »

Troisième partie

24
Saule Pleureur

Abbas Touman, Caucase, 10 juillet 1899

C'était un palais en bois dont les toits de couleur, les galeries et les clochers suspendus surgissaient entre les pins. Des collines couvertes de forêt l'entouraient. Ce palais de conte de fées semblait désert. On entendait les eaux basses de la rivière Otskhe chanter sur les galets et s'arrêter dans des recoins derrière les rochers. Il était neuf heures du matin. Dans l'herbe, la rosée s'était déjà évaporée. Le soleil allait frapper très fort.

Un homme regardait ce paysage depuis le bord du chemin. Il portait une veste très claire dans laquelle il flottait et le pantalon blanc des cavaliers uhlans. Derrière lui attendait une machine extraordinaire, le premier modèle de moto inventé par les ateliers de Dion-Bouton quelques mois auparavant, un tricycle à moteur de trois cents centimètres cubes.

L'homme l'avait fait venir de Paris par le train.

Il venait de vivre huit années dans cette vallée du Caucase. Il y était arrivé, malade, en 1891. La tuberculose s'était emparée de lui pendant un grand voyage à travers le monde qu'il faisait avec son frère. Ils étaient à Bombay quand il avait craché du sang pour la première fois. Il avait dû abandonner Nicky pour revenir au pays.

Et parmi les dizaines de palais que possédait sa famille, il avait choisi celui-ci pour vivre seul, gardé par quelques soldats. Les eaux de la région étaient censées le guérir. Elles n'y étaient pas parvenues.

Plus que jamais, à l'ombre des forêts, celui que sa sœur et sa mère appelaient Saule Pleureur était devenu une silhouette romantique, sauvage. Il était faible mais courait la campagne jusqu'au soir. Il était solitaire mais organisait parfois des fêtes où toute la région arrivait costumée. On dansait, on se baignait dans la rivière avant le lever du soleil. Saule Pleureur dormait souvent dans les montagnes, observait les étoiles. Il vivait loin de la capitale et il avait fait broder sur un mouchoir qu'il ne sortait jamais de sa poche une phrase trouvée dans un livre qu'il aimait, les *Pensées* de Pascal :

Combien de royaumes nous ignorent.

Tout était dans ces mots que Pascal avait écrits en pensant à la modestie de l'homme dans l'univers, mais que Saule Pleureur appliquait surtout au rêve de sa vie : vivre à l'écart du monde.

Aucun royaume, pourtant, ne l'ignorait vraiment. Des rumeurs couraient sur lui à tout moment. On l'avait dit mort plusieurs fois. Il y avait même eu un article dans le *New York Times* qui annonçait sa disparition. On lui avait imaginé une maîtresse parmi les princesses du Caucase. On lui inventait des enfants cachés, des mariages secrets. Ce jeune homme de vingt-huit ans, malade et solitaire, était le sujet de toutes les légendes.

Sa mère, Maria, l'aimait plus que tous ses autres enfants. Elle arrivait parfois de Saint-Pétersbourg sans prévenir. Il faisait semblant d'être sage et bien portant, restait avec elle trois jours sur la terrasse en bois, à boire du thé tiède. Il se cachait pour tousser dans un oreiller. Et quand Maria Fiodorovna, qui faisait plus jeune que lui, disparaissait dans sa voiture au bout du pont sur la rivière, il lui envoyait des baisers avec sa main trop fine. Il croyait toujours que c'était la dernière fois. Et puis, il restait là à écouter un oiseau, à regarder les truites, quand c'était l'été, ou, l'hiver, à voir s'effondrer la neige du haut des sapins.

Mais ce matin du 10 juillet 1899, les adieux à cette vallée du Caucase se voulaient définitifs. Le lieutenant Boissman, qui gardait l'entrée, l'avait laissé passer sur sa moto malgré les recommandations de la famille et des médecins. L'officier lui avait seulement parlé de l'ours.

– Quelqu'un l'a vu plus haut, sur la rivière. Prenez mon arme.

Saule Pleureur avait refusé en souriant.

Quelques instants plus tard, il arrêta donc le moteur en surplomb du palais, sur un chemin couvert d'aiguilles de pin. Après quelques minutes passées à contempler ce monde qu'il quittait, il reprit sa moto et roula à toute vitesse vers l'ouest. Son ombre le devançait légèrement. Le vacarme de la machine était assourdissant. Il doubla une voiture à cheval qui transportait du lait dans des pots. La moto filait. Il avait accroché un bidon de dix litres de carburant à l'arrière. Il voulait rouler jusqu'à la mer Noire, la longer jusqu'à Constantinople. Il avait fait venir un bateau là-bas, en secret. Il voulait disparaître.

Après deux kilomètres seulement, il ralentit, s'arrêta. Il sentait un liquide épais dans sa bouche. Quand il voulut cracher, sa veste blanche fut éclaboussée de sang. Il coupa le moteur près d'un fossé, se plia en deux pour tousser.

Il remonta péniblement sur la moto. La voiture chargée de lait arrivait au pas derrière lui. Il savait qu'il n'avait plus beaucoup de jours à vivre, mais il désirait mourir seul, sur la mer. Il avait tout organisé pour cela. Il ne voulait pas disparaître dans ce fossé, au milieu des montagnes. Il lui fallait quelques semaines de liberté, les seules de toute sa vie, loin des regards.

La moto avançait au ralenti. Elle fit même une boucle et revint en arrière. La femme qui conduisait la voiture à cheval vit le jeune homme vaciller d'un côté puis de l'autre, accroché à son guidon. Le moteur s'arrêta. La laitière descendit. Elle l'avait reconnu quand il l'avait doublée et qu'il lui avait envoyé un sourire, quelques minutes plus tôt. Elle ne savait pas si elle avait le droit de s'approcher. Mais elle arriva juste à temps pour le sentir tomber dans ses bras. Il était couvert de sang.

– Qu'est-ce que je dois faire, Monseigneur ?

– Rien, répondit-il. Rien.

Mais son visage pâlissait et ses mains n'avaient plus de force. La fermière l'allongea sur le sol, terrorisée. Elle retourna vers sa voiture pour prendre un récipient plein d'eau. Elle voulut le faire boire. Il gardait les dents serrées. Elle lui nettoya finalement le visage. Il perdait connaissance.

Du fond de son étourdissement, il l'entendit pourtant gémir :

– Il est mort. Le tsarévitch est mort.

Et elle le laissa seul pour aller annoncer la nouvelle. Elle abandonna aussi la charrette et le cheval.

Une demi-heure plus tard, vingt soldats de la garde du palais revinrent avec le lieutenant Boissman. Ils découvrirent le tricycle à moteur, la charrette et les traces de sang sur le sol. Le corps du tsarévitch avait disparu. La laitière pleurait de plus en plus.

– Il est mort dans mes bras !

Le cheval n'était plus là non plus. Il avait arraché ses attaches.

Boissman était penché sur des traces. La terre avait été retournée et les fougères étaient écrasées au bord du chemin.

Le lieutenant pensa à l'ours.

Quand il avait rouvert les yeux, Georges ne sentait plus le goût du sang. Il respirait tranquillement. En entendant les mots de la laitière, il avait éprouvé un soulagement profond. « Le tsarévitch est mort. » Une paix digne de l'au-delà. Ses poumons le brûlaient encore, mais il était vivant. Il n'était plus le même.

Depuis cinq ans, son frère aîné, Nicky, était devenu Nicolas II, tsar de toutes les Russies. C'est à ce moment-là que la maladie avait empiré. Saule Pleureur n'avait même pas pu aller à l'enterrement de son père. À partir de ce jour, il était devenu tsarévitch, prince héritier, le prochain sur la liste, car Nicolas II n'avait pas encore de fils.

Georges le Saule Pleureur pouvait donc à tout moment succéder à son frère.

Depuis ce temps, il était donc hanté par ses envies de départ, de fuite ou de mort. La tuberculose avait redoublé d'ardeur. La couronne était au-dessus de lui comme une menace. Il ne demandait rien d'autre que regarder les étoiles et s'allonger sur la terre de bruyère. Il ne voulait pas être empereur.

« Le tsarévitch est mort. » Ces mots lui avaient redonné vie. Il pensait au bateau de son grand-père Alexandre. Ce bateau s'appelait *Tsarevna* : petite princesse. Il l'attendait sur le Bosphore, tout juste sauvé de la casse où on devait le détruire.

Il pensa à sa liberté d'homme mort et se remit sur ses pieds.

Georges tenait juste debout. Il regarda la moto couchée sur le chemin. La femme n'était pas encore revenue avec les gardes du palais. Il s'avança vers le cheval, le détacha de l'attelage. Il lui parlait doucement. Trop faible pour grimper sur son dos, il le fit lentement s'agenouiller, comme un cheval de cirque, et se hissa sur son dos. La bête se releva. C'était un cheval de trait qui n'avait jamais été monté. Il se cabra, voulut éjecter son cavalier. Saule Pleureur continuait à lui parler, les bras autour de l'encolure. Il lui donna un coup de talon. Et ils prirent ensemble au galop le chemin de l'ouest.

Personne ne se souvint avoir vu passer ce cavalier couché sur son cheval. Il ne s'arrêta pas pendant plus de cent kilomètres. La robe de l'animal était tachée de sang. Saule Pleureur ne se rendit compte de rien. Il traversait les forêts de Géorgie.

Il glissa dans le sable à Chakva, au bord de la mer Noire, en pleine nuit. Le bruit de la mer était très doux.

Une petite fille le découvrit le lendemain matin. Elle parlait russe avec un accent. Elle resta agenouillée à lui chanter des airs, pendant que son frère partait chercher les adultes. Saule Pleureur la regardait sans tousser. Il n'en avait plus la force. Il voyait des bambous immenses au-dessus d'elle.

Des femmes arrivèrent enfin. Elles allaient travailler dans les champs de thé qui couvraient les collines. Elles virent tout de suite que Georges était à l'agonie. C'étaient des familles venues d'Anatolie qui vivaient là, à Chakva, sur la rive orientale de la mer Noire. La mère de la petite fille l'installa dans leur maison au milieu des bambous. Ils parlaient tous le grec entre eux. Saule Pleureur se leva plusieurs fois pour partir, mais il ne put jamais aller plus loin que la porte. Il crachait dans une bassine que la petite fille allait rincer dix fois par jour.

C'était la fin, il le savait.

Il avait rêvé de mourir sur les flots, tout seul avec les mouettes. Mais il faudrait se contenter d'une simple vue sur la mer entre les bambous. Et d'une fille de huit ans à la place des oiseaux.

Cette partie du Caucase avait un climat presque tropical. La plantation de thé était magnifiquement tenue. Elle était dirigée par un Chinois, M. Lau, qui avait quitté son pays pour créer l'une des premières plantations de Russie. Il portait toujours sur lui la médaille que lui avait remise un ministre du tsar pour ses services à l'empire.

M. Lau vint voir le malade dont lui avaient parlé ses ouvrières.

– Il meurt, dit une femme en soulevant le rideau derrière lequel était le jeune homme.

– Non, répondit-il. Il ne meurt pas encore. Il mourra demain.

À côté de lui, la petite fille frémit.

Il regarda Georges, lui ouvrit les yeux avec les doigts. Il déchira la chemise du malade et posa sa main sur son cœur. Et il s'en alla. La petite sortit aussi à sa suite.

Le soir, elle revint avec un sac de toile dans lequel des petits carrés de papier avaient été pliés. Elle les ouvrit un à un devant elle. Ils étaient pleins d'une poudre fine. C'étaient les remèdes de M. Lau.

Le premier sachet était composé d'un mélange d'indigo, de poudre d'os et de fleur de gardénia. Le second mélangeait des racines de mûrier et de réglisse à de la poudre de riz pilé.

La petite fille fit bouillir quelques pincées de ces poudres. L'eau devenait obscure.

Le lendemain, Georges était encore en vie. Le surlendemain aussi. Et, après une semaine, il voulut s'asseoir sur les marches, regarder le sous-bois de bambous. Puis il put aller observer le travail dans les champs de thé. On se demandait ce qu'il faisait toujours là.

Il se pinçait au réveil pour savoir s'il était vivant.

Il parlait un peu le grec et la plupart des langues d'Europe. Il faisait rire les ouvrières en demandant pourquoi, dans cette plantation, seuls les femmes et les enfants travaillaient.

– Et vous ? demandaient-elles.

Il haussait les épaules.

– Je suis en convalescence, mesdames.

336

En réalité, il n'avait jamais pensé à travailler. Son seul travail avait été de naître puis, chaque matin de sa vie, de supporter cette naissance.

Un matin, il alla regarder la maison de M. Lau. Georges se cachait entre les arbres. C'était une belle demeure blanche sur la mer. Un jour, il demanderait à ce Chinois le secret de ses pouvoirs. Saule Pleureur était-il en train de guérir ? Il entendit un bruit.

M. Lau se tenait derrière lui, courbé en deux, la tête à la hauteur des genoux, avec, comme une offrande entre ses mains, une petite boîte rouge.

– Prenez cela encore cinquante jours.

Quand Georges fit un pas vers lui, M. Lau mit les deux genoux à terre, les yeux toujours baissés. Il mit la boîte sur le sol. Elle était posée sur une feuille imprimée pliée en quatre.

– Encore cinquante jours.

Georges voulut le relever. M. Lau écrasa son front dans l'herbe, toujours plus bas. Puis il se déplia et recula lentement en balançant la tête. Il disparut entre les arbres.

Georges ramassa le coffret rouge. Il l'ouvrit et découvrit les mêmes remèdes que ceux qu'il prenait. Puis il déplia le papier imprimé. C'était la première page d'un journal de Moscou.

L'image représentait un cercueil recouvert de fleurs au milieu de la cathédrale de Saint-Pétersbourg. Une large bordure couleur de deuil entourait l'article qui remplissait toute la page. Les seuls mots imprimés disaient : « Georges Alexandrovitch Romanov est mort. »

M. Lau l'avait donc identifié.

Saule Pleureur ne repassa même pas par la maison dans les bambous. Il partit sans dire un mot à personne.

Pieds nus, un lourd panier sous le bras, la petite fille, qui s'appelait Hélène, le regarda marcher vers la mer.

25
Nell

Le navire était arrêté à deux cents mètres du rivage, tout illuminé de flambeaux. Il avait jeté l'ancre. Sur la plage, des dizaines d'ombres le regardaient se refléter dans l'eau. Certains s'étaient assis sur le sable, d'autres avaient de l'eau jusqu'aux cuisses. Aucun n'osait parler. Il n'y avait ni lune ni étoiles, seulement cette chaloupe incandescente sur la mer.

— Je t'avais dit, murmura une jeune fille, essoufflée.

— Il vient d'arriver ?

— Il y a deux heures. Il faisait encore jour. On voyait un drapeau que je ne connais pas à l'arrière. C'est peut-être le sultan de Constantinople qui est en fuite.

— Ne dis pas n'importe quoi, Rheia.

— C'est la guerre, de l'autre côté…

— Regarde !

Rheia crut que sa sœur montrait du doigt les éclairs de la guerre sur une rive invisible, tout là-bas. Mais elle désignait l'arrière du navire. On venait de jeter à l'eau un canot. Ce

339

qui fit onduler le reflet lumineux. Deux hommes embarquèrent avec une lampe et ramèrent vers la plage.

— Viens, Rheia.

Elles s'approchèrent toutes les deux de l'endroit où la barque allait échouer. Les autres spectateurs s'éloignaient, craintifs. L'un des marins mit les pieds dans l'eau et attrapa la lampe à l'avant. Il la souleva. La flamme éclaira d'abord le visage de Rheia. Elle avait treize ans. Intimidée, elle portait les yeux vers celle qui était avec elle, comme si Rheia voulait ne pas être là et que les regards glissent plutôt vers sa sœur. Celle-ci était plus âgée, avec des cheveux jusqu'aux hanches. Elle avait au moins vingt ans. On voyait à peine son visage. Elle portait sa main devant ses yeux pour ne pas être éblouie par la lampe.

— Je cherche M. Lau Dzhen Dzhau, dit le marin.

— Vous pouvez parler grec. Vous êtes grec ? dit la jeune femme.

— Je cherche M. Lau.

Même en grec, il avait une manière étrange de parler.

— Il dort sûrement, répondit-elle. Il vit dans la maison là-bas. C'est le chef de notre plantation.

— Je dois le conduire à bord.

— Pourquoi ?

— Pour boire le thé avec mon maître.

— M. Lau possède assez de thé pour faire infuser la mer Noire, dit-elle.

La jeune femme hésita, regarda les lumières du bateau, elle ajouta :

— Ma petite sœur va vous accompagner dans la maison de M. Lau.

Rheia emmena le visiteur.

L'autre marin resta dans la barque. Il avait rangé les rames. Des petits rouleaux se brisaient sur la coque. La jeune femme s'était assise sur les cailloux gris. Elle observait les trois mâts reliés par des guirlandes de lumière, la silhouette du bateau. Cinquante mètres d'or fin. À qui appartenait-il ? Elle croyait entendre de la musique à bord.

– C'est un prince ? demanda-t-elle.

Le marin fit un sourire. Il fumait du tabac d'Argos.

– Peut-être. Je ne sais pas. Et pourtant, je navigue avec cet homme depuis dix ans.

– Il a une famille ?

– Non.

M. Lau arriva par la plage. Il avait dû s'habiller trop vite. Il portait de travers sa médaille de l'ordre de Saint-Stanislas. Rheia vint s'asseoir sur le sable à côté de sa sœur. Tous les curieux étaient partis. Il ne restait qu'un chien fouillant les algues. M. Lau s'installa à l'arrière de la barque. Il était troublé. Les deux marins grimpèrent aussi et s'éloignèrent vers le large à grands coups de rames.

– Rentre, Rheia.

– Moi ?

La plage était déserte.

– Va te coucher.

– Et toi ?

Elle regardait intensément la lumière sur la mer. Quand la barque fut invisible juste derrière le navire, la jeune femme se leva, fit quelques pas vers l'eau. Elle relevait sa jupe pour la nouer autour de sa taille.

– Va te coucher, Rheia.

– Qu'est-ce que tu fais, toi ?

Elle vit sa grande sœur continuer à avancer. Les pieds, les genoux, la taille disparurent sous l'eau. Puis, sans même troubler la surface de la mer, elle plongea. Elle réapparut plus loin. Elle nageait. Elle se tourna vers Rheia, lui fit encore signe de s'en aller. Elle plongea à nouveau. Et elle disparut tout entière dans la nuit liquide.

Rheia s'enfuit vers les arbres.

M. Lau était assis par terre. Il tenait sa tasse dans sa main droite.

Saule Pleureur était à l'autre bout du tapis. Il se servait avec la large théière. Il portait une couverture rouge sur les épaules.

– Je suis désolé, dit-il, de vous avoir dérangé en pleine nuit.

Des bougies diffusaient une odeur de chapelle dans la longue cabine du bateau. Lau inclina la tête avec respect.

– Je voulais attendre demain. Mais il y a des combats sur la mer vers l'ouest. Je dois repartir pour ne pas être piégé.

Le Chinois salua encore de la tête.

– Je venais vous remercier, dit l'autre. Je suis parti sans vous dire merci de m'avoir soigné.

M. Lau ouvrit la bouche pour parler mais il se tut.

– Je sais ce que vous alliez dire, reprit Georges. Vous pensez que c'est la première fois qu'un mort vient remercier son médecin.

Lau acquiesça. Il y eut un long silence. Cette fois, le Chinois osa dire :

– Le journal a écrit que votre mère a beaucoup souffert du chagrin.

– Je n'avais pas l'intention de vivre. Je voulais mourir. Ce n'est pas ma faute.

– C'est la mienne, alors, Votre Majesté.

– Ne m'appelez pas comme cela.

Lau n'avait pas encore goûté le thé. Il le respirait.

– Il faudra peut-être vous montrer à votre mère, un jour, dit M. Lau.

– Je ne manque plus à personne.

– À votre mère seulement…

– Taisez-vous.

Georges regardait fixement une bougie. Le bateau se balançait.

– Vous venez aussi pour savoir si je n'ai pas parlé, reprit le Chinois.

Il trempa les lèvres pour la première fois dans le thé.

– C'est du thé de Turquie, dit-il.

– Oui.

– Je n'ai pas parlé, continua M. Lau. Je n'ai parlé à personne. Je me méfie. Mon marchand de thé répète souvent quelque chose, un proverbe de chez lui : *Tu dis ton secret à ton ami, mais ton ami a un ami aussi.*

Saule Pleureur hochait la tête. Une mèche de bougie grésilla en se noyant dans la cire.

– J'irai peut-être voir ma mère, dit-il.

– Promettez-le-moi.

Georges avait appris que sa mère n'était pas restée jusqu'au bout de la cérémonie. Elle était sortie de la cathédrale, ravagée. Après son départ de son palais d'Abbas Touman, Saule Pleureur avait tout de suite deviné que personne ne parlerait de la disparition de son corps.

C'était assez de malédictions sur la famille. Georges Alexandrovitch de Russie était mort. Cela suffisait. On enterra un cercueil sans corps mais rempli de ses livres.

– Moi, j'ai quitté mon pays, expliqua le Chinois, et je n'ai pas revu ma mère.

Saule Pleureur regarda M. Lau qui souriait. Seuls de petits alizés, effleurant la surface du thé dans la tasse, trahissaient son émotion.

– Et ma mère est morte, dit Lau.

Quelqu'un poussa la porte vitrée qui donnait sur le pont.

– J'ai demandé que personne n'entre ! gronda Georges.

Le marin se retira d'un pas.

– Je vous prie de m'excuser.

– Sors.

– On a repêché quelque chose à l'arrière.

Il était pâle.

– Je t'ai dit de sortir.

– Je…

– Va-t'en !

Défiant son maître, le marin osa s'approcher et lui souffler un mot à l'oreille. Georges demeura interdit. La couverture rouge glissa de ses épaules.

L'équipage du bateau était de Chypre. Sur toutes les mers de la région, du plus lointain de l'Antiquité, les pêcheurs avaient le rêve secret de tirer un jour de leurs filets une créature fantastique. Et le marin venait de dire en grec le mot magique, Leucosia, la fille blanche, le nom d'une des trois sirènes.

Georges se leva. Peut-être avait-il cherché une fée ou une sirène, lui aussi, pendant ces quinze ans d'odyssée ? Il avait fouillé tous les gouffres et les rochers de la Méditerranée jusqu'à Gibraltar. Mais il n'y avait toujours pas de femme à côté de lui.

Il passa sur le pont et se dirigea vers l'arrière. On remarquait un attroupement près du gouvernail. Deux lampes s'agitaient au-dessus d'eux. Les marins entouraient un être dont l'air coupable, les poings serrés, les cheveux et la jupe trempés rappelaient plus un petit chat bouilli qu'une sirène. Elle se cachait sous ses cheveux. Personne n'osait s'en approcher.

Georges hésitait à poser sur elle la couverture. Il se pencha légèrement. La sirène avait aussi deux pieds nus à la place de la queue.

M. Lau avait suivi. Il écarta les marins, regarda la scène, debout à côté de Georges. Puis il appela :

– Hélène ?

Un visage dégoulinant apparut entre les mèches. Deux yeux trouvèrent ceux de Saule Pleureur. Elle avait beaucoup changé mais ils se reconnurent. Le tuberculeux et la petite fille de Chakva.

– Qu'est-ce que tu fais là, Nell ? demanda M. Lau.

Mais il n'y eut pas de réponse.

Malgré la guerre qui menaçait, le navire resta dix jours dans la baie. Et quand il s'en alla, un matin froid, beaucoup pleurèrent sur la plage. Nell s'éloignait avec Saule Pleureur. Le mariage avait eu lieu dans la nuit. Le prêtre avait posé sur leurs têtes la couronne des mariés orthodoxes. Ce poids sur sa tête fit frissonner Georges.

À l'aube, sur le rivage, la mère de Nell l'embrassa.

M. Lau tenait au-dessus d'elles un parapluie noir ouvert. Le sable se soulevait.

La petite Rheia s'était cachée dans les bambous. Elle était tout en haut d'un chaume, au milieu des feuilles et du vent. Elle regardait comme des funérailles le rassemblement sur la plage.

Nell oublia de la chercher pour l'embrasser.

Georges marqua l'avant du bateau d'une belle étoile d'or.

Les voiles se gonflèrent. Ils avaient promis de revenir mais, l'été suivant, les détroits qui menaient à la mer Noire se refermèrent dans un bruit sinistre. La guerre éclata sur les Dardanelles et le Bosphore.

Le bateau et sa nouvelle étoile ne retournèrent jamais à Chakva.

Un jour, pourtant, malgré les soldats et les cuirassés qui rôdaient dans la région, le bateau était venu mouiller au large de Constantinople. Georges avait confié Nell à la garde de son équipage. C'était en 1915. Elle attendait un enfant d'une semaine à l'autre. Il lui jura de revenir avant la naissance. Pour la première fois, Saule Pleureur était retourné à Saint-Pétersbourg.

Il vit sa mère sur un pont, derrière le palais Anichkov. Il tenait la promesse faite à M. Lau. Cela ne dura pas plus d'un instant. Il lui avait donné rendez-vous par une lettre sur laquelle était reproduit à main levée le motif de son mouchoir bleu pour prouver que c'était bien lui. On pouvait lire le refrain de sa jeunesse, «Combien de royaumes nous ignorent», écrit en français, et, brodée en or, la signature qu'il s'était inventée quand il avait quinze ans en la gravant sur un arbre.

Le mot ROMANOV, le nom de sa dynastie, était écrit en lettres latines. Mais le V était redoublé, séparé des autres lettres, une ligne en dessous.

ROMANO
W

W comme *weeping willow*, Saule Pleureur, ce surnom qu'on avait commencé à lui donner quand son professeur d'anglais, Mr Heath, lui avait appris à pêcher à la mouche. Georges était devenu solitaire et sombre, passant, au bord de l'eau, des journées complètes sous les saules.

Sa sœur Xenia disait qu'il allait prendre racine comme les piquets de saule qu'on plante sur les rives et qui verdissent aussitôt.

Dans la lettre écrite à sa mère, il racontait ce qui lui était arrivé, sa guérison, sa nouvelle vie. «Chère maman, je suis en vie, je sais que vous ne m'oubliez pas.» Si elle voulait le voir, pour être certaine que c'était lui, elle n'avait qu'à passer en voiture à cinq heures. Il serait au pied d'un des chevaux sculptés sur la pile du pont. Elle ne devrait pas s'arrêter.

Il annonçait aussi qu'il allait avoir un enfant.

Georges, debout sous la pluie, entendit d'abord les sabots des chevaux. Puis il regarda passer la voiture aux vitres embuées.

En s'arrêtant à Moscou, il trouva Mademoiselle dans une gare. Il vit ses yeux rouges, sa valise, sa silhouette droite, il entendit son accent français. Il la suivit discrètement jusqu'au bureau de poste et lui proposa de l'engager. Il cherchait une nourrice pour son enfant. Il était sûr que ce serait une fille.

Mais ce fut un prince. Vango. Un prince sans royaume.

La lettre que Georges avait écrite à sa mère resta d'abord avec elle. Mais quand la révolution éclata en Russie deux ans plus tard, elle fut trouvée dans un des palais désertés.

Dans le bateau, assis sur le pont couvert de tapis, en écoutant chanter Nell, Saule Pleureur avait soigneusement retiré sur le mouchoir, avec son poignard, le fil d'or du second V. Un seul restait désormais : le V de Vango, son fils.

ROMANO
V

Il était dix heures, ce soir-là, Mademoiselle versait des brocs d'eau chaude dans une bassine en cuivre. Vango vivait dans les bras de sa mère. Depuis plusieurs jours, le bateau était très loin de la guerre. Saule Pleureur plia le carré de soie bleue. Il ignorait qu'un jour cette signature sur ce mouchoir désignerait son fils et le livrerait à ses ennemis.

On voyait tourner le premier phare de la Crète. Il aurait suffi d'un coup de vent pour que le mouchoir échappe aux mains de Saule Pleureur, qu'il disparaisse dans la mer, et que le destin de Vango soit changé.

Les cinq pages écrites par Mademoiselle à l'intention de Vango et qui ne lui étaient jamais parvenues racontaient bien plus que cela et de manière plus simple et plus forte.

Elles parlaient aussi d'un trésor que la mère du tsar fit mettre à l'abri dans le bateau de Saule Pleureur quand la grande révolution débuta. Mademoiselle décrivait le petit port de pêche où l'on chargea une nuit un tonneau cadenassé avec le sceau des tsars.

Le docteur Basilio lut et relut ces pages pendant de longues années. Quand il avait ouvert la lettre, il y a bien longtemps, il avait même acheté un dictionnaire de russe, qu'il laissait dans la maison abandonnée de Mademoiselle, à Pollara, pour vérifier certains mots traduits par le bagnard de Lipari.

On trouvait enfin dans ces pages un petit paragraphe sur la jeunesse de Mademoiselle à Paris avec même une ancienne adresse qui faisait rêver Basilio. C'était l'adresse précise d'un lieu où elle avait travaillé avant de partir pour la Russie en 1914. Quand Vango viendrait-il chercher cette lettre de Mademoiselle qui remplissait les blancs de sa vie ?

Pour Basilio, beaucoup de phrases adressées à Vango restaient incompréhensibles et poétiques.

Tu vois, en fait, je me souviens de tout. Et l'étoile que j'ai brodée sur ton mouchoir bleu, c'est l'endroit précis du naufrage sur le grand V de nos îles.

Ces mots ne voulaient sûrement rien dire, même si les îles Éoliennes dessinaient bien un V sur la mer. Le traducteur avait dû se tromper. Mais Basilio aimait ce poème qu'il prenait entièrement pour lui.

26
Capitale du silence

Il était neuf heures du matin mais il faisait nuit noire. Depuis deux ans, les horloges de Paris avaient été avancées pour être à la même heure que Berlin.

Deux hommes remontaient les Champs-Élysées à pied. Le premier s'appelait Augustin Avignon. Il portait une écharpe en laine noire et un chapeau enfoncé sur le crâne afin de protéger ses oreilles du froid mordant. Il était suivi d'un jeune homme qui tenait entre ses bras une lourde serviette. Avignon lui parlait sans cesse, donnant des ordres courts, comme pour entendre le plus souvent possible la réponse du garçon :

– Oui, commissaire.

Avignon était commissaire depuis neuf mois. Il ne s'y habituait pas.

– Il s'appelle bien Max Gründ ?

– Oui, commissaire.

– Vous me trouverez son grade.

– Oui, commissaire.

350

– Je ne l'ai jamais appelé que monsieur. J'ai l'air d'un imbécile.

– Oui, commissaire.

– Comment ?

– Pardon, commissaire. Les Allemands installent des nouveaux bureaux tous les jours. On s'y perd.

La ville était noire. Les lampadaires de l'avenue restaient éteints. Ils croisèrent des hommes qui poussaient une carriole remplie de bois.

– C'est un peu plus haut ?

– À cent mètres, commissaire.

– Vous allez entendre comment je vais lui parler. Ça va barder.

– Je vous comprends, commissaire.

– Alors, vous prenez des vacances, Mouchet ?

– Jusqu'à Noël.

– Pour quoi faire ?

– C'est ma femme qui veut aller voir sa famille à Nice.

– À partir de quand, ces vacances, Mouchet ?

– À partir d'hier.

– Parfait.

En s'écoutant parler, Avignon espérait toujours reconnaître les intonations du grand Boulard. Il l'imitait comme il pouvait, cherchant à se hisser au-dessus de lui-même. Un peu plus fort, un peu plus rude, un peu plus généreux qu'il n'était. Mais il tombait souvent à côté.

– Vous saluerez votre femme. C'est Monique ?

– Non, Élise.

– Lise, oui, bien sûr.

– Élise, commissaire.

– Ne chicanez pas, Mouchet. Et un joyeux Noël aux enfants.

– Oui, commissaire.

Mouchet n'avait pas d'enfants. Avignon l'avait choisi comme adjoint parce qu'il était jeune et n'avait jamais connu Boulard. Avec un peu de chance, la copie lui paraîtrait moins pâle.

– C'est ici, dit Mouchet.

– On dira ce qu'on veut, ils ont bon goût, commenta Avignon.

Ils s'étaient arrêtés devant une grille. Le drapeau nazi pendait au balcon d'un bel hôtel particulier, au fond d'une cour. La France avait perdu la guerre et l'Allemagne occupait le pays.

Ils montrèrent leurs papiers à un soldat qui gardait la porte.

– Commissaire Avignon, pour Max Gründ.

Ils traversèrent la cour, passèrent dans le hall d'entrée, se présentèrent à une femme. Elle leur demanda d'attendre et grimpa les escaliers. Il faisait délicieusement chaud. Des hommes circulaient entre les portes avec des dossiers. Un autre réparait un des carreaux de la porte vitrée. La Gestapo venait de réquisitionner ces locaux magnifiques. Mouchet s'installa sur une banquette. Avignon restait debout. Il s'approcha d'un grand cadre appuyé contre le mur et recouvert d'un drap.

Il souleva un peu le drap. On voyait, peint sur la toile, un homme debout dans un salon, une peau de lion à ses pieds. Cet homme regardait sa montre à gousset.

– Ça vous intéresse ?

Max Gründ l'interpellait depuis le haut des marches. Mouchet se leva de la banquette. Avignon continuait à regarder, il demanda :

– C'est vous, sur le tableau ?

Gründ ne répondit pas. Il fit sèchement signe au commissaire de monter. Mouchet voulut le suivre.

– Attendez-moi ici, murmura Avignon en prenant deux documents dans la mallette en cuir.

– J'ai aussi les procès-verbaux. Et les autres photos.

– Bon. Venez avec moi.

Mouchet s'empressa. Ils grimpèrent les marches pendant que Gründ aboyait sur un déménageur qui venait d'apparaître à une porte, près du tableau. Mouchet comprenait parfaitement l'allemand. Max Gründ venait d'exiger qu'on le débarrasse de ce cadre. Il avait dit : « Enlevez-moi ce juif une fois pour toutes » en parlant de l'homme à la montre qui était peint sur la toile. Ce n'était probablement pas la première fois qu'on le confondait avec l'ancien propriétaire des lieux.

Mouchet et Avignon entrèrent dans le bureau.

– Quel est votre problème ? demanda Gründ. J'ai beaucoup de travail.

Il s'assit à sa table et laissa les deux autres debout. La femme qui les avait accueillis en bas était maintenant derrière une machine à écrire près de la porte. Mouchet regardait attentivement la pièce. Il y a peu, ce devait être une chambre. On voyait encore au mur l'ornement de velours et de bois qui servait de tête de lit. Trois immenses fenêtres laissaient passer une vague lueur. Un balcon donnait sur la cour.

Avignon s'avança en présentant deux photos.

– Armand Javard et Paul Cerrini.

Gründ allumait une cigarette. À chaque mot prononcé, la machine à écrire retentissait.

– Oui ? demanda Gründ.

– Vous les connaissez ?

Depuis ses débuts dans la Gestapo au bord du lac de Constance, Max Gründ n'avait pas perdu ses qualités de mémoire et d'organisation. C'était grâce à elles qu'il avait gravi en dix ans tous les échelons et s'était fait nommer à ce poste à Paris quelques mois plus tôt. Il avait appris le français en quatre semaines.

– Je peux même vous donner leurs dates de naissance, dit Gründ. Javard est né le 15 septembre 1908…

– Ils sont à vous, ces deux hommes ?

Gründ agita la tête et montra, accroché au mur, le cadre représentant un petit brun moustachu avec une raie bien peignée.

– Ils sont à lui.

– Alors, qu'est-ce que j'en fais ? demanda Avignon qui avait bien reconnu le portrait d'Adolf Hitler.

– Vous les laissez tranquilles.

– Ils ont attaqué une banque rue de la Pompe.

Mouchet sortit le procès-verbal de sa sacoche.

– Vous les laissez tranquilles, répéta Gründ.

Avignon fit un sourire tendu. Depuis le début de l'Occupation, il se trouvait chaque jour dans cette situation. La moitié des gangsters de Paris se mettait sous la protection des Allemands. Il y avait même, à un quart d'heure de là, rue Lauriston, une caverne de brigands qui régnait sur la ville en toute impunité. Le travail d'Avignon devenait impossible.

– Autre chose ? demanda Gründ.

– Non. Je vous remercie. Venez, Mouchet.

Ils se dirigèrent vers la porte.

– Attendez, ordonna Gründ.

La secrétaire notait chacune de leurs paroles, ce qui terrorisait Avignon.

– Vous avez reçu mon petit carton ?

– Non, je…

– Monsieur le commissaire, interrompit Mouchet. M. Gründ doit parler du réveillon…

– Je ne vois pas du tout, dit Avignon en grimaçant.

La machine à écrire enregistrait à nouveau.

– Je vous ai fait porter une invitation à la préfecture, dit Gründ. Il y aura un dîner avec des amis le 31 décembre. Ce sont des personnalités étrangères que je veux remercier. Je souhaite donner une belle image de la collaboration de nos deux peuples.

Avignon revint sur ses pas.

– Monsieur Gründ, je dois être franc avec vous. Je suis un très jeune commissaire. Vis-à-vis du préfet de police, de MM. de Brinon ou Bousquet, il serait gênant d'avoir l'honneur d'être votre invité. Je vous demande de convier plutôt le commissaire David. Je suis sûr qu'il sera ravi.

– C'est vous qui êtes invité, commissaire, et personne d'autre. Bonne journée. Je compte sur vous.

Quand ils se retrouvèrent sur le trottoir, Avignon se tourna vers Mouchet.

– Vous avez failli me couler devant Gründ.

– Oui, commissaire.

– Je vous avais demandé d'oublier cette invitation.

Il parlait entre ses dents.

– Je vais vous muter au poste de garde de Drancy, si vous continuez.

– Oui, commissaire.

– Mouchet, vous allez me régler ça rapidement. Trouvez-moi la liste des invités. Je ne veux pas passer pour un collabo de salon. Je fais mon boulot comme je peux. C'est la guerre.

– Je prends un train dans une heure, monsieur le commissaire.

– Sûrement pas. Vous ne partez plus. Dites à votre femme que c'est à cause de vous.

– Monsieur…

– Arrêtez avec vos Noël d'avant guerre ! C'est fini tout ça.

– Je dois passer à la gare, la prévenir. C'est moi qui ai les laissez-passer.

– Je vous veux à midi au Quai des Orfèvres. Je vous aurai prévenu, Mouchet !

– Oui, monsieur le commissaire. À tout à l'heure.

Mouchet s'arrêta au milieu du trottoir. Le jour était tout à fait levé mais le silence restait impressionnant. Les pas du commissaire s'éloignèrent.

Depuis l'été 1940, la ville était silencieuse. Les rares voitures qui passaient faisaient vibrer ce silence. Certains habitants avaient retrouvé leurs vieux chevaux qui tiraient des charrettes antiques et mettaient dans la ville des odeurs de campagne.

Mouchet traversa l'avenue. Il descendit dans une bouche de métro, prit la direction de Vincennes. Sur le quai, il attendit à côté d'un homme qui lisait un gros livre enveloppé de papier journal. Ils entrèrent en même temps dans la rame et s'assirent sur la même banquette en bois.

– Je ne pars plus, dit Mouchet.

– Pourquoi ?

L'homme gardait son livre ouvert sur ses genoux.

– Je te le dirai plus tard. Il faut quelqu'un pour la valise.

– On retrouve les autres à la gare. Au buffet.

À l'arrêt suivant, Mouchet changea de wagon.

Il descendit à la station Gare-de-Lyon. En entrant dans le buffet de la gare, il vit un petit groupe qui l'attendait. Il y avait deux hommes et une jeune femme. Ils s'embrassèrent tous les quatre comme de vieux cousins.

On leur apporta un liquide noir qui ressemblait à du café. Mouchet paya tout de suite. L'homme au livre franchit la porte et s'assit à une table voisine. Il regardait discrètement vers l'entrée du bistrot et écoutait leur conversation.

– Je ne pars plus, répéta Mouchet. Avignon a besoin de moi.

– Et Gründ ?

– J'y suis allé ce matin. Les plans sont bons. Même le nombre de marches dans l'escalier. Le bureau est bien devant le balcon. Marie a fait du bon travail.

Ils se tournèrent vers la jeune femme qui buvait un verre d'eau.

– Comment on fait pour la valise ?

– Je peux essayer d'être libre le 24, dit Mouchet.

– Ce sera trop tard.

Dehors, des soldats en uniforme vert regardaient le panneau des départs juste en face d'eux.

– Je dois la transporter moi-même. J'ai des papiers du ministère de l'Intérieur. C'est plus sûr.

– Je peux y aller avec un laissez-passer ordinaire, dit un des hommes.

– Non, répondit doucement l'homme au livre sans les regarder.

Assis à l'écart, il participait secrètement à leur réunion.

– On ne prend aucun risque, dit-il. César l'a demandé. On attend le 24.

Il se leva et s'en alla. Une minute plus tard, les deux autres sortirent aussi avec la valise.

Mouchet resta assis à côté de Marie. Ils regardaient deux femmes qui se faisaient des adieux un peu plus loin.

– Comment connais-tu si bien les bureaux de Gründ? murmura Mouchet.

– Je connaissais les gens d'avant, dit Marie.

Mouchet poussa vers elle un journal.

– Il y a trois messages dans ce journal. Un pour Sylvain, deux pour César. Chez Sylvain, évite la boîte aux lettres. La concierge n'est pas fiable. Elle a la clef.

Marie retirait une plume de son verre d'eau avec le petit doigt. César était le nom de code du patron de leur réseau. Aucun d'eux ne le connaissait.

– Il faudra d'ailleurs déménager Sylvain à la fin du mois, dit Mouchet.

– J'ai trois nouvelles chambres vides dans le même quartier, si vous voulez.

– Où tu les trouves?

Elle fit un geste un peu magique avec ses doigts à travers l'air.

– Il y aura d'autres courriers, dit Mouchet. Rendez-vous demain, métro Odéon, sur le quai. À six heures.

– En surface, je préfère.

– Alors devant le kiosque, on ira au cinéma.

– Et les documents que je vous ai demandés ?

– Je les aurai aussi demain, dit Mouchet.

Marie resta seule. Les soldats allemands, devant le panneau, lui souriaient par la vitre. Elle replongea dans son verre.

Elle quitta la gare vers onze heures. Une heure plus tard, elle courait sur les toits le long des jardins du Palais-Royal. Elle glissa une première enveloppe dans la fente d'un volet qui donnait sur les arbres nus. Les voisins du mystérieux César élevaient deux poules sur leur balcon. L'une d'elles sonna l'alarme en battant des ailes. Mais quand quelqu'un parut, Marie sautait déjà par-dessus la rue de Montpensier.

Marie s'appelait Marie depuis septembre 1940. Avant, elle s'était appelée un peu Émilie et surtout la Taupe, le reste de sa vie. Elle était courrier pour le réseau Paradis depuis le premier jour, depuis qu'existait le mot « résistance ».

Elle s'était si peu occupée de la vie de ses parents, ses liens avec eux étaient si distendus, qu'elle avait été très surprise quand son père, juste avant l'été, glissa sous la porte de sa chambre un papier de soie qui enveloppait deux triangles jaunes bordés de noir. Elle les regarda longuement, les assembla de toutes les façons possibles, en forme de losange ou de bateau à voile, et puis elle les rangea. Le lendemain, dans la rue, la Taupe croisa une femme qui tenait sa fille par la main. Toutes les deux portaient sur la poitrine, à gauche, solidement cousus, les deux triangles qui formaient une étoile jaune.

Elle les avait suivies longuement jusqu'à ce que la dame la remarque et la chasse.

– Nous ne sommes pas des bêtes curieuses, mademoiselle. Laissez-nous.

Mais la Taupe continua de faire semblant de tout ignorer. L'interdiction des jardins, des musées, des cafés... Elle aurait presque aimé se risquer dans le métro, pour la première fois de sa vie, rien que pour aller dans les wagons de tête qui étaient interdits aux juifs. Le 12 juin, elle vit par hasard son père marcher avec son chauffeur avenue Montaigne. Il faisait beau. Le chauffeur, Pierre, tenait pour lui des cintres avec quatre costumes neufs. Ils venaient de chez le tailleur. Ferdinand Atlas portait l'étoile jaune sur sa veste de lin blanc. La Taupe changea de trottoir pour ne pas croiser son regard.

Trois jours plus tard, il y eut un coup de téléphone pour elle. La Taupe prit l'appel dans la cuisine.

– C'est Marie-Antoinette.

La voix était celle d'une vieille dame.

– Qui ? demanda la Taupe.

– C'est moi, Mme Boulard. J'ai mon fils à côté de moi. Il veut vous parler.

– Allô ?

Boulard avait saisi le téléphone.

– Mademoiselle, faites ce que je vous dis. Ne restez pas chez vous la semaine prochaine. Il y a des choses qui se préparent.

– Qu'est-ce que vous en savez ? Vous n'êtes plus dans la maison.

La Taupe s'était disputée avec Boulard un an plus tôt quand il avait été écarté de la préfecture de police. La présence de Boulard au cœur de la police était une chance pour le réseau Paradis. Il était plus utile à l'intérieur qu'à l'extérieur.

Mais dès le début de l'Occupation, le commissaire avait tout fait pour être mis à la porte : des lettres incendiaires au ministre, des refus d'obéir. Il était parti comme un héros, en claquant la porte et en risquant sa vie. Il avait même abandonné Paris pour son village de l'Aveyron, dans le désert de l'Aubrac. La Taupe ne lui avait pas pardonné.

Elle faillit raccrocher.

– Vous prenez vos parents avec vous et vous disparaissez quelques jours ! criait Boulard à l'autre bout du fil.

– Je vous intéresse tout d'un coup ? Si j'avais su que vous alliez nous lâcher, commissaire, je ne vous aurais pas rendu votre mère. Elle serait toujours en Écosse.

La Taupe savait que Boulard lui était très reconnaissant de ce qu'elle avait inventé pour mettre à l'abri sa mère, quelques années plus tôt.

– J'ai fait tout ce que j'ai pu pour vous aider, dit Boulard.

– Il ne fallait pas quitter votre poste.

– Ne faites pas l'idiote. Cela n'avait pas de sens. Je libérais trois personnes pour vous et, le lendemain, j'en ramassais cinquante pour le préfet.

Boulard avait été courageux dès le début. Deux jours avant l'arrivée des Allemands, en juin 1940, il avait tenté de déménager tous les fichiers qui indiquaient les origines des Français. Avec ses troupes, il organisa une chaîne pour transporter les caisses entre la préfecture et deux péniches. Mais les bateaux furent arrêtés avant d'atteindre leur but.

La Taupe entendit Mme Boulard arracher le téléphone à son fils.

– Allô ? Auguste est une tête de bûche, je vous l'accorde. Mais aujourd'hui, il faut l'écouter, ma chérie. Votre adresse est sur la liste.

– Quelle liste ?

– Ils vont encore arrêter des juifs.

– Qu'est-ce que ça me fait ? répondit la Taupe.

Et elle raccrocha.

Mais, le soir même, elle mit son orgueil de côté. Elle parla à ses parents.

Ils commencèrent par sourire. Oui, tout le monde avait entendu ces rumeurs. Ferdinand Atlas avait confiance en l'État. Sa famille n'était pas clandestine. Ils étaient français et leurs parents sur plusieurs générations aussi. D'ailleurs, ils avaient pris soin de se faire recenser chaque fois qu'il le fallait. La police essayait juste de calmer l'occupant. On pouvait comprendre cela.

Ferdinand sortit de son portefeuille sa carte d'identité avec le gros tampon rouge « juif ». Il mit la carte sous les yeux de sa fille. Il était en règle. C'était comme si ce tampon le protégeait. Il ne cachait rien.

Mais quand la Taupe expliqua que la recommandation venait d'un ancien commissaire de police, Ferdinand Atlas regarda son épouse avec un peu de désarroi.

Ils prirent donc tous les trois le train pour Trouville, le lendemain du 14 juillet. La Taupe n'avait jamais voyagé avec ses parents. Elle passa deux semaines à marcher sur la plage, à avancer dans les vagues, à regarder sa mère qui dormait au soleil, un livre ouvert sur le visage pour préserver son teint clair.

Ils revinrent à la fin du mois. Ferdinand traversa les salons de sa maison.

– Ah ! Tu vois ! Tout est là ! Personne n'est venu.

Il avait les larmes aux yeux, honteux d'avoir douté de sa patrie.

La Taupe reprit sa vie clandestine, elle ne mettait plus les pieds chez elle.

Mais un dimanche de septembre, des agents de police français vinrent très poliment sonner à la porte. Ils emmenèrent les parents Atlas. Quand ils furent dans la voiture, Ferdinand réalisa qu'il était en pantoufles.

– Je vais remonter prendre mes chaussures.

Sa femme le tenait par le bras sur la banquette.

– Vous n'en aurez pas besoin, dit l'agent.

La Taupe découvrit leur départ trois jours plus tard. Elle entra dans sa maison par une lucarne du toit. Le personnel s'était envolé. Sur un plateau, au bout du lit défait, il y avait deux croissants durs comme des fossiles. Par Mouchet, à la préfecture, elle chercha à obtenir des informations sans dire qu'il s'agissait de ses parents. Début décembre, les services de Max Gründ s'installèrent dans la maison.

Paris, carrefour de l'Odéon, 21 décembre 1942

Mouchet embrassa Marie dans le cou, comme si elle était sa petite amie. Elle portait une musette d'étudiante. Il l'attira dans la salle de cinéma. À l'écran, deux cavaliers gravissaient une montagne. Des spectateurs fumaient, trois rangs devant eux. Un autre dormait au fond.

— Donnez-moi le courrier, je dois sortir, murmura-t-elle.

— Attends. Il faut que je te parle. Un avion va parachuter un Français la nuit de Noël près de Chartres. Il vient de Londres, il doit former trois hommes de chez nous pour les transmissions radio. Ça ne peut pas se passer à Paris.

— Et alors ?

— César pense tous les envoyer chez Saint Jean.

— Je ne crois pas qu'il voudra.

— Je veux rencontrer Saint Jean.

— C'est moi qui lui demanderai. Il ne parle qu'à moi. Laissez-moi sortir, maintenant.

— Demande-lui. C'est très urgent.

Elle se leva. Mouchet l'attrapa par la main. Leur voisin les regardait. Mouchet se mit à parler très près des cheveux de la Taupe, comme un amoureux.

— Ces gens que tu voulais retrouver. Les Atlas. Ils ne sont plus au camp de Pithiviers. Ils sont partis le 20 septembre.

— Où ?

— Ils les emmènent toujours vers l'est. On ne sait pas. Ils ne sont plus en France.

Une musique moyenâgeuse s'échappait de l'écran.

— L'une des enveloppes est encore pour César. Des documents très importants. L'autre est pour toi, à propos de tes amis.

— Ce ne sont pas mes amis.

— Silence, devant ! cria l'homme qui dormait au dernier rang.

— J'ai mis tout ce que j'ai trouvé sur les Atlas, chuchota

Mouchet. Il y a une fiche avec les endroits où ils sont passés. Une dernière chose, Marie, je dois aussi parler à Boulard. Où est-il ?

– Je ne sais pas.

Elle sortit. Elle ne trouva pas la force d'ouvrir le paquet qui lui était destiné. Le soir, elle retourna sur les toits du Palais-Royal. Elle glissa l'autre courrier dans la fente du volet. Elle se réchauffa un moment contre les bouquets de cheminées en terre qui émergeaient du toit. Elle avait, sous son maillot de laine, l'enveloppe laissée par Mouchet. Elle ne se sentit pas capable de l'ouvrir.

On donnait *La Reine morte* à la Comédie-Française. La pièce était finie. Les spectateurs traînaient près du hall pour profiter encore un peu de la chaleur.

Elle passa la nuit dans le grenier du théâtre. Elle y retrouva un violon. La Taupe l'avait caché, depuis longtemps déjà, entre les poutres. Elle n'y toucha pas.

Le matin, elle prit un train pour Le Mans, puis attrapa le rapide Manche-Océan qui la déposa à Nantes.

La journée était passée très vite. À six heures du soir, elle franchit à pied le passage découvert qui reliait à marée basse le continent à l'île de Noirmoutier. Il faisait noir. Elle évita les postes de garde allemands dont elle voyait les lumières sur chaque rive. Elle coupa par les bancs de sable. Des flaques d'eau salée bruissaient de vie. Elle entendait détaler les crabes.

La Taupe savait qu'elle ne pouvait pas arriver en pleine nuit chez Saint Jean. Elle dormit dans la charpente d'une minuscule cabane, entre les marais salants, chauffée par trois ânes qui se serraient en dessous d'elle.

27
Saint Jean l'évangéliste

La Blanche, 22 décembre 1942

Pour toutes ses petites sœurs, la mère Élisabeth, avec ses cent kilos sous un voile immaculé, était ce que l'abbaye avait connu de plus terrifiant depuis les invasions de l'île par les Vikings au IXe siècle après Jésus-Christ. Jamais aucun évêque n'avait osé la mettre à la retraite. Elle régnait sur la Blanche depuis quarante ans. Et même les soldats allemands qui avaient établi leur quartier général au château, à quelques kilomètres de là, ne se hasardaient pas derrière les hauts murs de l'abbaye. Ils avaient piétiné les trois quarts de l'Europe mais retiraient leurs bottes sur le paillasson quand ils venaient timidement à la Blanche acheter un petit pot de miel ou des radis.

Mère Élisabeth faisait peur mais elle forçait aussi l'admiration de tous. Le grand jardin clos de l'abbaye nourrissait une bonne partie de l'île. Trois sœurs tenaient, dans le moulin, tout au sud, un dispensaire plus reconnu que certains hôpitaux de province. La chorale était magnifique. Les messes de Noël et de l'Assomption attiraient tout le diocèse.

L'émerveillement aurait été plus grand encore, si le

public avait vu, à la tombée de la nuit, les matches de ballon acharnés que les religieuses jouaient sur la plage, ou les bains de minuit du soir de Pâques, après l'office. Alléluia! Les cris de joie dans les vagues devaient voler jusqu'à l'estuaire de la Loire.

Pourtant, en dehors de ces ouvertures vers le monde, la Blanche était une citadelle dans laquelle personne ne rentrait. Les quelques enfants qui avaient essayé d'en escalader le mur pour voler une poire Z, la plus juteuse de l'Ouest, sous-espèce de la classique variété bon-chrétien, le regrettaient amèrement. Ils avaient reçu sur le derrière une sainte raclée de la sainte mère.

La Taupe agita la cloche du portail. Deux yeux noirs apparurent derrière une petite grille.

— Notre bonne mère est à la chapelle. Elle chante.

— Dites-lui que la Taupe veut lui parler.

— La Taupe?

— Oui.

— Comme…

— Comme le petit mammifère.

— Vous n'avez pas un nom plus…

— Plus sérieux?

— Je vais interrompre la répétition de Noël. Mes sœurs vont toutes me regarder… Alors, si j'annonce la Taupe…

— Vous êtes nouvelle, ici, ma sœur?

— Oui.

— Dites-lui que c'est à propos de Saint Jean.

— L'évangéliste?

— Oui.

— C'est mieux. Je vais lui dire ça. Et vous lui parlerez de

la Taupe si vous voulez. Asseyez-vous sur le banc. Je suis confuse de vous laisser dans le froid.

La sœur Bertille traversa une ancienne pelouse qui avait été transformée en champ de pommes de terre au début de la guerre, ce qui résumait bien le réalisme des religieuses. Elle prit un couloir et poussa une porte. On entendait déjà les chants de Noël. Sœur Bertille franchit une cour. Elle entra dans la chapelle.

Les cinquante sœurs chantaient *Entre le bœuf et l'âne gris*. Elles le chantaient à six ou sept voix, les yeux au ciel, avec une émotion qui faisait oublier que ce n'était pas exactement un chef-d'œuvre de la musique religieuse. On entendait planer sous les voûtes les mille anges divins de la chanson. La mère Élisabeth était debout sur une caisse devant le chœur. Elle brassait l'air avec conviction.

Elle mit du temps à voir Bertille qui rougissait devant la porte. Élisabeth alla jusqu'au bout du refrain et arrêta la chorale.

Elle se tourna et on entendit craquer la caisse en bois sous ses sabots.

— Eh bien, sœur Bertille ? C'est le général ?

— Non, ma mère.

La question « C'est le général ? » était un classique de la mère Élisabeth. Elle exigeait qu'on ne la dérange que le jour où le général de Gaulle débarquerait avec les Anglais. C'était le seul moyen d'être tranquille. Quand on venait lui poser une question alors qu'elle méditait dans le jardin, quand on la dérangeait dans son travail, quand on levait la main pendant les repas en silence, elle demandait toujours : « C'est le général ? »

– Alors, Bertille ? Vous ne gardez pas la porte ?

– Il y a une jeune fille qui veut vous parler.

Bertille n'osa pas nommer la Taupe.

– Elle dit que c'est au sujet de saint Jean.

– Sœur Marieke, voulez-vous me remplacer ?

Une ravissante religieuse sortit des rangs et aida Élisabeth à descendre de sa caisse. Sœur Marieke y monta. La mère supérieure avait repris sa canne, elle donnait ses consignes en marchant vers la porte de la chapelle.

– Ce qui ne va pas, ce sont les douze petites sœurs sur le devant. Quand elles chantent « Dors le petit fils », on ne les entend pas. Alors, sœur Marieke, vous avez le choix, soit vous les faites chanter plus fort, soit vous enlevez des basses. Je pense à sœur Véronique, tout au fond, qui serait bien utile en cuisine à éplucher les topinambours.

Toutes se tournèrent vers une des choristes du dernier rang qui blêmit sous ses taches de rousseur.

– Faites pour le mieux, mes sœurs. Je vous rappelle que Noël est dans trois jours et que je compte sur la quête pour refaire la toiture. Soyez brillantes. Je ne voudrais pas vous laisser dans la misère quand je vais mourir. Et ça ne va pas tarder, j'ai presque l'âge du maréchal.

La porte claqua.

Bertille et sa mère supérieure traversèrent la première cour, puis le couloir et contournèrent le champ de pommes de terre.

– Ouvrez la porte, ma sœur.

Sœur Bertille obéit. La Taupe apparut.

Mère Élisabeth posa un baiser sur son front.

– Venez avec moi, ma fille. À l'heure qu'il est, ça doit se passer là-bas.

Elle l'entraîna vers l'extérieur de la clôture. La Taupe lui donnait le bras. Bertille les regarda s'éloigner. Elles longèrent le mur par l'extérieur, vers la mer.

— Vos aviateurs, la dernière fois, étaient charmants. Mes sœurs auraient voulu les garder à vie. Mais eux n'avaient pas la vocation.

La Taupe fit un sourire.

— J'espère que vous nous trouverez des Canadiens. Les Anglais, je ne connais pas la langue. Mais le beau brun, celui qui s'était blessé à la tête, je lui ai fait repeindre la chapelle. Comme il n'avait pas le droit de se mettre au soleil, il perdait moins son temps.

Elles entrèrent dans les bois, sous les chênes verts. Il était dix heures du matin. Une lumière froide et pure glissait sous les arbres sans les éclairer.

— Vous savez que j'ai trouvé une bicyclette. Il n'y a plus de chambres à air à cent kilomètres à la ronde, mais on met du foin dans les pneus. Ça marche très bien. Il y a des chambres à air à Paris ?

— Je ne sais pas.

— Si vous en trouvez, vous pouvez nous en envoyer quand même ? Je vous paierai avec des œufs.

La mère Élisabeth avait une énergie extraordinaire. En passant, elle fouettait les buissons avec sa canne. La Taupe lui tenait le bras gauche.

— Et des œufs ? Vous avez des œufs à Paris ?

— Non.

Le visage de la sœur s'éclaira.

— Je me disais cette nuit que, si j'envoyais deux sœurs à Paris avec cent œufs, chaque dimanche, pour les vendre dans les paroisses, on deviendrait Rockefeller. Avec ça, je mettrais cinquante aviateurs canadiens dans le réfectoire et des mitrailleuses sur le clocher. Les boches ne dureraient pas longtemps.

Elles débouchèrent face à la mer. La Taupe retira ses chaussures.

Mère Élisabeth se cachait les yeux avec les mains.

– Ma fille, dites-moi d'abord si Saint Jean se baigne.

La Taupe regarda la plage.

– Non.

– Tant pis.

La malice de ses yeux réapparut derrière ses mains. Elle observait l'horizon.

– Vous avez un fiancé ?

– Je crois.

– C'est bien. Attendez notre Saint Jean ici. Il va revenir. Et puis passez à la cuisine avant de partir. Demandez de la brioche. On dit qu'à Paris les gens mangent leurs chats tellement ils ont faim.

La Taupe s'assit dans le sable et demanda :

– Merci beaucoup, ma mère. Vous n'allez pas vous perdre en rentrant vers l'abbaye ?

– Malheureusement non, répondit Élisabeth en s'éloignant. Prenez soin de vous, ma fille. Et s'il vous venait l'idée d'être nonne… Ici, tout est complet jusqu'à la fin des temps. Mais, pour vous, je ferais une exception.

Elle disparut. La Taupe était sous son charme. Elle aurait voulu prendre le voile pour le seul plaisir d'entendre chaque matin cette femme refaire le monde.

Pendant quelques minutes, elle avait oublié le sort de ses parents. Et le bruit de la mer la gardait maintenant en dehors du temps. Elle pensait à Andreï.

La Taupe n'avait pas vraiment menti à la mère Élisabeth en parlant d'un fiancé. Elle avait vu réapparaître Andreï un matin de l'été 1937 dans le foyer d'étudiants de la rue du Bac, à Paris. Il ne se cachait pas. Elle l'avait suivi quelque temps dans la ville.

Un jour, il rejoignit un homme sur une terrasse de café des Grands Boulevards.

– L'Oiseau est mort, dit l'homme.

– L'Oiseau ?

– Là-bas, c'est le nom qu'on donnait à ce garçon.

– Quel garçon ? Vango ?

– Tais-toi.

Andreï parut bouleversé.

– Et mon père ?

– Tu t'es réveillé juste à temps. Si tu ne nous avais pas finalement conduit à l'Oiseau, ton père serait mort. Mais il est libre, il a rejoint ta famille.

– Je veux retourner auprès d'eux.

– Fais ce que tu veux, dit l'autre en se levant. Tu as rempli ta mission. J'ai dit à Vlad de te laisser tranquille.

– Je rentre à Moscou.

L'homme s'en alla. Andreï resta seul. La Taupe était assise à côté de lui et, comme le premier jour où elle l'avait approché, des années plus tôt, elle mangeait une glace. La Taupe n'osait pas prendre sa cuillère tant sa main tremblait. Andreï quitta la terrasse. Par bonheur, il oublia son violon.

Le lendemain, elle colla un mot à sa fenêtre.

J'ai votre violon.

Elle avait passé la nuit à regarder ce violon, la boîte ouverte devant elle. Elle savait que tant qu'elle gardait l'instrument, il ne partirait pas.

Il avait dû être surpris de trouver ce message sur sa vitre, au cinquième étage. Elle en posa un autre la semaine suivante.

Je vous le rendrai peut-être.

Quand elle voulut en mettre un troisième, il y avait une réponse d'Andreï sur le carreau.

Je n'en veux plus. Gardez-le.

Ce message inquiéta la Taupe. Le lendemain, elle revint par la gouttière. Elle avait écrit plusieurs pages. Mais la chambre était vide. Il était parti. Il avait laissé une adresse à Moscou.

Elle cacha le violon et envoya sa lettre par la poste.

Une réponse arriva deux mois plus tard.

Pendant deux ans, ils s'écrivirent. Des lettres énigmatiques. Il fallut quatre lettres pour qu'il comprenne que le voleur de violon était une fille. Trois autres pour qu'elle écrive que la voleuse l'aimait depuis quatre ans.

Quand la guerre commença, les lettres ne reçurent plus de réponses. La Taupe en écrivit pourtant, changeant de ton selon ce qu'elle entendait sur les relations entre la France et Moscou. Les premières commencèrent par « Cher ennemi », les suivantes par « Mon bel allié ».

Et dans sa dernière lettre, Andreï lui parlait comme à une fiancée, annonçant qu'il était enrôlé dans l'armée et partait au combat. « Adieu, mon Émilie. »

Depuis quelques mois, la Taupe entendait parler des

batailles de Stalingrad. L'armée soviétique résistait inlassablement aux assauts allemands. La Taupe imaginait avec terreur son bel allié se battant dans la neige rougie.

Au milieu de cette rêverie, dans laquelle Andreï prenait les traits d'un messager des steppes, avec sa toque en fourrure et son cheval de givre, la Taupe, les paupières baissées, entendit le cri des mouettes et une voix à côté d'elle :

– Émilie.

Elle ouvrit les yeux. Vango était le seul avec Andreï qui avait le droit de l'appeler ainsi.

– Saint Jean ! cria-t-elle.

Mais elle n'avait pas encore les gestes qui allaient avec ce genre d'exclamation. Elle se leva, s'approcha de lui avec un sourire prudent. Les oiseaux prirent de la hauteur.

– Bonjour, Saint Jean.

Elle restait à quelques pas.

Il portait un casier en bois et un gros flotteur de liège.

Vango était tout de suite venu là après la mort de Zefiro. Il avait retrouvé le regard de ses sept ans, les cheveux emmêlés, les pieds nus, même s'il avait quatre fois cet âge. Autrefois, le padre lui parlait souvent de la Blanche où il avait passé deux décennies. Ce lieu qui avait été le refuge de Zefiro au début du siècle était devenu le sien. Vango s'appelait maintenant Saint Jean. La mère Élisabeth lui avait donné ce nom. Elle disait que c'était la traduction française d'Evangelisto.

– Je suis content de te voir, Émilie.

Et il l'était vraiment, car il n'y avait aucun autre lien entre lui et son passé. Elle seule le savait vivant. Pour le reste du monde, il avait péri dans les flammes du Hindenburg.

Vango avait enfin fait ce qu'il voulait : effacer le sillage de ses traces, abandonner ses poursuivants dans les herbes brûlées de Lakehurst. Il vivait presque libre. Il avait renoncé à percer ses propres mystères.

Plus loin, sur la plage, à l'ombre des chênes, il y avait les tombes de Zefiro et du jeune inconnu que Vango avait fait passer pour lui. Les sœurs avaient pu rapatrier leurs dépouilles.

Les jours de tempête, la mer montait jusqu'aux tombes sablonneuses et Vango les défendait avec sa pelle, bâtissant des murs, creusant des douves, comme un enfant retranché dans son château de sable.

On entendit un bâillement dans le casier en bois.

– C'est pour Noël, dit Vango. Tu seras là ?

Il approcha le casier et la Taupe vit grouiller des pinces et des corps articulés presque verts. Elle voulut passer le doigt entre les barreaux de bois. Vango l'écarta vivement.

– Des homards.

Elle le suivit.

Ils rentrèrent dans le sous-bois.

Elle était venue au début de la guerre pour lui demander des services. Avec le temps, il avait accepté d'être un correspondant du réseau Paradis. Pour César, Mouchet, Sylvain et leurs compagnons, Saint Jean n'était pas un agent comme les autres. Aucun ne connaissait son visage. Il posait ses conditions. Saint Jean refusait toutes les actions violentes et ne s'éloignait pas de sa retraite. C'était la promesse qu'il avait faite à Zefiro.

Un jour, au début, on lui avait donné une valise à cacher sans l'avertir du contenu. Découvrant qu'elle était pleine de dynamite, il refusa de la rendre pour qu'on se souvienne à jamais de ses exigences. La valise explosive et sa minuterie étaient encore enfouies dans le poulailler des sœurs.

Vango n'était jamais sorti de son île depuis l'été 1937.

Arrivés près du mur de la Blanche, à l'orée de la forêt, ils grimpèrent dans un chêne vert énorme. Ils se faufilèrent entre les feuilles. Les mouettes les perdirent de vue. Vango avait attaché le casier sur son dos. Ils descendirent une longue branche qui enjambait le mur.

– Tu te souviens ? dit-il à la Taupe.

Elle savait qu'il pensait à ce marronnier, au-dessus des grilles du jardin du Luxembourg, qui, la nuit, s'était si souvent penché pour eux vers les pelouses désertes. Le jardin intérieur de l'abbaye était très vaste. L'été, on y cultivait même du blé et du maïs. Le mur d'enceinte courait à perte de vue. Ils suivirent un chemin, le long de ce mur. Au creux de cet hiver de guerre, le jardin n'arrivait pourtant pas à être sinistre. La terre parfaitement retournée traçait des lignes sur lesquelles brillaient des éclats de coquillage.

La Taupe respirait l'odeur des algues en suivant Vango. Les bâtiments de l'abbaye étaient dans leur dos. Après quelques minutes de marche, ils arrivèrent à une serre dans un angle du mur d'enceinte, appuyée contre une maison minuscule.

Ils entrèrent. La serre demeurait tiède. Des cageots d'oignons étaient posés sur des tables. Ils poussèrent la porte. Vango vivait là.

– Raconte-moi, dit-il.

Elle alla s'asseoir près du poêle presque éteint.

– Mouchet a un instructeur radio qui doit être parachuté le soir de Noël.

– Où ?

– Près de Chartres, je crois. Il vient former trois hommes. Ça ne peut pas être à Paris.

– Ici non plus. Les Allemands ont reçu des voitures pour repérer les diffusions radio. Il y a eu une alerte avec tes derniers Anglais.

– Cette fois, ce sont tous des Français.

– Ça ne change rien. Je ne veux aucun danger pour les sœurs.

Vango ne négociait pas. Il avait interrompu cette malédiction qui semblait condamner ceux qui l'entouraient. Il ne prenait maintenant de risque que pour lui-même.

– Pour tes derniers Anglais, les Allemands ont voulu fouiller l'abbaye. La mère les a repoussés une fois avec un fusil de chasse. Elle ne tiendra pas deux fois.

La Taupe se taisait. La mère Élisabeth ne lui avait rien dit de cela. Vango remettait du bois dans le poêle et la bouilloire sifflait déjà.

– Tu cherches à protéger les gens, dit-elle.

– Oui.

– Ils meurent tous d'être protégés.

– Qui ?

Vango la regardait.

– Tout le pays, dit-elle, et pas seulement.

– Qui ?

– Ethel.

Il détourna les yeux. La Taupe continua :

– Elle meurt parce que tu ne veux pas qu'elle souffre. Elle meurt de tristesse.

Vango sortit de la maison. La Taupe resta seule plusieurs

minutes près du feu, puis elle le suivit dehors. Il était assis sur la pierre d'une citerne.

– Tu sais que ce que tu dis est faux, affirma-t-il. Certains ont été sauvés par ma mort. Compte-les ! Et compte les morts de ma vie !

La Taupe le savait : Boulard et Andreï avaient été épargnés. Si Vango n'avait pas disparu, Ethel aurait sans doute fini par être éliminée, comme l'avaient été le père Jean, Zefiro et peut-être Mademoiselle. Vango pouvait-il continuer à laisser un cimetière derrière lui ?

– Ethel a tout perdu, dit la Taupe. Elle n'a plus que son frère, Paul.

– Il est guéri ? demanda Vango.

– Oui. Il pilote à nouveau pour l'armée anglaise.

Ils se regardèrent en souriant. En faisant le compte de leurs amis, ils ne voyaient qu'un ramassis d'obstinés, tous plus têtus et passionnés les uns que les autres. Cela les réconforta. Ils restèrent ensemble dans le froid. Ils sentaient l'odeur du feu que le vent d'ouest rabattait vers eux.

Vango essuya contre sa veste une poire pour la donner à la Taupe. C'était une poire Z, la variété qu'avait créée Zefiro en croisant les meilleures espèces du verger.

La Taupe regardait les vêtements de Vango, la veste en laine, le pantalon aux genouillères mille fois recousues. Les sœurs devaient se battre entre elles pour raccommoder ses vêtements et y mettre leurs pièces comme des étendards. Saint Jean était le secret de leur couvent.

– Reste ici jusqu'à demain, dit Vango en lui tendant la poire. Je vais réfléchir à ta demande pour ce parachutiste.

La cloche de l'angélus sonna au-dessus de la chapelle.

– Ton violoniste ? ajouta Vango. Toujours rien ?

La Taupe agita la tête. Aucune nouvelle du front.

Vango hésita un peu avant d'oser poser la question :

– Et tes parents ?

Cette fois, la Taupe se retourna franchement et commença à retirer les chardons secs qui s'étaient accrochés au bas de son manteau. Vango remarqua d'abord l'oscillation de la tête, puis il vit les taches rondes sur la pierre. Il ne l'avait jamais vue pleurer.

– Où sont-ils ?

– Personne ne sait.

– On peut sûrement savoir.

– Non.

Sa tête ne bougeait plus. Elle ajouta :

– Mouchet m'a donné un courrier que je n'ai pas encore regardé.

Vango prit doucement l'enveloppe. Il l'ouvrit. Il resta silencieux à parcourir la liasse de papiers et de photos.

– Ce n'est pas à propos de tes parents, dit Vango. Il s'est trompé.

La Taupe sursauta.

– Alors, c'est moi qui me suis trompée. Je dois partir.

– Attends…

– J'ai inversé les paquets. Il y en avait un à remettre à César.

Au milieu de la liasse, Vango s'était arrêté à une photo.

– Regarde, c'est New York.

La carte postale représentait le cœur de Manhattan vu du ciel. Les sommets des tours surgissaient d'une mer de nuages. Vango se pencha pour regarder, comme il l'aurait fait à la fenêtre du Graf.

Il se promenait sur les hauteurs de cette ville qu'il connaissait.

Et doucement, la carte se mit à bouger. Vango ne parvenait pas à la garder devant ses yeux.

– Remets tout dans l'enveloppe, dit la Taupe.

– Non. Attends !

Elle tendait la main.

– Attends, répéta Vango.

Une marque inscrite à la main désignait le sommet de l'Empire State Building. Au-dessus de cette marque, on lisait « 1937 », de la même écriture. Mais un seul détail avait attiré son regard.

– Qu'est-ce que tu as, Vango ? Regarde-moi.

Il ne lâchait pas la carte aux bords dentelés.

– Tu trembles, Vango.

Quand il se tourna enfin vers elle, la Taupe put à peine le reconnaître.

28
La liste

Dans cette grande enveloppe brune qui avait voyagé dans la ceinture de la Taupe, on pouvait découvrir deux jours d'enquête de l'inspecteur Baptiste Mouchet. Le résultat avait été suffisamment intéressant pour qu'il décide d'en informer César, le chef de leur réseau de résistance, avant de transmettre officiellement au commissaire Avignon.

En revenant de son rendez-vous clandestin à la gare, Mouchet s'était mis au travail. Au Quai des Orfèvres, ses collègues lui avaient demandé en riant des nouvelles de ses vacances. Cela faisait six mois qu'il n'arrivait pas à partir. Pour rester insoupçonnable, il fallait être irréprochable. Il se concentra donc sur les ordres du commissaire Avignon. Il devait trouver la liste des invités du réveillon de Max Gründ. Mouchet se désolait de cette mission qui disait bien l'état des services de la préfecture. La police partageait son temps entre révérences de salon et crimes d'État.

Mouchet se retrouva donc ce matin-là à devoir établir des listes d'invités, comme la secrétaire personnelle d'une marquise.

Il commença par appeler le restaurant.

La Belle Étoile était l'astre montant des restaurants

parisiens, un petit bistrot du quartier du Temple, devenu un phénomène en moins de cinq ans. La guerre n'avait pas interrompu cet essor, même si le restaurant n'acceptait aucune compromission avec l'occupant.

Mouchet se fit immédiatement envoyer sur les roses quand il appela.

– Ne me parlez pas de ce dîner ! hurla le patron au téléphone. C'est un chantage !

Il raccrocha si brutalement que l'oreille de l'inspecteur siffla pendant plusieurs secondes. Mouchet allait insister quand il remarqua sur le carton d'invitation un entrefilet annonçant qu'il s'agirait d'un réveillon musical. Le nom de la chanteuse était célèbre. Il rappela la standardiste.

– Passez-moi le cabaret de La Lune Rousse à Montmartre.

Un instant plus tard, il put joindre un trompettiste endormi dans la salle du cabaret. L'homme, qui n'avait pas fini sa nuit, le renvoya vers un hôtel de la rue de Rivoli. Il bâilla et ajouta :

– Elle doit être là-bas. Mais si vous voulez qu'elle s'intéresse à vous, je vous conseille de prendre l'accent allemand.

Le trompettiste pouffa et dut s'assommer lui-même avec le combiné, parce qu'on entendit un bruit sec et des ronflements.

Mouchet, très calme, passa aussitôt un coup de téléphone à l'hôtel. On transmit son appel à la chambre 22. Cela sonna plusieurs fois dans le vide. Une voix répondit enfin :

– Allô ?

– Mademoiselle Bienvenue ?

– Mettez le petit chien dans la baignoire. J'arrive.

– Pardon ? dit Mouchet.

– Avec de la mousse.

– Mademoiselle…

– Je parlais à la femme de chambre.

– Inspecteur Mouchet à l'appareil.

Il fut surpris de la gentillesse de Nina Bienvenue. Malgré l'animation de sa salle de bains, malgré la femme de chambre qui appelait le chien en criant, malgré le bruit de la douche, les jappements d'Archibald, elle ne se fit pas prier pour lui dicter la liste des invités. Il n'y en avait que douze. Elle expliqua qu'elle réclamait toujours le nom des invités pour préparer ses chansons.

– Par exemple, M. Gründ, il aime bien *Où sont tous mes amants*. Vous connaissez cette chanson, inspecteur ?

Et elle se mit à fredonner au téléphone de sa voix très belle, ce qui fit hurler à la mort Archibald. La femme de chambre hurla de concert. Elle avait dû être mordue par le chien. Et Nina Bienvenue chantait avec des accents déchirants.

Mouchet nota tout et remercia.

Il posa la liste sur son bureau. Avignon avait réclamé des informations précises. Le brigadier devait donc trouver des renseignements sur chacun. Les cinq premiers noms ne lui posèrent aucun problème. C'étaient des haut gradés allemands parmi lesquels on trouvait Max Gründ et le chef de la Gestapo. Les quatre invités suivants étaient des Français. Mouchet les connaissait bien. Ils étaient les meilleurs amis parisiens de l'occupant et faisaient leur rapport au gouvernement de Vichy chaque semaine. Le réseau Paradis les surveillait depuis deux ans.

Le numéro 10 s'appelait Augustin Avignon.

Mouchet commençait à se demander ce que son patron faisait au milieu de cette racaille. Certes, Avignon avait saisi toutes les opportunités pour sa carrière, il appelait « terroristes » les résistants, mais il n'appartenait pas à la même espèce que les individus précédents. Il était même arrivé à Mouchet de le défendre auprès de ses amis en disant qu'Avignon faisait comme la plupart des Français : tenter de s'en sortir en limitant les dégâts.

Mais désormais, dans la police, ce genre d'arrangement devenait impossible. Il fallait choisir. Six mois plus tôt, des milliers de policiers avaient organisé une rafle effroyable. Pour Mouchet, l'arrestation de treize mille juifs entre un jeudi matin et le lendemain après-midi avait été un tremblement de terre. Et c'était à cause des ordres inflexibles de César qu'il avait accepté de rester comme agent double à la préfecture après ce cauchemar.

Mouchet regarda les deux derniers noms de la liste. Le premier était le baron de Valloire. Le second était un ami de ce baron, un banquier étranger dont Nina Bienvenue ne connaissait pas le nom.

Mouchet se pencha d'abord sur Valloire. Il ne trouva rien à son sujet dans ses dossiers. Il ouvrit simplement un vieil annuaire parisien de 1938 et découvrit un *Valloire (Virgile Amédée de)*, rue d'Anjou. Par curiosité, il prit l'annuaire de l'année suivante. Valloire avait disparu.

Il profita de l'heure du déjeuner pour se rendre rue d'Anjou. Le bâtiment donnait sur une très belle cour pavée. La gardienne lui expliqua que le baron de Valloire était toujours propriétaire de l'immeuble, mais qu'il ne l'occupait pas. Elle ne l'avait jamais vu. Il louait les lieux au service commercial d'un fabricant de fromages.

Dans l'après-midi, de retour Quai des Orfèvres, Mouchet jeta encore un coup d'œil dans la salle des archives. En poussant ainsi son enquête, il ne travaillait plus seulement pour la satisfaction d'Avignon. Il s'était convaincu que cette réunion d'officiers nazis et de collaborateurs pourrait intéresser César. Aux archives, à la lettre V, il ne trouva rien sur le nom Valloire, à part trois lignes sur une affaire de vol de chèvre, dans la commune du même nom, département de la Savoie.

Il allait abandonner sa tâche quand il remarqua un petit homme en blouse grise qui fouillait dans des cartons. C'était André Rémi, un ancien inspecteur qu'on avait nommé à ce service parce qu'il était devenu pratiquement sourd en 1940 pendant la drôle de guerre.

— Il y a quoi dans ces caisses ? cria Mouchet.

— Vous cherchez quelque chose ? dit Rémi en se retournant.

Mouchet écrivit sur sa main le nom de Valloire.

— Valloire ? Je ne connais pas. Mais cherchez donc dans les cartons Boulard avant qu'on les jette.

— Les cartons Boulard ?

— Non, pas du tout. J'ai dit : les cartons Boulard.

Rémi montra la pyramide de caisses qu'il rangeait.

— Ce sont les seules archives valables, les papiers du commissaire Boulard. Elles vont être évacuées sur ordre d'Avignon. Vous avez connu Boulard, mon garçon ?

— Non, je le regrette. Je suis arrivé de Marseille en début d'année.

Rémi eut presque les larmes aux yeux.

– Alors vous savez comme moi l'homme que c'était.

– Non, malheureusement…

– Je vous en prie. Le plaisir est pour moi.

Il lui serra chaleureusement la main.

Mouchet trouva le nom de Valloire sur un gros cahier à spirale. Son nom était suivi d'un numéro. Ce numéro menait à un dossier. Le dossier était en fait une caisse fermée qu'il emporta dans son bureau. Cette caisse en bois avait dû contenir du bon vin rouge, mais elle était maintenant pleine de papiers. Il l'ouvrit et découvrit sur un premier document ces trois mots étranges :

Constellation Voloï Viktor

Et, juste en dessous, parmi les quarante-sept noms d'emprunt de Voloï Viktor, on pouvait lire : « Baron Virgile de Valloire. »

Le dossier Viktor avait été refermé définitivement par Augustin Avignon en février 1942, le jour même où il était devenu commissaire, mais Mouchet connaissait très bien le nom de ce marchand d'armes.

Boulard, acharné, avait continué son enquête jusqu'au bout. Il l'avait pisté de ville en ville, de continent en continent, même pendant la guerre. On trouvait dans la caisse la photo d'une des maisons de Viktor en Italie, une carte postale de New York avec une flèche sur sa résidence de l'année 1936. Il y avait les listes de ses contacts dans chaque pays, ses associés, ses amis… Quant au banquier étranger qui accompagnerait Viktor le soir du 31 décembre, Mouchet put faire une hypothèse sur son identité.

Il mit dans une enveloppe les photos et papiers les plus

importants. Puis il chiffra avec un code secret la liste des invités donnée par la chanteuse.

Au fond du jardin de l'abbaye de la Blanche, la Taupe regardait sur la carte postale la tour qu'indiquait le doigt de Vango. Le gratte-ciel était flambant neuf, avec quatre flèches couvertes d'or. Il dépassait l'Empire State Building et toutes les autres tours.

– J'ai passé des mois là-haut avec Zefiro à surveiller Viktor, dit Vango.

La Taupe ne comprenait pas ce qui frappait ainsi son ami.

– J'ai vécu et dormi dans cette tour, avant qu'elle soit achevée, continuait-il. Un jour, j'ai même aperçu l'homme qui la faisait construire.

La Taupe haussait les sourcils, ahurie. Elle n'avait jamais vu Vango dans cet état.

– Explique-moi, dit-elle.

– Finis d'abord ce que tu fais.

Elle décodait la liste de Mouchet.

– Je ne devrais pas, dit la Taupe. C'est un message personnel pour César.

– Ne t'inquiète pas. Je te jure que c'est aussi pour moi. Tu lui apporteras après.

Quand elle eut terminé, elle lui tendit la feuille.

Vango la prit et la parcourut des yeux.

Il reposa le papier sur la table.

La lettre ne disait rien d'autre que ce que Mouchet avait reconstitué. La fête organisée par Max Gründ au restaurant La Belle Étoile le 31 décembre à neuf heures, la liste des invités et l'histoire de chacun d'eux. Et à la fin, en onzième et douzième positions, deux personnages invités d'honneur : Voloï Viktor et un ami banquier.

Après examen des cartons Boulard par Baptiste Mouchet, on pouvait conclure que le banquier en question était probablement celui qui était devenu son associé vers l'été 1937 pour des projets industriels avec l'Allemagne nazie, l'homme d'affaires que tout le monde appelait l'Irlandais, et qui signait du nom de Johnny Valence O'Cafarell.

Johnny Valence O'Cafarell

Boulard était allé enquêter à New York pendant l'été 1939. C'était la première fois qu'il profitait d'une invention vieille de trois ans : les congés payés. En deux semaines sur place, il en avait appris davantage que la police de New York. L'associé irlandais était largement aussi redoutable que Viktor.

Boulard avait même entendu une histoire qui disait bien la réputation de l'Irlandais. Selon un de ses anciens chauffeurs, O'Cafarell avait eu une autre vie en Europe, avant d'arriver en Amérique et d'y faire fortune. Apprenant qu'une jeune fille venue de son pays natal le cherchait et risquait de le démasquer, l'Irlandais avait payé un pauvre type de son ranch du Nouveau-Mexique pour qu'il prenne son ancien nom. Il s'était débarrassé de la fille, avait fait accuser celui qui portait son nom. Et ce dernier avait été condamné à mort par la justice.

En un seul crime, O'Cafarell éliminait celle qui en savait trop et il faisait disparaître, officiellement et devant témoins, tout son passé. C'était du grand art.

Boulard voulut prendre rendez-vous avec un juge de

l'État de New York pour lui donner le résultat de son enquête, mais en Europe la guerre commençait et il revint précipitamment à Paris.

Voyant l'émotion de Vango, la Taupe lut les vingt lignes du message de Mouchet, regarda sur la carte postale le nom O'CAFARELL écrit avec d'immenses lettres de métal en haut de la tour aux quatre flèches. Elle cligna des yeux, relut encore le message.

– J'ai dormi dans les lettres de son nom, gémissait Vango. Et je ne l'ai pas reconnu. J'ai dormi dans les lettres de son nom.

La Taupe aurait aimé le consoler. Mais, pour être honnête, elle ne comprenait toujours pas un seul mot de ce qu'il disait.

Pas un seul.

– Je viens avec toi à Paris, dit Vango.

Il inspira longuement, fit presque un sourire.

Il retrouvait des sensations qu'il croyait disparues. Une mouette l'appela en passant. Il leva les yeux. Il allait renoncer une dernière fois à son serment d'abandonner à jamais le monde et ses violences.

29

Avant l'orage

Londres, 24 décembre 1942, minuit

Elle portait un manteau gris qui lui arrivait aux pieds. Les cloches de Saint-Paul et de toutes les églises s'étaient mises à sonner en même temps que les sirènes d'alerte. Les avions survolaient la ville éteinte. On entendait pourtant le bruit de ses pas dans la rue. Tous les habitants avaient disparu dans les caves. Les églises s'étaient brusquement vidées en ce soir de Noël. Les chants religieux continuaient à résonner par les soupiraux. De quoi convertir des armées de souris dans les sous-sols de Londres.

Ethel errait depuis des heures. Elle avait visité plusieurs endroits où on dansait. De toute façon, elle ne voulait pas rentrer chez elle. Elle était passée à sept heures du soir près de l'hôtel qu'elle habitait et avait vu sa propre fenêtre allumée à l'étage. Il pleuvait. Elle était restée dehors à tenter de reconnaître l'ombre derrière les rideaux. C'était sûrement son frère qui voulait encore la sermonner et lui dire de rentrer à Everland plutôt que de rester à la merci des bombes.

On avait attrapé Ethel la nuit précédente pendant une autre alerte. Elle se promenait au milieu d'une rue verglacée en robe d'été. Paul avait dû être mis au courant par la police. Sa base aérienne était à Cambridge mais il avait des amis à Londres.

Ethel, en voyant la fenêtre éclairée, s'était donc enfuie. Elle ne voulait plus entendre de reproches : Mary, Paul, et même des gens qu'elle ne connaissait pas. Le gardien de nuit de l'hôtel regardait sa montre quand elle rentrait tard, les garagistes se lamentaient de l'état de sa voiture après des pointes à cent cinquante à l'heure sur les routes du Nord.

– Vous ne devriez pas. Ce ne sont pas des façons. Et regardez la boue dans vos cheveux.

D'entendre ce mécanicien lui parler de ses cheveux l'avait mise dans un tel état qu'elle avait repris la Railton et fait deux dérapages en partant.

Ethel pensait souvent à ce que lui avait dit Joseph Puppet dans le zeppelin à propos du regard qu'on portait sur les femmes. Elle avait aimé la liberté de Puppet, sa légèreté. Mais le boxeur était mort dans l'incendie du dirigeable. Qui restait-il sur terre pour la soutenir ?

Les autres hommes la poursuivaient tous de leurs bonnes intentions. Pendant un temps, on avait voulu lui faire rencontrer des garçons sérieux. Elle accepta d'aller au mariage de Thomas Cameron, l'été précédent. Ce fut sa seule et dernière faiblesse.

Le résultat avait été catastrophique. Ethel était sublime. La mariée fit une scène à Thomas à propos de cette fille en tenue indienne couleur émeraude, avec des clochettes en argent aux chevilles. Le soir, au bal, deux cousins Cameron lui firent la cour. Le premier, après une danse ou deux, se mit à pleurer sur l'épaule de sa mère, du côté des vestiaires.

Le second eut plus de chance. Ethel lui donna le bras. Elle l'emmena dans les bois et le perdit. Il revint le lendemain à midi. À cette heure-là, Ethel était déjà à Glasgow pour regarder voler les avions.

Quelques-uns seulement savaient que son arrogance, son intensité, son effronterie, son silence n'étaient pas seulement la manifestation de son charme. Paul, Mary ou la Taupe connaissaient son désespoir. Car la vie d'Ethel était en chute libre depuis six ans.

Plusieurs fois, Paul tenta de lui parler de la mort de Vango. Un soir, alors qu'il la cherchait, il trouva dans la salle de bains de sa sœur le mouchoir bleu qu'elle avait pris sur le corps calciné, dans l'herbe de Lakehurst. Elle ne put que sourire cruellement dans le miroir en secouant la tête, comme si son frère était incapable de comprendre quoi que ce soit à une histoire aussi effroyable, à un vide aussi absolu. Tous les chagrins sont méprisants, imprenables, perchés à des hauteurs que personne ne peut rejoindre. Peut-être a-t-on trop peur qu'une consolation efface ce qu'il reste des souvenirs.

Cette nuit passée à errer dans les rues de Londres n'était pourtant pas la pire nuit de Noël qu'Ethel ait traversée dans sa vie. Elle en avait toute une collection depuis la mort de ses parents. Non, celle-ci était plutôt agréable. Ethel jouait à échapper aux groupes de soldats qui veillaient au respect des alertes. Elle ne craignait pas les bombardements. Les quelques nuits passées dans des abris au début de la guerre étaient pour elle de bons souvenirs. On écoutait des histoires, on s'asseyait enfin à côté d'une voisine à laquelle on n'avait jamais dit bonjour dans l'escalier, on retrouvait d'anciennes bouteilles au fond de la cave. Ethel aimait ces moments fragiles. On protégeait sa vie. Mais elle réalisa finalement un jour qu'elle n'avait plus rien à protéger. Pour s'expliquer, elle avait dit à Paul cette phrase curieuse : « Est-ce qu'on rentre le sable des rivières quand il pleut ? »

Elle avait décidé de rester dehors quand l'alerte sonnait.

Soudain, Ethel déboucha dans une impasse et vit trois soldats derrière des sacs de sable. Elle reconnut l'un d'eux, se détourna légèrement.

– Ethel !

C'était Philip, un ami de son frère. Elle fit demi-tour, fila le long d'un mur en briques. Philip avait sauté par-dessus les barricades.

– On te cherche, Ethel !

Elle prit la première rue qui se présentait sur la gauche. Elle savait bien qu'on la cherchait. C'était pour cela qu'elle fuyait. Dans ces rues désertes, il était très difficile de disparaître. Philip l'avait vue tourner. Un avion passa très bas sur les toits. Ethel n'entendit plus les cris de Philip. Elle monta quelques marches, passa entre deux immeubles et déboucha dans une autre rue. Elle vit que les deux côtés étaient gardés, il n'y avait rien à faire. La voix de Philip arrivait par-derrière. Elle fit encore quelques pas indécis. Puis une nouvelle sirène retentit. En quelques instants, les portes des immeubles s'ouvrirent. Des ampoules se rallumèrent. C'était la fin de l'alerte.

Des hommes et des femmes sortaient par dizaines sur le trottoir. Ethel se mêla à l'un des groupes. Elle vit le pauvre Philip apparaître et tourner sur lui-même en la cherchant.

Il était écarlate. Elle l'avait connu autrefois. Il étudiait à l'université avec Paul. Elle savait qu'il avait trois ou quatre enfants, maintenant. Il lui paraissait très vieux.

Elle repartit vers l'hôtel.

On voyait deux ombres mouvantes derrière les rideaux de sa chambre. Elle tapa du talon sur le pavé, rentra ses doigts dans ses manches. Elle avait sommeil et il se mettait à neiger.

Elle voulait la paix.

Paris, dans une tour de Notre-Dame,
deux heures plus tard

Simon le sonneur faisait griller du pain sur le charbon du réchaud. Vango observait ses gestes sous la cloche. Les gros doigts n'avaient pas peur des braises, ils les écartaient avec des pichenettes pour que le pain ne noircisse pas.

Simon fit un sourire.

— Quand je te revois, c'est toujours dans les grands moments. Tu ferais bien de venir plus souvent.

Il fit tourner deux bols en terre remplis de bouillon qui attendaient au coin du feu.

— La première fois, tu t'en souviens?

— Oui, dit Vango.

Il se rappelait sa fuite par la façade de Notre-Dame, la foule à ses pieds.

— Et la semaine d'après, j'ai épousé Clara, dit Simon. C'est l'évêque qui nous a bénis en cinq minutes dans la sacristie.

Il lui tendit un bol chaud et une tartine.

– La deuxième fois, continua-t-il, tu m'avais l'air aussi perdu. C'était avant la guerre, en 37. Et voilà que ma fille est née huit jours plus tard.

– Je ne savais pas.

– Tu es resté au moins deux nuits ici. Tu disais que tu devais trouver quelqu'un…

– La Taupe.

– C'est ça. Et que tu allais disparaître pour toujours.

Simon but une gorgée de bouillon.

– Et te revoilà.

– Je ne suis pas très fiable.

– Je m'y attendais parce que je pensais à toi hier.

Vango parut surpris. Simon déclara fièrement :

– Si ma femme n'est pas là, c'est qu'elle attend quelque chose pour janvier.

– C'est vrai ?

– Un autre enfant. Clara est chez sa mère à La Bourboule.

– Bravo.

– Chaque fois que tu apparais, un enfant naît une semaine après !

Vango fit un sourire.

– Je suis tranquille, dit Simon, ça peut être encore une fille. Ils ont mis un moteur à la cloche. Il n'y aura plus de sonneur après moi. Alors, deux filles, ce serait bien…

Il trempa son pain dans le bouillon et ajouta :

– Et puis, c'est moins salissant.

Vango approuva distraitement. Un peu de vent se glissait dans la tour de Notre-Dame.

– Je ne te demande pas ce que tu fais à Paris…

– Non, dit Vango.

– Tu peux rester tant que tu veux. Ça me ferait plaisir.

Ils regardèrent les flammes qui baissaient. Les yeux de Simon s'éclairèrent.

– Tu te souviens que je t'avais caché dans la flèche, là-haut ?

– Oui.

– Les gendarmes, ils ne savent pas qu'elle est creuse.

Ils s'enroulèrent chacun dans une couverture, de part et d'autre du réchaud. Ils voyaient à peine la cloche dans l'obscurité au-dessus d'eux.

– Je vais rester jusqu'au dernier soir de décembre si vous voulez bien, dit Vango. J'ai des choses à préparer. La Taupe viendra de temps en temps. Après, je m'en irai vraiment.

– Vraiment ? Pour toujours ? demanda Simon.

Vango ne répondit pas.

– De toute façon, murmura le sonneur pour lui-même, je n'ai pas l'intention d'avoir une famille nombreuse.

On entendait dans le noir, parfois, des battements d'ailes de pigeon. Chaque bruit résonnait dans le bronze de la cloche.

Vango pensa à ces jours qui lui restaient avant le réveillon.

Il dormit très peu. À quatre heures et demie du matin, la Taupe arriva par le sommet de la tour sud. Elle le réveilla doucement.

– Vango…

– Émilie ?

– Oui, c'est moi. Il dort ?

– Écoute.

On entendait une respiration lente. Simon dormait.

– Qu'est-ce que tu as ? demanda Vango.

– Je suis allée rendre les documents à César. Il y avait un message pour nous dans le volet. L'agent français a bien été parachuté de Londres. Son nom de code est Charlot.

– Il est arrivé à la Blanche ?

– Non. Il a appelé César d'un village.

Personne n'appelait César au téléphone. On ne le rencontrait pas. On ne savait pas qui il était vraiment. Il avait une vie publique qu'il ne fallait pas compromettre.

– Charlot a pu sauter à temps mais l'avion a été touché juste après par la flotte antiaérienne allemande. Il l'a vu tomber.

Vango se redressa.

– Le pilote est porté disparu. L'avion est tombé dans une forêt vers les Mornes.

– Il a des chances de s'en sortir ?

– Très peu. César dit qu'il ne faut rien faire. Les Allemands vont commencer à chercher sur place. Il y a aussi des marécages. Même s'il est vivant, il aura du mal à leur échapper.

Vango se souvenait des aviateurs anglais qu'il avait cachés. Ils étaient très difficiles à exfiltrer. Les Anglais représentaient de belles prises de guerre pour les nazis.

La Taupe baissa la voix pour dire :

– Charlot va passer à Paris demain matin. Il a un colis pour le réseau. Il faut lui donner les consignes pour la Blanche. Personne ne sait que tu n'es pas là-bas à l'attendre.

Ils se turent. Simon grommelait quelque chose. Vango écouta. Le sonneur chantait *Frère Jacques* dans son sommeil.

– À huit heures, dans la cathédrale, chapelle de la

Vierge, ordonna la Taupe. On te donnera le colis. Je le récupérerai le soir.

– Attends !

Mais la Taupe n'était plus là.

Vango n'avait jamais accepté ce genre de mission. Il était venu pour une affaire personnelle.

Il ne ferma pas l'œil du reste de la nuit.

Ici, presque dix ans plus tôt, il avait failli devenir prêtre. Qu'allait-il faire maintenant ? Où était sa route ? Il n'avait pourtant jamais cessé de croire. Il se sentait dans une grande vallée inondée par un barrage. Les villages, les chemins, les haies, tout a disparu. Seuls les clochers affleurent au-dessus de l'eau. Ces clochers étaient tout ce qui restait à Vango.

À sept heures trente, il descendit par le chevet de la cathédrale. Il longea le parvis et passa la porte du Jugement.

Londres, au même instant,
à l'aube de ce 25 décembre 1942

Ethel entra dans l'hôtel. À la réception, elle demanda sa clef. Une femme était en train de manger des biscuits qu'elle avait écrasés dans du lait comme la bouillie qu'on préparait à Everland pour la biche Lilly. Mais la patronne n'avait pas du tout des yeux de biche. Ils étaient cachés derrière des verres épais comme des aquariums. Elle se leva à moitié pour regarder les chaussures d'Ethel qui mouillaient le tapis.

– Des gens vous attendent depuis longtemps.

– Des gens ?

– Il y en a eu un premier, puis un autre. Et un troisième vient d'arriver.

Ses yeux de poisson ne clignaient pas.

– Ils sont là-haut. J'ai donné la clef. Ce sont des officiers. Je ne veux pas de problèmes. Et vous enlèverez votre voiture du trottoir !

Ethel monta lentement les deux étages. Elle suivit le couloir jusqu'au bout, s'arrêta une seconde et tourna la poignée de la porte.

Deux hommes fumaient dans sa chambre. L'un était debout devant la fenêtre. L'autre était assis sur le lit. Ils portaient des uniformes de la Royal Air Force. Ils se tournèrent vers elle. On entendait de l'eau couler dans la salle de bains. Paul devait se laver les mains.

Ethel s'avança avec colère.

– Paul ?

Mais celui qui passa la porte de la salle de bains n'était pas Paul.

– Bonsoir, Ethel…

C'était Philip. Il referma derrière lui.

– On te cherche depuis hier soir. Pourquoi tu es partie quand je t'ai appelée ?

– Où est Paul ?

Philip se tourna avec gravité vers l'officier posté devant la fenêtre. C'était le plus âgé des trois. Il avait le grade de colonel. Il écrasa sa cigarette, inspira profondément.

– L'avion de Paul a été abattu en France.

Ethel se figea.

– Il a été pris en chasse en passant les côtes. Il leur a échappé pendant trois cents kilomètres. L'avion s'est enflammé avant de toucher terre.

Il pinça les lèvres et ajouta :

– Vous devez vous préparer à…

Philip voulut poser la main sur l'épaule d'Ethel, mais elle fit un pas de côté.

– Celui qu'il a parachuté est vivant, dit l'autre. Paul aura été au bout de cette dernière mission. C'était un grand pilote.

– Sortez.

– Je suis vraiment désolé, mademoiselle.

Ethel avait toujours son manteau sur les épaules.

– Je vais t'emmener, Ethel, dit Philip.

– Sortez.

Les hommes se regardèrent. Ils hésitaient. Le colonel fit un signe. Ils se dirigèrent tous les trois vers la porte.

– Si vous avez besoin de quoi que ce soit, vous pouvez venir à Cambridge. Nous serons là pour vous. La base vous est grande ouverte.

Ethel resta seule. Elle entendit les pas descendre l'escalier.

Elle s'approcha de la fenêtre. Elle ne pleurait pas.

La Napier-Railton attendait juste en dessous, sur le trottoir.

Paris, Notre-Dame, au même instant

Vango vint s'asseoir à côté d'une ombre agenouillée dans la chapelle. Ils restèrent tous les deux immobiles. Ils étaient seuls. Les cierges de la veille finissaient de fondre et coulaient sur le sol.

L'homme paraissait très recueilli. Il avait posé sa serviette en cuir derrière lui sur la chaise. Vango hésitait à lui parler.

L'homme voulut se rasseoir. Sa mallette le gênait.

– C'est à vous ? demanda-t-il.

Vango n'hésita qu'un instant.

– Oui, dit-il.

Et Vango prit la mallette sur ses genoux. Cet homme était bien Charlot. On entendait des pas dans le chœur derrière eux. Quelqu'un approchait. Vango osa murmurer très rapidement :

– Vous devez retrouver Saint Jean à la Blanche ?

L'homme prit un air étonné.

– Qui ?

– Saint Jean. Il n'y sera pas. Demandez la mère Élisabeth. Elle vous expliquera.

– Merci.

Charlot se leva et fit un signe de croix. Il allait partir mais Vango dit :

– Vous croyez que l'aviateur est vivant ?

L'autre regarda autour de lui et se rassit. Il se mit à parler très bas :

– L'avion a explosé. Je l'ai vu en flammes. J'ai annoté le plan de la zone, avec l'emplacement de l'endroit où il est tombé. Cette feuille est dans le paquet que vous avez.

Les pas s'éloignaient derrière eux. Vango repensait aux corps brûlés du Hindenburg. Les chances de survie après un incendie en vol étaient dérisoires.

– Mais je connais le pilote, ajouta Charlot. Pour moi, s'il est en vie, il peut s'en sortir.

Nouveaux bruits de chaise dans le chœur de la cathédrale. Il baissa encore la voix.

– Il se relevait juste de blessures de guerre. Je me suis déjà battu à côté de lui.

– Quand ?

– Pendant la guerre d'Espagne, près de Madrid.

Trois femmes vinrent s'asseoir juste devant eux. Elles commencèrent à réciter très bas le rosaire. Impossible de continuer la conversation.

Charlot se leva pour de bon. Vango ne pouvait pas le laisser partir. Il avait une dernière question à lui poser. Il lança d'une voix claire :

– Alors je prierai pour votre ami.

– Merci.

– Comment s'appelait-il ?

– Paul.

Charlot s'en alla.

Vango prit son visage dans ses mains. Il pensait à cet avion tombant en torche sur une forêt de France. Il pensait à Paul. Il tenta de se laisser emporter par la ritournelle des femmes, devant lui. Mais les yeux d'Ethel le poursuivaient. Pourrait-elle encore survivre à cela ?

30
Les casseroles de l'éternité

Paris, La Belle Étoile, 27 décembre 1942

– Ce qui ne se fait pas, dit Barthélemy en pliant son chiffon, c'est de faire apparaître un nouveau personnage dans les derniers chapitres.

– Et pourquoi pas ? cria le patron, au fond de la salle. Et même deux si je veux !

– Moi, je trouve que ça manque de respect.

– Je vous en ficherai du respect, Barthélemy, lavez cette vitre et laissez-moi travailler !

Casimir Fermini se remit à frapper rageusement sur sa machine à écrire. Il arrivait au bout de son premier roman. Barthélemy et tous les employés du restaurant en avaient lu chaque page au fur et à mesure de l'écriture. Ils donnaient leur avis, réclamaient des aménagements. Ils voyaient déjà leur patron entrer à l'Académie.

Fermini travaillait à une table nappée de carreaux blancs et rouges, au fond de son restaurant. Il levait parfois les yeux pour regarder Barthélemy nettoyer la vitrine où s'étalaient en arc de cercle les mots « La Belle Étoile ». Vues de l'intérieur, les lettres dorées et entortillées apparaissaient inversées, en négatif, comme dans une langue orientale.

Casimir Fermini avait hérité de cette maison à la mort de sa tante en 1929. C'était elle qui avait élevé le petit Casimir. Elle avait tenu ici avec son mari jusqu'à la Première Guerre un petit café-restaurant très réputé qui ne s'appelait pas encore La Belle Étoile. L'oncle Fermini était un cuisinier admirable. Les affaires étaient bonnes. Ils avaient même dix tables dehors en été, une carte avec quatre plats au choix et, depuis des années, une très jolie employée qui montrait bien la prospérité de la maison et faisait des merveilles comme assistante en cuisine.

En 1914, au premier coup de canon, M. Fermini mourut. Sa femme n'avait jamais touché une casserole. Elle fut prise de panique et ferma la cuisine en condamnant la porte avec des clous. Suivirent quinze années où le mot « restaurant » fut barré de l'enseigne. La maison devint un simple café. La jolie employée avait été renvoyée avec des larmes, les menus supprimés, les tables retirées du trottoir. Le jeune Casimir vécut ces années-là à servir des verres de vin cuit et des liqueurs. À la mort de sa tante, son premier geste fut de rétablir le mot « restaurant » au-dessus de la vitrine. Mais, dans les premiers temps, il ne parvint pas à servir autre chose que des omelettes.

Un peu avant la guerre, la table décolla sans crier gare. L'omelette fut abandonnée, avec ou sans lard. On attendait sur le trottoir que les places se libèrent. Cela s'appelait maintenant La Belle Étoile. Et comme cette rue du quartier du Temple était biscornue et très peu passante, Fermini faisait même installer des tables au milieu de la chaussée.

Quand une voiture s'annonçait, on se levait, on poussait les chaises en protestant. Les gardiens de la paix fermaient les yeux en échange de bouchées aux olives ou aux asperges sauvages.

L'année suivante, lassé de devoir rentrer des tables à chaque averse, Fermini loua en plus la maison d'en face. Le restaurant se partageait entre les deux immeubles. Une grande salle fut donc ouverte de l'autre côté de la rue, à l'étage. La cuisine déménagea aussi, au rez-de-chaussée d'en face. Il y avait cinquante couverts en tout. Les salles historiques restèrent vers le numéro 11 de la rue. Six serveurs passaient leur vie à traverser avec des plateaux.

La guerre et l'Occupation furent un nouveau défi pour la maison. Casimir Fermini eut d'abord la tentation de la contrebande. Si on y mettait le prix, tous les produits étaient disponibles dans la ville pourtant frappée par la famine. Les trafics se moquaient des tickets de rationnement. On trouvait facilement du foie gras et des poulardes dodues. Mais, dès l'automne 1940, La Belle Étoile s'afficha comme une des rares tables refusant complètement le marché noir. La liste des plats fut divisée par cinq et la file d'attente multipliée par deux. Le samedi, le bout de la queue arrivait devant la halle du Carreau du Temple.

Il n'y avait plus dans le restaurant qu'un seul menu dont les vedettes étaient les rutabagas, les topinambours, les pommes de terre, et des dizaines d'herbes et de feuilles sauvages que les serveurs partaient ramasser avec le chef dans la campagne avant le lever du jour, aux portes de Paris. Les bicyclettes revenaient chargées de verdure et de cageots de graines, comme les brouettes des fleuristes. Mais en cuisine, il se passait des miracles. Les topinambours devenaient méconnaissables. Le pissenlit aussi.

La maison n'avait qu'un seul luxe. Un luxe qui arrivait en voiture à cheval deux fois par semaine. Un luxe qui tenait dans une cuve de glace fermée avec un cadenas : le beurre.

Une ferme de Normandie consacrait trois vaches à fournir ce beurre et Casimir Fermini prenait lui-même le train à la demande de son chef de cuisine pour aller inspecter par surprise l'alimentation de ses trois vaches. Elles vivaient dans une vallée tranquille avec de l'herbe jusqu'au-dessus des épaules. Elles buvaient dans une mare d'eau claire à peine remuée par les grenouilles. Elles ne savaient même pas que c'était la guerre. À l'oreille droite, une boucle en argent gravée « La Belle Étoile » rappelait leur noble et exclusive vocation.

Casimir était le propriétaire de tout cela mais il savait ce qu'il devait à son chef qui avait rendu ce succès possible. Il respectait donc ses caprices. Depuis quelque temps, la question du beurre avait pourtant servi de prétexte aux autorités allemandes pour venir mettre le nez dans leurs cuisines.

Les officiers nazis flairaient tout ce qui était beau et bon dans Paris. Leur goût était toujours parfait. Ils avaient très vite repéré cette table extraordinaire, éloignée des quartiers où ils avaient l'habitude d'aller. Mais l'armée d'occupation ne bénéficiait à La Belle Étoile d'aucune faveur.

Le restaurant était toujours complet. Quand une table se libérait, des clients surgissaient de partout et s'installaient avant que les soldats trop disciplinés n'aient le temps de s'asseoir. L'été, Fermini payait deux musiciens dans la rue, pour le plaisir des clients et de ceux qui attendaient leur tour. Chaque fois qu'un uniforme vert apparaissait au coin de la rue, ils jouaient une chanson d'avant-guerre qui disait « Tout passe dans la vie, tout passe avec le temps »…

La Kommandantur avait donc fait une descente dans les cuisines, cherchant des produits rationnés. Ils avaient été surpris de découvrir des caisses de tubercules qui ne valaient rien, des oignons, de l'ail, à peine deux volailles pour le bouillon de toute une semaine, et des bouquets de plantes de terrain vague trempant dans des bassines.

Mais au fond de la cuisine, on trouva le beurre.

Il faut reconnaître qu'il y avait, en quantité, de quoi beurrer toutes les tartines du département de la Seine. Casimir décrivit ses vaches avec amour. Mais il comprit, devant la raideur du Feldkommandant, qu'il devrait céder quelque chose s'il ne voulait pas qu'on ferme définitivement son restaurant. Il accepta de prêter la grande salle de l'étage pour le réveillon du 31 décembre. En échange, on le laisserait tranquille une année de plus. Cela donna lieu à des disputes avec son chef de cuisine, mais l'odeur du beurre sur le feu et le bruit des épinards transpirant dans la poêle eurent raison de leurs hésitations.

C'était la guerre. On pouvait se passer de presque tout. Mais pas du beurre.

Casimir, derrière sa machine à écrire, demanda un café crème à Barthélemy. Celui-ci posa ses chiffons, disparut quelques instants et revint avec une tasse sur un plateau. À cause des restrictions, il n'y avait pas de vrai café, mais l'orge était grillée maison et moulue avec trois grains de poivre. Le résultat était encore meilleur que le café d'autrefois.

– Barthélemy, dites-moi, comment décririez-vous l'oreille d'une jeune fille ?

– L'oreille ?

– À la fin, Marcel prend Rosalinde sur ses genoux…

Il remonta sa feuille dans la machine pour lire les dernières phrases. Dans son récit, il s'était donné le nom de Marcel. Il racontait l'histoire de son restaurant telle qu'il la rêvait.

– Écoutez : « Assis dans la cuisine, Marcel avait son chignon dans l'œil. Mais il voyait très bien, avec l'autre œil, l'oreille de sa fiancée comme un… » C'est là que j'hésite. Comme un…

– Un drapeau ?

Casimir Fermini regarda son employé.

– Magnifique. Un drapeau.

– Je viens d'avoir l'idée, dit modestement Barthélemy.

– Mais alors, vous voyez, il faut que je mette du vent un peu plus haut, ce sera plus fort. « Assis dans la cuisine, la fenêtre ouverte, Marcel avait son chignon dans l'œil. Le vent soufflait puissamment. Mais il voyait très bien, avec l'autre œil, l'oreille de sa fiancée battre comme un drapeau… » Oui, c'est bien. Mais je peux faire mieux.

Il se pencha sur le clavier. Un homme frappait à la porte.

– C'est très beau, dit Barthélemy qui se voyait déjà avec son nom sous celui du patron à l'intérieur du livre.

L'homme, dehors, écrasa son nez sur la vitre pour voir à l'intérieur.

Barthélemy lui fit de grands signes.

– Il va me salir mon travail, regardez-le.

L'employé se précipita à la porte, passa la tête dehors.

– On est fermé jusqu'à midi.

– C'est pour une réservation.

– On ne réserve pas ici, monsieur.

L'homme avait un accent étranger.

– Je viens de loin, je vais visiter la région. Je repasserai seulement le soir du 31 décembre. J'ai peur que le restaurant soit complet.

– Le restaurant est toujours complet.

Casimir Fermini s'était levé. Il les rejoignit.

– Barthélemy, je vous demande de parler correctement à ce monsieur.

Le monsieur fit un sourire gêné.

Fermini se tenait bien droit. Il déclara :

– Cher ami, vous avez beaucoup de chance. Je n'ai jamais pris une réservation. Jamais, sur la tête de ma tante Régine. Mais aujourd'hui, je vais le faire pour la première fois, parce qu'il y a moins d'une minute, j'ai fini l'œuvre d'une vie. Mon premier livre.

– Félicitations, dit le client, ému.

Barthélemy aussi semblait bouleversé.

Casimir Fermini glissa sa main droite dans sa bretelle, sur le côté. Il avait hâte d'y sentir le sabre de l'Académie.

– *Les Casseroles de l'éternité*, dit-il.

– Pardon ?

– C'est le titre.

– Bravo, dit Barthélemy.

Le client était écarlate. Il avait toujours admiré la culture française, la mode, les livres, la cuisine. Il était enfin à Paris ! Ils se serrèrent la main.

– Suivez Barthélemy, il va vous inscrire sur l'ardoise.

– Mon nom est Costa.

– Vous aurez la petite table au fond, sur laquelle je travaille.

– C'est un honneur pour moi.

– Vous serez bien, monsieur Costa. Les salles d'en face à l'étage seront prises pour un dîner costumé. J'espère que ça ne fera pas trop de bruit.

L'employé raccompagna le client, puis revint sur ses pas.

– Un dîner costumé ? chuchota Barthélemy.

– C'est mieux pour la réputation de la maison. On dira qu'ils sont déguisés.

Barthélemy ne paraissait pas convaincu. Il s'éloigna.

Casimir Fermini retira la page de la machine. Et, très bas, il relut les dernières lignes.

– « Assis dans la cuisine, la fenêtre ouverte, Marcel avait son chignon dans l'œil. Le vent soufflait puissamment. Mais il voyait très bien, avec son œil libre, l'oreille de sa fiancée battre comme un drapeau. Et ce clapotis rejoignait celui de son cœur. »

Plus bas, la page resterait blanche. Il avait fini son livre.

Everland, Écosse, au même moment,
27 décembre 1942

Mary entendit enfin au loin le moteur de la voiture d'Ethel étouffé par l'épaisseur de la brume.

Elle attendait avec angoisse depuis la nuit de Noël. Les officiers de la Royal Air Force avaient téléphoné au château quand ils cherchaient Ethel. Ils avaient annoncé à Mary la disparition de Paul. Elle était restée calme jusqu'à ce qu'ils raccrochent, puis elle avait poussé un long cri en courant dans le couloir.

Cette nuit-là, Mary sortit pieds nus dehors. Vêtue d'un châle qui traînait dans l'herbe, elle alla près de l'arbre, sur la tombe des parents d'Ethel et Paul. Mary les gronda de toutes ses forces. Elle jetait tout ce qu'elle trouvait, des bâtons et de la terre gelée. Elle leur disait des choses horribles. Ils avaient abandonné leurs enfants et allaient les lui reprendre un par un. Puis elle ramassa son châle en pleurant, remit en place, par pure grandeur d'âme, le bouquet renversé, et leur tourna le dos.

Quand elle entendit la Railton d'Ethel, plus de vingt-quatre heures plus tard, elle dormait sur une chaise dans l'entrée. Mary sortit sur le perron. L'automobile s'arrêta devant elle. Ethel coupa le moteur et resta assise derrière le volant. Elle regardait Mary. Celle-ci remuait la tête pour dire qu'elle était au courant.

Le visage d'Ethel était transformé. Il était dix heures du matin mais il faisait presque nuit. Elle redémarra le moteur et disparut à nouveau.

Elle ne réapparut que le soir. Tout le personnel était en rang dans l'entrée. Elle embrassa à peine Mary, s'enferma dans la chambre de ses parents. La gouvernante ouvrit la porte au milieu de la nuit et ramassa Ethel dans le canapé devant le feu éteint. Elle parvint à la porter sur le lit.

Le lendemain, quand Mary voulut lui apporter le thé, Ethel était partie.

On la chercha toute la journée. Elle avait laissé sa voiture. Peter et son fils Nicholas fouillèrent les bois. Mary explora le grenier. Le soir, Nicholas revint au château.

411

– L'avion…

– Quel avion ? demanda Peter.

Personne ne connaissait l'existence de l'avion d'Ethel.

– L'avion a disparu.

Plus tard, dans la nuit, Mary remarqua, ouvert sur le lit dans lequel Ethel avait dormi, un livre que Paul avait rapporté des Indes pour sa sœur, des années plus tôt. Elle en lut quelques lignes. Le chapitre s'appelait « Jatinga ». Il parlait des oiseaux qui, dans une vallée de l'Inde du Nord, à Jatinga, se jettent à certaines saisons contre les arbres et les falaises, pour y mourir. L'auteur terminait par ces mots : « Comme doit être grand leur désespoir. »

Mary s'agenouilla contre le lit et pleura.

Dehors, la lune se levait. La biche Lilly marchait entre les haies de buis et regardait le château éteint. Everland ressemblait à un arbre foudroyé, vidé de ce qui avait été sa vie, avec juste le hululement d'une chouette pleurant derrière l'écorce creuse.

Paris, au même moment, 28 décembre au soir

Le vent et la pluie fouettaient les tours de Notre-Dame. La Taupe ne trouva personne sous la cloche mais le feu était allumé. Elle essaya de sécher ses vêtements en se tournant comme une broche devant les flammes. Elle entendit grincer l'escalier de bois. Simon le sonneur parut. Il portait dans les bras un fagot collé de plumes qu'il avait dû arracher à de vieux nids sous les toits de la cathédrale.

Il vit la Taupe, jeta tout de suite quelques brindilles dans le feu. Puis il monta prendre une boule de tissu au fond

412

d'une malle. Il n'avait rencontré la Taupe qu'une seule fois, quand elle était arrivée avec Vango un peu avant Noël.

– Ce sont des affaires de ma femme Clara. Changez-vous.

– Non, merci. Je sèche déjà.

– Je peux descendre si c'est moi qui vous gêne.

– Ça va aller.

Elle approcha ses mains du feu et demanda :

– Où est-il ?

– Il a dit qu'il reviendrait.

– Je peux l'attendre ?

– Vous pouvez.

Simon remit un nid dans le foyer.

La Taupe venait de déposer dans le volet de César, au Palais-Royal, le paquet de Londres apporté par Charlot. Pour la première fois, elle avait vu le patron. Il était sorti sur le balcon.

– Bonjour, Marie.

– Vous êtes César ?

Il tendait des papiers.

– Je crois qu'ils sont à vous. Mouchet m'a dit que cette famille Atlas vous intéresse.

– J'ai inversé les courriers, dit la Taupe. Le vôtre est maintenant dans le volet. Je suis désolée.

– C'est moi qui suis désolé, répliqua l'homme. J'aurais aimé faire quelque chose pour ces gens. Mais il est trop tard.

Il avait visiblement deviné qui étaient ces gens pour la Taupe.

Elle lui remit la carte retraçant le scénario de la chute de l'avion anglais. Et il récupéra lui-même dans le volet ce qui concernait le réveillon de La Belle Étoile.

Il ouvrit le paquet devant elle, regarda la liste des invités. Quand il termina sa lecture, elle crut le voir vaciller.

– Vous avez besoin de moi ? demanda la Taupe.

– Non. Bonsoir, Marie.

La Taupe avait l'impression de vivre clandestinement depuis sa naissance. Elle était habituée. Elle n'avait rien à perdre. Mais lui ? Elle se demanda comment cet homme élégant vivait sa double vie. César avait l'air d'un notable parisien comme on en voit beaucoup en escaladant les façades des beaux quartiers. Il avait sûrement dix invités qui l'attendaient en mangeant des huîtres un étage plus bas. Aucun d'eux ne savait qui il était. Il s'était éloigné de la salle à manger pour aller lire ses messages. Malgré son parfum au santal, sa veste doublée de soie, César serait fusillé dans l'heure si on le démasquait.

Il salua gravement la Taupe et quitta le balcon.

Elle s'éloigna par les toits.

Elle regardait maintenant le feu de brindilles sous la cloche de Notre-Dame. La fumée s'échappait par un tuyau de métal que les courants d'air faisaient vibrer. Le sonneur était un peu gêné de l'état de son antre. Quand Clara était là, leur foyer était plus coquet. Il ramassa des miettes sur une planche.

– Vous voulez un œuf ? demanda-t-il. J'en ai trouvé un.

– Non, merci, je vais bientôt partir. J'ai un mot à dire à Vango et je pars.

– Vous avez bien le temps d'un œuf, alors.

– Vous croyez ?

– Vango m'a dit qu'il lui fallait deux ou trois jours.

414

La Taupe sauta sur ses pieds.

– Comment ?

– Il est parti chercher un ami de province.

– Un ami ?

– Oui. Il m'a montré la carte. En pleine brousse. Je ne sais pas le genre d'ami que c'est. Une belette ou un ours…

– À quel endroit ?

– Près de Chartres. Mais il a dit qu'il serait là dans trois jours au plus tard. Il est attendu à une fête, le soir du 31. Je pense qu'il veut y amener l'ours.

La Taupe enrageait. Elle s'était fait piéger par Vango. Il avait recopié le plan de Charlot avant de le lui rendre. Il voulait sûrement retrouver l'aviateur. Elle regrettait de l'avoir arraché à son île.

Saint Jean devenait incontrôlable.

31
Chevaux de boucherie

Forêt des Mornes, 30 décembre 1942

C'était, à l'orée de la forêt, une cabane en rondins et en planches, assez coquette, avec des cœurs percés dans les volets. Un ruban de fumée s'échappait de la cheminée. Des oiseaux jouaient dans la neige sur le toit. On y entrait par une porte trop basse, à côté d'une fenêtre à rideaux de cretonne. Mais à la place des sept nains, dans la salle de séjour, il y avait sept gaillards en uniforme allemand et, devant eux, une femme assise sur un tabouret, tenant un verre à la main.

Cette cabane de bûcheron servait de quartier général aux Allemands pour la traque de l'aviateur disparu.

Mme Labache ne ressemblait pas non plus à Blanche-Neige. Elle était petite, édentée, avec deux nattes rousses autour d'un visage gris souris. Étrange détail, elle portait sous sa jupe des bottes aux éperons acérés. Elle serrait sur ses genoux un sac à main tout neuf.

Elle vivait à quelques kilomètres de là dans une ruine qui sentait le vieux chenil. Elle avait gracieusement recueilli, trois ans plus tôt, les chevaux de tous les propriétaires de la région qui partaient pour la zone libre. Mme Labache gardait ces chevaux autour d'une grange et les revendait un par un à un boucher de Dreux. Le prix doublait chaque année à cause de la pénurie de viande.

Un soldat s'avança. Il traduisait à son chef.

— La dame confirme qu'elle a bien entendu le moteur.

Le chef répondit immédiatement par quelques éclats de voix. Cette femme leur faisait perdre leur temps depuis vingt minutes. Elle avait parlé d'une révélation importante, s'était fait servir un verre, avait longuement remis ses jupes en ordre avant de commencer à parler de son métier, de sa grange et de la nécessité de trouver très vite du foin.

— Mes petites bêtes ne vivent pas que d'air pur. Je manque de foin.

— Le lieutenant Engel, expliqua le traducteur, vous fait savoir que tout le monde à cinquante kilomètres à la ronde a entendu au moins un moteur la nuit de Noël, puisque trois avions en ont poursuivi un quatrième pendant une heure. Et il vous prévient qu'il n'est pas marchand de foin.

— Pour le bruit du soir de Noël, le lieutenant a parfaitement raison, dit Labache avec trop d'amabilité. J'ai douze chevaux et ils n'ont pas fermé l'œil cette nuit-là. Quant au foin, nous en parlerons plus tard. Il n'a pas tort de dire que c'est un problème pour moi depuis cet hiver. Je vois que monsieur connaît les chevaux…

Elle fit un sourire complice en touchant d'une main ses cheveux rouges.

— Mais je vous livre ces informations de manière désintéressée. Je ne vais quand même pas vous raconter mes problèmes avec mon voisin qui a une tonne de foin et qui ne veut rien me vendre, toutes ces histoires qui ne vous intéressent pas. Je ne vous dirai pas quel genre de gens il reçoit chez lui en cachette, à quelle heure, ses fréquentations, et le reste… Non. Je ne fais pas de politique.

Le soldat hésita à traduire ces propos. Son supérieur lissait lentement le col de sa veste pour garder son calme.

Mme Labache reprit :

— Je ne serais pas venue jusqu'ici pour vous parler de tout cela, ni de ces avions de Noël. J'ai autre chose à faire. Et il y a bien quarante-cinq minutes de marche depuis chez moi, en coupant. Ou même une heure si on contourne les bois et les marais par la Crapaudière.

— Madame, dit le traducteur, je vous conseille en effet de couper…

— Je coupe, jeune homme, droit au but. Mais vous m'interrompez à tort et à travers. Je suis une femme honnête qui essaie d'aider comme elle peut !

Le parquet craquait sous le poids des soldats. Ils occupaient cette cabane forestière depuis le lendemain de Noël. De là, ils dirigeaient les recherches du pilote et de l'avion disparus. Les battues n'avaient rien donné. Une grande partie de cette immense forêt était inondée, ce qui compliquait leur tâche. Aucune trace de l'aviateur ni de l'avion.

Cette éleveuse de chevaux avait été un espoir. Elle ne l'était plus. Au moment où on allait la renvoyer, elle laissa juste ce qu'il faut de silence et dit théâtralement :

— Moi, messieurs, je vous parle du moteur d'avion que j'ai entendu la nuit dernière.

— Comment ?

— Traduisez ! ordonna-t-elle.

418

Il traduisit. Et le lieutenant arrêta enfin de se balancer sur sa table.

— La nuit dernière ? demanda le traducteur.

— Oui, monsieur, confirma Mme Labache en caressant son sac à main comme un petit lapin.

— Un gros avion ?

— Non.

— Madame, dit le jeune soldat en se penchant vers elle, il y a des voitures qui font des rondes depuis trois jours sur les chemins de coupe, la nuit.

— Je sais parfaitement cela.

— Vous avez confondu avec ces moteurs, murmura-t-il. L'avion est tombé la nuit de Noël…

Le lieutenant articula deux mots en français avec un accent très marqué.

— Des preuves, dit-il.

— Des preuves, répéta inutilement son traducteur.

Elle haussa les épaules.

— Alors, il faudra venir chez moi. Je vous montrerai.

Le lieutenant Engel dit lentement, un sourire sur les lèvres :

— Vous avez l'avion dans votre chambre à coucher, madame Labache ?

— Pas exactement, mon lieutenant. Dans ma grange.

Le silence s'alourdit. Elle grattait ses éperons sur le parquet.

Le lieutenant soupira. Il n'avait aucune confiance en cette femme mais c'était plutôt bon signe. Depuis qu'il était dans le rôle de l'occupant, il savait qu'il ne devait compter que sur la part la plus sournoise des individus. Tout ce qu'il

419

haïssait dans la vie – l'aigreur, la jalousie, la lâcheté –, il devait maintenant le chercher et le cultiver tous les jours chez ceux qui pouvaient l'aider dans sa mission.

– L'avion s'est posé en face de chez moi, raconta-t-elle. J'avais éteint toutes les lumières. Ils ont cru que la ferme était abandonnée. Les chevaux étaient attachés dans le sous-bois. Et le matin, j'ai trouvé l'avion caché dans la grange.

– Et le pilote ?

– Pas de pilote.

Le lieutenant donna quelques ordres. Il fallait envoyer quelqu'un. Un soldat fut désigné. Elle voulut reparler du foin de son voisin, mais comprit que ce n'était pas le moment. Le lieutenant était déjà penché sur les cartes.

Elle sortit donc avec son soldat, ses bottes et son sac à main.

Le lieutenant resta parmi ses hommes. Il montrait dans l'est de la zone, sur la carte, les trente hectares de marais enfermés au milieu des bois. La solution se trouvait sûrement là.

Vango entra dans la maison. L'odeur était dégoûtante mais la ferme paraissait habitée. Une paillasse jaune traînait par terre devant la cheminée. Des vêtements séchaient sur un fil et il y avait, sur une table de pierre, une écuelle, du pain dur, un marteau, et un fouet en cuir.

Vango toucha le fouet. Il trouva aussi deux fers neufs et des clous.

Un cheval. Voilà ce qui pouvait le sauver.

Il sortit. On distinguait une grange un peu plus loin. Une

partie des tuiles étaient tombées dans l'herbe. Peut-être qu'il trouverait là un cheval. L'endroit où l'avion de Paul avait dû s'écraser était encore à plusieurs kilomètres. Aucun moyen ne permettrait mieux qu'un cheval d'explorer les bois et les marais.

Vango approchait de la grange quand un hennissement attira son attention vers les bois qui commençaient à cent mètres derrière lui. Il se retourna, courut jusqu'à la lisière. Des chevaux étaient attachés à un arbre. Il y en avait peut-être douze, serrés comme une grappe de ballons. Depuis combien de temps étaient-ils là ? Ils semblaient affamés. Vango approcha de l'un d'eux qui le regardait fixement.

Il voulut détacher ce cheval. La corde avait été minutieusement fixée au tronc. Sans le moindre couteau en poche, il mit plusieurs minutes à défaire l'empilement de nœuds. Un dangereux maniaque avait dû passer des heures à attacher ces chevaux. Le dernier nœud céda.

Tous les autres se tournèrent vers l'heureux élu. Vango l'emmena vers l'herbe où il le laissa brouter. Ses compagnons commençaient à s'agiter. Vango parla doucement au cheval et grimpa sur son dos. L'animal se laissa faire, saoulé à l'herbe grasse. Avec la corde, Vango avait assemblé une bride. Le cheval répondait parfaitement et semblait retrouver des réflexes anciens. Ils étaient prêts à partir.

Mais, ayant croisé le regard des autres chevaux, Vango s'élança d'abord vers la grange. Il y trouverait sûrement une hache ou une faucille pour rendre sa liberté au troupeau entier. Son cheval galopait avec plaisir. Il avait dû promener du monde dans ses jeunes années. La porte de la bâtisse paraissait fermée. Un bout de palissade était tombé sur le côté. Vango se dirigea vers cette ouverture. Le cheval et le cavalier baissèrent en même temps la tête pour passer. Et quand ils se redressèrent, dans le demi-jour de la grange, Vango découvrit l'avion.

C'était un petit avion blanc avec deux ailes superposées. Il ne ressemblait pas aux appareils de combat, les bimoteurs Whitley d'où sautaient les soldats à deux cents mètres d'altitude, mais Vango ne put s'empêcher de penser à l'avion de Paul. Comment, touché en plein vol, pourrait-il se trouver là, intact, avec ses ailes d'ange ? Et Paul ? Où était-il passé ? Lentement, il tourna autour de l'appareil. Les autres chevaux appelaient au loin.

Vango commençait à admettre que cet avion n'avait rien à voir avec celui qu'il cherchait lorsqu'il vit, peintes sur fond blanc près de l'hélice, quelques petites lettres rouges.

Everland B.H.

Une porte grinça derrière lui. Le cheval fit volte-face.

– *Halt !*

Une petite femme aux cheveux rouges le regardait de ses yeux réjouis.

À côté d'elle un soldat allemand braquait sa mitraillette sur Vango.

À trois kilomètres de là, le corps de Paul flottait sur l'eau. Le marais ressemblait à une forêt inondée. Seul un morceau de ferraille affleurait un peu plus loin. C'était tout ce qui restait de l'avion.

Parfois, quelques bulles remontaient de la vase.

Les doigts de Paul bougeaient à la surface de l'eau. Il fit un tout petit mouvement pour sentir la force de ses mains.

Il s'était éjecté de son siège, la nuit de Noël, une fraction de seconde avant que les ailes ne s'enflamment. Mais le souffle de l'explosion avait empêché son parachute de bien s'ouvrir. La chute fut terrible. Le choc avec un arbre lui brisa les deux jambes. Il tombait et rebondissait de branche en branche. L'eau du marais lui sauva la vie.

La première nuit, il parvint à s'attacher à un tronc avec les cordes de son parachute pour garder la tête hors de l'eau. Le matin, il fallut choisir. Il pleuvait encore. Ses jambes lui faisaient mal à chaque mouvement. Pourtant, grâce à la faible profondeur du marais, il pouvait se déplacer en rampant. Paul partit donc au hasard, ne s'aidant que de ses bras, progressant chaque heure de quelques dizaines de mètres. Il économisait les trois rations de survie qu'il avait avec son parachute. Le soir, il dormit encore un peu, accroché à une branche. Il souffrait du froid dès qu'il ne bougeait plus. Pour ne pas s'empoisonner avec l'eau du marais, il posait sa cape cirée sur des branchages. Il attendait et recueillait l'eau de la pluie pour la boire.

Le 28 au matin, Paul arriva à un endroit où la forêt s'asséchait, il se crut sauvé. Mais quand il toucha la terre, il voulut se redresser et comprit qu'il ne pouvait rien faire. Les jambes brisées, impossible de se mouvoir sur terre. Il était en train de devenir poisson. Il retomba dans l'eau, sentit dans sa poche la dernière ration. Il comprit que la faim et le froid le tueraient bientôt.

Il pensa à la caisse de vivres qui était dans son avion.

Alors, il repartit en arrière, rampant encore dans l'eau noire. Il ne reconnaissait même pas la peau râpée de ses mains. Il lui fallut un jour et une nuit pour retrouver l'épave.

La plus grande partie avait été engloutie dans la boue à cause de l'impact. L'avion n'était pas visible du ciel. Paul parvint à ouvrir les coffres. Il mangea et but en pleurant, allongé sur le flanc de l'appareil.

Il avait dormi là et maintenant, flottant sur l'eau, il ne savait pas ce qu'il devait faire. Les Allemands allaient explorer le marais. On finirait par trouver cette carcasse d'avion. Mais lui ne serait plus en vie. Il regardait les arbres au-dessus de lui.

Paul se souvenait d'un voyage qu'il avait fait en France quand il était enfant, avec sa mère enceinte. Ils avaient déjeuné tous les deux au bord d'une rivière en plein hiver. Il y avait déjà une guerre en ce temps-là, mais ils étaient très loin du front. Ils essayaient en vain d'attraper des poissons à la main entre les rochers et couraient poser leurs doigts sur le moteur chaud de la voiture, pour se réchauffer. Il rêvait encore de cette chaleur et des mains de sa mère posées à côté des siennes. Quand ils arrivaient dans les villages, le soir, les hôteliers allaient réveiller les sages-femmes en voyant cette dame enceinte de huit mois qui freinait rudement devant la porte et tendait les clefs à un voiturier imaginaire. Paul prenait sa place au volant et faisait la manœuvre. Il avait huit ans.

Son père les retrouva à Paris le matin de Noël. Mais Ethel attendit encore un peu dans le ventre de sa mère. Elle voulait naître en Écosse.

Voilà les premiers souvenirs que Paul avait de la France. Il savait maintenant quels seraient les derniers : une voûte de branches dans un ciel blanc.

Il entendit un bruit dans l'eau à quelques mètres de lui.

Ils arrivaient. Cette fois, il ne trouva pas la force de fuir. Il resta là, avec l'impression de se diluer lentement comme un nénuphar au fil de l'eau.

Le bruit approchait. Des petites vagues remontaient sur ses joues. On courait maintenant vers lui dans l'eau. Il se sentit soulevé, poussa un cri.

Il reconnut Ethel.

Il n'avait pas vu ce sourire-là depuis longtemps. Une Ethel d'un autre temps. Il ne demanda même pas d'où elle venait, quelle créature des marais l'avait fait surgir de la vase. Elle était là, feu follet sortant de l'eau.

Et Ethel ne voyait qu'une chose : la vie sur le visage de son frère. Elle sentait la pression de sa main sur son bras. De loin, elle l'avait vu immobile. Elle pensait être arrivée trop tard. Pendant toute cette aventure, elle savait qu'elle avait défié la raison : entrer en France à des altitudes impossibles, manquant d'air, naviguant au hasard, avec cet avion qui ressemblait à un jouet en papier. Ethel n'avait que ces deux chiffres télégraphiés par Charlot à la base de Cambridge et qu'elle était passée prendre avant de rejoindre Everland. Deux chiffres, les coordonnées de l'épave de Paul. Elle raconta au colonel que c'était pour les graver sur la tombe de ses parents. Ému de ce geste romantique, il avait même donné une carte de l'opération roulée dans un tube.

– Ce sera un jour pour vos enfants.

Mais elle n'avait pas attendu d'avoir des enfants pour regarder la carte.

Depuis le début, une seule image ne la quittait pas, celle d'un papillon traversant un champ de bataille, virevoltant

425

entre les bombes et les barbelés. Pour réussir, il fallait être un papillon plutôt qu'un char ou un fantassin.

– Je ne peux pas marcher, dit Paul en frissonnant.

– Je t'aiderai.

Elle essaya de le redresser mais il l'arrêta.

– Non, pardonne-moi.

Il la regarda avec regret, honteux de son impuissance.

Elle n'insista pas. Elle souriait toujours parce qu'il était en vie.

Ils restèrent ensemble de longues minutes, immobiles.

Puis Ethel dit :

– Un cheval.

Vango était assis contre le mur de planches de la grange. Le soldat le menaçait toujours avec son arme. La corde du cheval était attachée à l'hélice. La folle aux cheveux rouges et aux éperons d'argent avait disparu depuis presque une heure. Elle était allée chercher du monde à la cabane forestière. Ils ne tarderaient pas à arriver en renfort.

Le soldat regardait Vango. Il était maintenant convaincu que c'était bien le pilote qu'ils cherchaient. Vango lui avait parlé allemand. Il avait tout nié, il avait dit qu'il était parisien, étudiant, et qu'il chapardait un peu à la campagne pendant les vacances. Mais le soldat pensait que pour parler si bien allemand il devait être anglais. Il faisait ce raisonnement en titillant dangereusement la détente de son arme.

Vango, lui, pensait à Paul. On ne l'avait pas encore retrouvé. Alors, tout n'était pas perdu. L'avion était intact et portait en petites lettres rouges le nom d'Everland. Vango songeait aussi à Cafarello et à Viktor qui devaient déjà être à

Paris. Dans un peu plus de vingt-quatre heures, il serait trop tard. Si Vango était arrêté, il n'y aurait plus rien à tenter. Les ombres de ses parents, de Zefiro et de tant d'autres hantaient le silence de cette grange. Mais pouvait-il être certain que ces ombres réclamaient vengeance ?

Vango ferma brièvement les yeux et les rouvrit. Son regard caressa ce mystérieux avion blanc. Et là, sous l'appareil, blotti contre la roue, il vit quelqu'un.

Il la vit mais son esprit refusa de la reconnaître.

Pourtant Ethel le regardait de ses deux yeux verts qui le transperçaient.

L'homme à la mitraillette tendit l'oreille. Il espérait entendre approcher l'automobile du lieutenant. Ses bras se fatiguaient sous le poids de l'arme. Il n'avait jamais demandé à être là, à mille kilomètres de chez lui, avec ce costume et cette ferraille. Dans sa ville, il était cordonnier. Il savait pourtant qu'il tirerait au moindre mouvement. Il deviendrait celui qui a tué l'Anglais. Il aurait peut-être une permission avant Pâques.

Ethel laissa la terreur la quitter lentement. Elle était entrée dans la grange, avant d'aller détacher un cheval sous les arbres, pour vérifier que son avion était toujours là. Elle ne savait pas qu'en passant la tête entre ces planches, elle franchissait une ligne sacrée. Vango était mort depuis six ans mais il était assis dans la paille devant elle. Vango était mort mais il tenait ses genoux dans le creux des coudes. En passant la tête dans le trou de cette palissade, elle retrouvait la vie. Elle avait donc rampé jusqu'à l'avion et, là, il l'avait vue, lui aussi.

Pendant ces instants, quelques secondes à peine, il passa

entre eux un flot agité. Un désordre de vie, de peurs, de souvenirs se promena sur cet étroit chemin. On se serait cru sur une route nationale dans la marée humaine de l'exode de juin 1940. Mais cela, sans un bruit, sans un cri, sans un coup de Klaxon, comme dans un film muet.

Ce face-à-face retourna le cœur de Vango. Sa vie était là à le regarder, sa vie recroquevillée sous une aile blanche d'avion. Il ressentit l'évidence de ce qu'il désirait. Ethel avait frappé à la porte, le 8 août 1929, en entrant dans sa cuisine du Graf Zeppelin, suspendue dans le ciel de New York. Des années plus tard, il lui ouvrait enfin. Une force puissante envahit aussi Ethel. Elle avait ressenti le basculement de Vango.

Le soldat se redressa. Une voiture ! Il venait d'entendre une voiture. Il baissa son arme et reçut un coup de bûche à la base du cou. Il s'effondra.

C'était Ethel. La bûche roula sur le sol. Le grondement des voitures approchait.

Vango se précipita vers Ethel mais elle avait déjà sauté sur le cheval. Elle sortit un poignard de sa ceinture, trancha la corde qui le retenait à l'hélice, tendit la main à Vango qui monta derrière elle. Ils sortirent à cheval entre les planches arrachées.

L'automobile était blindée et surmontée d'une mitrailleuse qui tirait des bandes de cinquante cartouches. Trois autres voitures suivaient. La première rafale visait le cheval mais incendia la grange. On entendait les cris d'horreur de la vieille Labache qui avait sauté à terre.

– Ma grange !

Ethel galopait vers les bois avec Vango. Il la tenait des

deux bras par la taille et écrasait son front dans le creux de son cou. Il sentait la chaleur trempée de son corps.

De nouveaux coups de feu retentirent. Des haies de ronces obligeaient les automobiles à faire des embardées. Le cheval, lui, traçait tout droit vers le reste du troupeau qui hennissait.

Arrivé à la lisière, Vango enfourcha un second cheval. Ethel avait coupé sa corde et libéré tous les autres d'un seul mouvement de son poignard. Les soldats tiraient au hasard. Les chevaux libres se cabraient et partaient joyeusement dans tous les sens. Ils ne verraient jamais les crochets du boucher.

Ethel jeta un regard au loin vers le toit de la grange qui s'effondrait sur son avion, en flammes. C'était mieux ainsi. La fumée s'élevait vers le firmament. L'avion de ses parents ne passerait pas à l'ennemi. Ses yeux rencontrèrent ceux de Vango et une joie incompréhensible les ravagea tous les deux malgré le feu et la mort qui sifflaient à côté d'eux. Les flancs des deux chevaux se frottèrent quelques instants, couverts d'écume. Ils plongèrent dans la forêt. Autour d'eux, les balles perdues remplissaient de plomb la chair blanche des arbres. Mais pas une seule d'entre elles n'aurait voulu les atteindre. Le rempart de la forêt arrêta les poursuivants.

À la tombée de la nuit, le train allant de Dreux à Paris fut rattrapé par deux chevaux au grand galop. Une jeune femme tenait un blessé serré derrière elle. L'autre cavalier, quelques mètres en arrière, était penché sur son cheval. Un peu plus loin, le train s'arrêta dans une gare de campagne, entouré d'un mur de vapeur. Quelques voyageurs étaient sur le quai. Les passagers se penchaient aux fenêtres. Le contrôleur vit monter ces trois personnages. Ils étaient jeunes et couverts de poussière. L'un d'eux paraissait très mal en point.

Pendant une course dans les collines, il était tombé d'un pont dans un précipice. C'était la version officielle. Son cheval, mort sur le coup, avait amorti sa chute. L'homme s'en sortait avec les jambes cassées. Lui et sa sœur étaient tellement choqués qu'ils ne pouvaient plus dire un mot. Le troisième, plus bavard, parlait pour eux : ils devaient aller à Paris. On le soignerait à l'Hôtel-Dieu. Le train repartit.

Longtemps, Ethel, Paul et Vango virent à travers les vitres leurs chevaux galoper le long de la voie.

Les trois passagers se regardaient, incrédules. Ils s'étaient installés dans un compartiment vide. Émerveillé d'être en vie, Paul ne sentait plus la douleur. Le soir était tombé. Il s'endormit sur la banquette.

Les chevaux disparurent au détour d'une rivière.

Ethel et Vango étaient seuls à rester éveillés dans l'ombre. Ils respiraient au même rythme, portés par le balancement du train. Ils voyaient parfois passer très vite une fenêtre allumée dans la campagne. Des ombres passaient alors sur leurs cheveux mêlés.

Ils ne savaient plus où ils étaient. Leurs peaux se touchaient. Dans les tournants trop serrés, ils dérivaient en même temps, glissaient jusqu'à la vitre. Une accélération sur les rails fit un crissement qui ressemblait à un cri.

Puis il n'y eut plus que la course des arbres et la bienveillance de la nuit.

32

Minuit

Ils étaient treize à table. Avec Nina Bienvenue et son pianiste, on préférait compter quinze pour éloigner le mauvais sort. L'ambiance, d'ailleurs, n'invitait pas à la méfiance, plutôt à la fête. Les convives étaient déchaînés. On entendait leurs rires dans tout le quartier du Temple. En bas, des soldats gardaient la porte du restaurant.

Lorsqu'on avança dans la nuit, quand approchait l'heure du couvre-feu, les rues se vidèrent encore plus. Le premier étage de La Belle Étoile allait demeurer le seul endroit où la fête pourrait durer jusqu'au seuil de la nouvelle année.

Le reste de la ville avait les yeux rivés sur la montre. À onze heures, on ne devait plus voir personne dehors. Dans certains théâtres, on avait vendu les billets avec, en prime, une chambre dans l'hôtel d'en face pour éviter le couvre-feu. Des jeunes gens aventureux prévoyaient de festoyer très tard. Ils avaient avec eux une chemise de rechange et savaient qu'ils finiraient au poste de police, l'auberge la moins chère et la plus dangereuse de la capitale. Car, quand des Allemands étaient victimes d'attentats, c'était souvent parmi ces détenus de la nuit qu'on tirait au sort ceux qu'on fusillait en représailles.

Mais sur l'horloge de La Belle Étoile, il n'était que dix heures du soir. Nina Bienvenue chantait. Seul le pianiste avait le regard rivé sur son clavier. Les autres la dévoraient des yeux.

Le treizième convive s'était ajouté à la liste quelques heures plus tôt. C'était un Français d'une cinquantaine d'années, très élégant, avec une cravate à pois : le médecin de Max Gründ. Il avait l'air d'être un intime de la plupart des invités. Il levait son verre mais ne buvait pas. Habitué à la vie mondaine de Paris sous l'occupation allemande, il connaissait par cœur les chansons de Nina. Elle venait d'ailleurs les finir sur ses genoux.

La plus grande partie de la fête se jouait dans les assiettes. Le patron, Casimir Fermini, qui n'avait pourtant pas concédé un sourire depuis le début de la soirée, ne pouvait pas s'empêcher de monter à l'étage à chaque nouveau plat pour observer l'émotion autour de la grande table. Le son des voix baissait à la première cuillerée de soupe. Gründ faisait taire le piano. On n'entendait que des bruits de porcelaine et de délectation.

Fermini descendait alors faire son rapport en cuisine. Il prenait l'escalier, poussait la porte avec l'épaule. La cuisine occupait une partie du rez-de-chaussée, juste en dessous. Des gardes armés circulaient sur le palier.

– Ils sont contents, chef. Si vous saviez. C'en est énervant.

Le plus fort était que le goût magique de la soupe n'avait nécessité que quelques carottes, un seau de navets roses, une patte de poulet pour le bouillon, deux ou trois herbes de rocaille.

– Chef, vous faites pleurer le Troisième Reich.

Et Fermini traversait la rue pour aller voir sa clientèle respectable dans les autres salles du restaurant. Là, un premier service s'était terminé à neuf heures et demie. Les tables se remplissaient à nouveau.

Fermini s'excusait beaucoup pour le bruit du réveillon costumé, de l'autre côté de la rue.

Au fond, à une petite table ronde, il y avait le fameux étranger, M. Costa, qui avait profité de sa réservation. Il était arrivé à sept heures. Il venait de passer deux jours dans les châteaux de la Loire déserts. Il dégustait. Il n'avait aucune intention de partir. Fermini le traitait le mieux possible.

– Vous êtes mon invité d'honneur !

Il lui faisait goûter les vins qu'il ouvrait pour les voisins. M. Costa était au comble de la joie. Il venait de perdre sa fourchette dans une compote de choux au beurre. Lui aussi pleurait dans sa serviette.

Fermini restait toujours attentif à chacun. Il courait après les serveurs, leur faisait remarquer un client oublié dans un coin.

– Et la petite jeune femme au comptoir, elle a attendu une heure dans le froid. Servez-lui quelque chose de très chaud avant qu'elle commande.

Ce soir-là, la petite jeune femme en question s'appelait Ethel. Elle venait de s'asseoir avec Vango. Ils avaient d'abord patienté sur le trottoir. Mais au bout du comptoir, dans l'ombre, il y avait une place pour deux couverts. Ils s'y étaient installés.

Ethel savait que ce n'était pas un dîner comme les autres. Vango lui avait dit qu'il devait finir quelque chose, une fois pour toutes.

Il avait voulu la décourager de venir.

– Reste avec ton frère. À minuit, je vous rejoindrai pour partir.

Elle avait préféré rire comme si elle ne comprenait pas ce qu'il disait. Elle ne le quitterait pas. Elle ne le quitterait pas. Elle ne le quitterait pas.

Elle parvenait même à paraître habillée et fraîche, alors qu'elle avait trempé dans la graisse de l'avion, la vase, la fumée, la sueur des chevaux… Il n'en restait qu'un parfum de terre brune.

Elle n'avait pas le droit de parler. Son accent l'aurait dénoncée. Ethel était heureuse de cette interdiction. Elle avait perdu cette habitude et tant d'autres. Il fallait tout réinventer.

À cinquante mètres, dans une Citroën noire, Paul et Simon le sonneur attendaient. Bientôt, ils partiraient vers le sud avec Vango et Ethel. Simon était à la place du chauffeur.

– Vous avez mal ? chuchota Simon.

Paul était allongé sur la banquette.

– Ça va.

Il mentait grossièrement.

– Vous savez que ma femme a eu une petite Colette ce matin ? demanda Simon.

– Oui, vous devez être fier.

– C'est grâce à cela que l'évêque m'a prêté la voiture. Pour que j'aille la voir. Vous me déposerez à La Bourboule.

Et puis j'expliquerai tout à Monseigneur au retour. Vous continuerez vers l'Espagne.

– Vous lui direz que je l'invite chez moi en Écosse pour nous faire pardonner. Après la guerre.

La rue paraissait noire et silencieuse autour d'eux. Les volets du marché voisin étaient baissés.

Vango regardait Ethel. Il n'avait pas dit un mot. D'ailleurs, depuis la veille, ils s'étaient à peine parlé. Tout passait par ce courant étrange, ce silence de leurs retrouvailles dans la grange, de la fuite à cheval, du train.

Barthélemy, en passant la main entre eux pour poser un bol devant la jeune femme, avait senti cet espace magnétique. Les gestes du serveur étaient ralentis par l'air qui semblait plus épais qu'ailleurs dans la pièce.

Peut-être est-ce ainsi que dialoguent les fantômes ?

Cette nuit était à la croisée de tant de désirs, de peurs, de secrets.

Vango était troublé par l'amabilité du patron. Il s'attendait à une tanière de collaborateurs et découvrait ce lieu chaleureux, sans un mot écrit en langue allemande sur l'ardoise du menu. Il y avait même près de la porte une vieille réclame anglaise pour les bateaux qui traversaient de l'Angleterre vers Calais. « Bienvenue, *welcome*. » Cela ne pouvait pas être innocent.

Vango venait de goûter l'espèce de crème brûlante qui avait été servie à Ethel. Il éloigna vite la tasse de ses lèvres. Le liquide l'avait ébouillanté jusqu'au cœur. Une chaleur qui le ramenait très loin. Le goût du romarin. Que se passait-il dans cette soupe ?

Ethel tenait la main de Vango. Ses ongles s'enfonçaient

dans sa paume. Vango eut soudain envie de l'emmener sans attendre.

En face, à l'étage, Max Gründ se leva. Il fallut un peu de temps avant que tout le monde se taise autour de lui. Gründ se raclait la gorge comme un ténor.

Mal à l'aise, Augustin Avignon ne tenait plus en place. Il en voulait à l'inspecteur Mouchet d'avoir trop tardé à lui donner la liste. Avignon ne l'avait obtenue que la veille, comprenant enfin pourquoi il était invité. Viktor se rappelait donc à son bon souvenir…

Avignon regardait les deux hommes à l'autre bout de la table. Voloï Viktor et l'Irlandais avaient un même sourire comblé, les yeux piqués par la fumée de la salle. Viktor se réjouissait d'être à Paris sans devoir se cacher.

Car Voloï Viktor avait réussi à rendre réelle la fiction inventée des années plus tôt par Zefiro pour le piéger : un accord de vente d'armes monumental avec l'Allemagne. L'affaire venait d'être signée. L'Irlandais, très confiant depuis la chute du dirigeable, le suivait aveuglément. Viktor aurait aimé mettre des fleurs sur la tombe de Zefiro pour le remercier. Finalement, l'idée était celle du padre ! C'était comme si Viktor l'avait tué une seconde fois.

Gründ se tenait droit. Le bout de ses doigts touchait la nappe.

– Messieurs, ce soir, je m'adresserai à vous en français.

Viktor se pencha vers l'oreille de Cafarello. Il traduisait.

– … en français pour nos quelques amis autour de cette table, continua Gründ, et parce que le gratin que je viens de manger me parle aussi cette langue…

Nina Bienvenue en profita pour s'éclipser un instant. Elle fit un signe au pianiste et descendit l'escalier en colimaçon.

– Il y a parmi nous ce soir deux hommes, je devrais dire deux amis, que notre Führer a décorés de la grand-croix de l'Aigle, deux hommes qui, sans chercher les honneurs et la lumière…

Nina Bienvenue passa entre les gardes armés qui attendaient en bas. Elle entra dans le cabinet de toilette des dames, en sortit aussitôt, attrapa Fermini qui arrivait de la cuisine.

– Monsieur, j'avais laissé tout à l'heure un nécessaire de femme dans un coffret, et il n'est plus là.

– Je ne suis pas étonné, mademoiselle. Nous nettoyons cet endroit après chaque visite.

Casimir Fermini parlait sèchement. Il connaissait la réputation de cette femme. Il n'avait aucune indulgence pour elle.

– Je croyais que j'étais la seule dame ici, je suis désolée.

Elle avança la main et fit comme si elle retirait lentement une poussière de la cravate du patron. Il essaya de garder son sang-froid.

– À l'étage certainement, vous êtes bien la seule. Mais il y a les cuisines juste derrière cette porte, et peut-être une femme digne de passer dans ces lieux après vous, si vous le permettez.

Nina Bienvenue fit un sourire désarmant. Elle n'était pas choquée de cette pratique démocratique.

– Et pouvez-vous me dire où j'ai une chance de retrouver mon nécessaire ?

– Dans le vestiaire, derrière ce monsieur qui regarde vos jambes.

L'un des soldats allemands sursauta. Il se mit au garde-à-vous. Fermini le déplaça d'une case comme un pion dans un jeu d'échecs. Il tira un rideau.

Il y avait en effet un petit coffret à côté d'une grande valise en cuir. Nina prit la boîte.

– La valise n'est pas à vous ? demanda Fermini.

– Non, je me maquille très peu. Merci.

Elle disparut dans les toilettes. Le patron essaya de soulever la valise. Elle était pleine. Il se tourna vers un soldat.

– Quelqu'un de chez vous est arrivé avec cette valise ?

Les deux hommes ne parurent pas comprendre. Fermini se pencha pour essayer de l'ouvrir. La valise était verrouillée. Il hésita un instant et referma le rideau. Il monta les marches.

Gründ tenait son verre levé très haut.

– … la grandeur de notre industrie, la puissance de nos chars, le rayonnement…

Fermini soupira. Ce n'était pas le moment de parler bagages. Il redescendit, croisa Nina Bienvenue qui sentait la fleur de frangipanier.

– C'est peut-être pour un voyage de noces, dit-elle. Les mariés ont toujours une valise. Peut-être qu'on me prépare une surprise.

Fermini serra les dents.

Nina entra dans la salle alors qu'on applaudissait la fin du discours de Max Gründ. Le pianiste joua les premières notes d'une chanson et Nina Bienvenue entonna en allemand :

– *De la tête aux pieds, je suis faite pour aimer…*

À onze heures, on ferma aux trois quarts le rideau métallique de l'autre côté de la rue. Fermini s'était entendu avec

438

Gründ, la veille. Malgré le couvre-feu, il ne renverrait aucun de ses clients de la salle d'en face tant que le réveillon de l'étage ne serait pas terminé. Petit avantage en échange de cette invasion.

Une trentaine de privilégiés restèrent donc dans le restaurant presque fermé. La volupté du lieu n'en fut que plus grande, comme sous le couvercle d'une marmite. On entendait moins les éclats de voix d'en face. Seulement quelques notes de piano. Les plats passaient maintenant par les caves qui traversaient la rue, dans un tunnel tapissé de bouteilles. Les assiettes et les odeurs arrivaient par vagues. Les serveurs sortaient par une trappe, juste derrière Ethel et Vango.

Vango s'obligeait souvent à regarder l'horloge pour rester conscient de la réalité. Il avait pensé qu'ils seraient mis dehors au couvre-feu et qu'il ne pourrait pas surveiller les lieux jusqu'à l'heure fatidique. Mais il espérait maintenant rester jusqu'au bout. La valise était réglée à minuit. Il serait dans l'automobile, au bout de la rue au moment où il entendrait l'explosion.

Et tout serait fini.

Ethel le regardait avec intensité. Pour une fois, elle se laissait faire.

Vango savait qu'il trahissait la promesse faite à Zefiro et celle qu'il s'était faite à lui-même. Renoncer au feu et à la mort. Ce lieu qu'il commençait à aimer allait être légèrement touché. Mais les salles, de l'autre côté, seraient détruites. Il avait vérifié plusieurs fois chaque nom de la liste de Gründ. Lequel d'entre ces criminels pourrait-on regretter ? S'il le fallait, Vango sortirait le trésor de Mazzetta et de son âne, la fortune cachée dans une falaise de son île, pour rebâtir ces murs à l'identique.

Un petit groupe buvait des tisanes à côté d'eux. Des odeurs d'anis. Il les respirait de loin. Le monde entier, cette nuit-là, s'était concerté pour le troubler.

Affalé sur le volant de l'automobile, Simon s'inquiétait. L'heure était dépassée depuis longtemps. Paul dormait derrière lui. Des policiers passèrent à côté de la voiture sans les voir. Il hésita à sortir.

À minuit moins huit, Vango se dressa, comme s'il se relevait d'un étourdissement.

– Il faut partir.

Casimir Fermini se précipita vers lui.

– Je vous en prie. Une dernière assiette pour la jeune femme.

– Nous ne pouvons pas rester.

– Une dernière, pour faire honneur au chef. Et je vous rends votre liberté.

Il claqua des doigts. Barthélemy approchait avec une petite assiette sous une cloche de cuivre. Vango regarda l'horloge et s'assit à nouveau.

– C'est notre grande spécialité, dit Fermini. Bien sûr, on ne l'a pas servie de l'autre côté de la rue. J'ai mon honneur.

En l'entendant parler, Vango eut honte de ce qu'il préparait. Ethel observait chaque mouvement de son visage.

Fermini souleva la cloche. Sur un fond de beurre fondu étaient posées huit petites pommes de terre, pas plus grandes que des œufs de caille et taillées à huit faces, comme des diamants.

Une première petite explosion eut lieu dans le cœur de Vango.

– Votre chef…, dit-il, des larmes dans les yeux.

Fermini avait retourné la cloche qu'il tenait contre lui pour ne pas faire tomber la vapeur d'eau dans l'assiette.

– Votre chef de cuisine est une femme ? dit Vango.

Le patron le regarda.

– Monsieur, dit-il, vous êtes la première personne à deviner cela.

– C'est une femme ?

Il était minuit moins cinq. Le patron baissa la voix, comme s'il parlait d'un trésor enfoui dans son jardin.

– Ce n'est pas seulement une femme, corrigea Fermini, ému lui aussi, c'est une merveille.

– Qui est-ce ?

Fermini hésita.

– Elle travaillait ici avant la Première Guerre. Elle était très belle. Et moi, j'étais encore un enfant. Elle a tout appris de mon oncle.

Il hochait la tête. Vango se tourna encore vers l'horloge.

– Et puis elle a disparu, longtemps. Elle est revenue, cela fait à peine cinq ans, pour se remettre en cuisine. Elle a baptisé le restaurant La Belle Étoile. C'est beau. Elle ne veut pas dire pourquoi.

Fermini fit un sourire et ajouta :

– Elle, on ne l'a jamais appelée que Mademoiselle.

– Où est-elle ?

441

– Dans la maison d'en face, juste là. La pauvre femme doit cuisiner avec des bruits de bottes au-dessus d'elle.

Ethel vit Vango se retourner brusquement vers l'horloge, puis regarder la trappe qui menait à la cave. En un instant il avait disparu.

Il bouscula un serveur dans la pénombre du tunnel, sous la rue. Quelques secondes plus tard, il ressortait de l'autre côté. La trappe s'ouvrait sur le palier, devant la cuisine. Il poussa la première porte, se trouva nez à nez avec les soldats.

Vango bloqua sa respiration et la reprit très lentement pour dire aux hommes :

– Ma valise.

Il alla jusqu'au vestiaire, prit la valise sans manifester d'effort. Il n'avait peut-être plus que deux minutes devant lui. Il repassa lentement devant les gardes, se dirigea vers la porte marquée « messieurs », sous l'escalier.

Il posa la main sur la poignée. La porte était fermée.

Vingt secondes passèrent. Les soldats le regardaient avec méfiance.

– C'est occupé, expliqua-t-il inutilement.

Vango s'attendait au petit déclic du détonateur au fond de la valise, mais ce fut le verrou qui grinça le premier. La porte s'ouvrit. Un homme apparut.

Vango fit un pas en arrière.

C'était Cafarello.

Il s'essuyait les mains sur sa veste.

Il regardait le porteur de la valise.

– C'est bouché, dit-il en sicilien.

– Ce n'est pas grave, répondit Vango dans la même langue.

Ils se regardèrent. Cafarello ne s'écartait pas de la porte.

Il vérifiait le bon ordre de ses bretelles et de sa braguette. Il était ivre.

En haut, on commençait le décompte des soixante dernières secondes avant minuit. Sortant de la trappe, Fermini apparut près des gardes.

Cafarello se mit enfin en marche vers l'escalier. Il se retourna un instant pour regarder Vango, comme s'il lui rappelait un souvenir.

– Sicilien ? demanda-t-il en s'accrochant à la rampe.

– Comment ? répondit Vango en français.

– Tu m'as parlé dans ma langue, dit Cafarello.

Vango agita la tête pour dire qu'il ne comprenait pas.

En remontant les marches, Cafarello maudissait le vin français et toute la vermine du monde.

Vango poussa la porte des toilettes. Il s'enferma.

Il prit une clef à sa ceinture, donna deux tours dans les serrures de la valise. Il l'ouvrit. Là-haut, on frappait du pied pour marquer chaque seconde. Vango avait saisi une boîte en fer avec un cadran de réveil. Il ne devait pas arracher les fils. Avec la même clef, il tenta de défaire les vis de la boîte. Elles ne tournaient pas. Il fit sauter le clapet. À l'étage retentit le grand cri de la nouvelle année. C'était fini. Mais le réveil qui activait la bombe avait cinq secondes de retard sur l'heure allemande. Vango enfonça son doigt dans le mécanisme et l'arrêta.

Les murs tremblaient.

Une minute passa.

Vango n'entendit pas Fermini frapper à sa porte, ni les hymnes militaires qui descendaient de la grande salle. Il pleurait. Il regardait, sur le lavabo, oublié par le précédent occupant, un morceau de tissu rouge.

Un foulard cosaque usé par le siècle.

Il s'approcha et le prit dans sa main.

Quand Vango sortit avec la valise, Casimir Fermini était dans tous ses états. Il avait cru qu'on voulait lui enlever son chef. Il parlait très bas, à toute vitesse. Il disait qu'il avait eu si peur.

– Vous êtes parti comme ça ! Tellement vite. Et vous parliez de mon chef.

Vango n'entendait toujours rien.

– Elle était à vous, la valise ? Vous savez qu'il y a aussi des toilettes de l'autre côté. Et un vestiaire. Dites-moi. Vous êtes en voyage de noces ?

Casimir chuchotait pour ne pas être compris des deux soldats. Il reparlait de sa peur. Ce qu'il ne disait pas, son secret, c'était qu'il était fou amoureux de son chef. Déjà, quand il avait douze ans, il la regardait mettre le couvert. Maintenant, il craignait de la perdre même si elle faisait semblant de ne se rendre compte de rien.

– Le dîner était offert par la maison. Je suis désolé de vous demander de partir. Vous m'avez fait si peur. Je vous préviens que vous ne pouvez pas entrer en cuisine. Mademoiselle ne reçoit personne.

Vango n'entendit que cette dernière phrase. Il parvint à dire :

– Alors, je reviendrai.

– Où est la jeune mariée ?

Barthélemy leur ouvrit la porte. Ethel attendait sur l'autre trottoir.

– La voilà.

On chantait encore, en haut. Vango serrait le foulard rouge dans sa main. Il avait tout manqué. Ethel courut vers lui. Le sentant si faible, elle voulut prendre la valise. Il se défendit.

– Attendez ! criait le patron, derrière eux. Si la police vous ramasse, dites que vous étiez chez moi.

Ils s'éloignaient dans la rue, serrés l'un contre l'autre.

– Bon voyage, dit encore Fermini.

Ils disparurent.

À côté du patron se trouvait Costa, l'étranger, qui avait assisté à toute la scène. Il paraissait bouleversé. Casimir Fermini le vit partir en courant à la suite de Vango et Ethel.

– Qu'est-ce qu'ils ont tous, cette nuit ?

Fermini s'appuya contre le mur, écoutant les derniers airs allemands.

Un instant plus tard, l'étranger revint, essoufflé et très pâle. Fermini le prit par l'épaule. Ils entrèrent tous les deux dans la salle du bas.

M. Costa rejoignit sa table.

Ils s'assirent l'un à côté de l'autre. Il n'y avait plus personne.

On entendait de moins en moins le réveillon d'en face.

– Vous n'avez jamais pensé à vous marier ? demanda Fermini.

L'homme sembla se réveiller en sursaut.

– Comment ?

– Vous êtes espagnol ?

L'étranger sourit.

– Non.

– Vous êtes marié ? demanda Fermini.

– Pas exactement.

– J'aime bien ce genre de réponse.

– J'ai aimé une femme, dit l'homme, chez moi, en Sicile, dans une île. Elle est partie.

– Pour un autre ?

– Même pas.

Ils regardaient tous les deux la bougie toute fondue qui brûlait encore.

– Un jour, j'ai reçu une lettre d'elle. Une grande lettre.

– Une lettre pour vous ?

– C'était pour le garçon qu'elle avait élevé, mais il n'est jamais revenu non plus. Je l'ai ouverte. Quelqu'un me l'a traduite. Elle racontait la vie de ce garçon et celle de la femme. En cinq pages. Vous ne devinerez jamais ce qui peut tenir en cinq pages.

Fermini, pour la première fois, n'eut pas la force d'aller chercher son propre manuscrit, lourd comme une caisse de pommes, mais il confia :

– Moi, j'écris des romans.

– Même dans un roman, ça ne tiendrait pas. Dans la lettre, au milieu du reste, elle disait qu'il y a longtemps, encore toute demoiselle, elle avait travaillé ici comme aide, en cuisine.

– Ici ? demanda Fermini, la voix fêlée.

– Oui

– En France ?

– Ici, oui.

– À Paris ?

– J'ai dit : ici.

Et il montra de sa main tournoyante de Sicilien les murs, les plafonds et les tables de La Belle Étoile.

Casimir Fermini termina son verre d'un trait et regarda l'étranger qui continuait :

– Alors, je me suis dit : « Aussi vrai que tu t'appelles Basilio Costa, un jour, tu iras voir. » Je me suis dit ça. « Tu iras voir ces lieux qui l'ont vue jeune fille. » Je me suis dit ça parce que je l'aimais.

Fermini posa sa main sur la sienne.

– Et j'ai appris le français comme un écolier, dit Basilio. Je voulais attendre la fin de la guerre pour faire le voyage. Mais quand on vieillit, on n'a plus de patience.

– Oui.

Basilio était très ému. Il avait tant attendu ce jour où il viendrait à Paris pour la première fois, là où elle avait vécu sa jeunesse.

– Et cette lettre, je viens de la remettre à celui auquel elle était destinée.

Il s'arrêta une seconde.

– Cela paraît incroyable mais il était là, avec vous sur le trottoir d'en face. Je l'ai vu. Ce garçon, Vango. Je l'ai suivi pour lui donner la lettre.

Fermini écoutait Basilio. L'histoire le laissait sans voix. Il n'aurait même pas osé l'écrire dans un livre.

– Quand on vieillit, on n'a plus de patience, répéta Basilio. Et elle ? Qui sait ce qu'elle est devenue ?

Il passa la paume de sa main sur ses yeux.

Alors, une tête apparut par l'ouverture de la trappe, une tête coiffée d'un foulard blanc.

– Ils sont tous partis, mon Dieu, dit Mademoiselle sans les regarder. Ils sont partis, les Allemands !

D'épuisement, elle se mit à rire. Elle était à l'arrêt en haut de l'échelle. Ses épaules riaient encore.

– Oui, chef. Tout est fini, dit Fermini.

– Ne me faites plus jamais vivre ça, Casimir, dit-elle.

Et elle se retourna vers eux.

Basilio resta à regarder ce visage qui sortait de terre.

Fermini les observait l'un après l'autre. Il savait que c'était fini pour lui.

– Basilio ? souffla-t-elle.

– Mademoiselle.

À une rue de là, Max Gründ demanda à son médecin français :

– Vous êtes sûr que vous… raccompagnez ces messieurs ?

Gründ était saoul. Son chauffeur l'aidait à monter dans l'automobile.

– Bien sûr, dit le docteur. J'ai ma voiture un peu plus loin.

Juste derrière eux, Cafarello et Voloï Viktor paraissaient plus solides que leur hôte. Ils se tenaient debout dignement.

La voiture s'éloigna.

Le docteur Esquirol, toujours joyeux, se mit entre les deux hommes et les prit par le bras.

– Messieurs, je vous amène à ma voiture. Vous êtes à moi.

Il se mit à fredonner le plus fameux air de Nina.

Bienvenue à Paris
Bonheur de vous savoir en vie.

448

Viktor reprenait doucement avec lui. Cafarello avançait comme un somnambule. Ils marchèrent plusieurs minutes. Quelqu'un les suivait par les gouttières.

Ils entrèrent dans une rue étroite.

– Je crois que j'ai perdu mon chemin, dit Esquirol en lâchant les bras des deux hommes.

Ceux-ci s'arrêtèrent. Esquirol fit quelques pas devant eux et se retourna. Il tenait un pistolet dans la main. Recueilli, il avait presque les yeux fermés.

Les deux autres le regardaient, flottants.

– Autrefois, dit Esquirol, je me promenais la nuit dans Paris avec deux amis. Comme ce soir. C'était beau. Il y en avait un qui s'appelait Joseph Puppet. L'autre Zefiro. On s'était fait des promesses. On s'aimait.

Là-haut, sur le toit, la Taupe s'était arrêtée.

– Aucun de ces deux amis n'est plus là, dit Esquirol. Tout est fini à cause de vous. Ma vie a changé. Le monde a changé.

Sa main ne tremblait pas.

La Taupe entendit deux coups de feu.

Elle se pencha et vit les corps sur le sol et un homme debout.

L'homme s'éloignait. Il passa dans un rayon de lumière. Il défaisait sa cravate à pois.

Elle reconnut le grand patron. Elle reconnut César.

Aux portes de Paris, une voiture noire venait de passer un barrage. Le chauffeur avait présenté une autorisation épiscopale parfaitement en règle.

– Et derrière vous ?

– C'est ma famille, dit Simon.

Le policier ne parut pas surpris. Il braqua sa torche et regarda les trois passagers. Un seul était éveillé. Il portait un foulard rouge autour du cou. Une jeune femme dormait sur son épaule. Il avait une lettre ouverte sur les genoux et des larmes dans les yeux.

– Merci, Excellence, dit l'agent en rendant les papiers à Simon le sonneur.

La voiture redémarra.

Trois kilomètres plus loin, sans ralentir, on ouvrit la vitre pour jeter une valise dans le fossé. Elle roula dans l'herbe, glissa sur un reste de neige, s'immobilisa le temps de compter jusqu'à trois.

Un, deux, trois.

La valise explosa d'un seul coup.

Une gigantesque gerbe de feu éclaira la nuit, les arbres, et fit étinceler les chromes de l'auto qui filait entre les platanes, vers le sud.

33

Les figuiers de Barbarie

Il y eut encore des années sombres : des combats dans toute l'Europe, des familles déchirées, des lieux où la mort était un métier. Il y eut des trahisons, des vengeances, et même des plages noires de sang.

Et beaucoup découvrirent plus tard qu'ils n'avaient vu que la surface du cauchemar.

Il y eut encore des années sombres.

Mais il y eut aussi Simon, avec la minuscule Colette entre ses mains de sonneur, saluant la voiture qui repartait. Il y eut le feu dans la cheminée d'Auguste Boulard, au beau milieu des plateaux enneigés de l'Aubrac, il y eut Vango, Ethel et Paul autour de sa table, et la vieille mère Boulard, debout sur un tabouret, décrochant les saucisses du plafond. Il y eut, pour eux, la traversée à pied des Pyrénées, les cols, les chamois, la neige, avec la vue sur l'Espagne et sur la liberté. Il y eut l'impossible quête de la Taupe pour retrouver ses parents, les espoirs, les impasses, les nuits dans les greniers de théâtre à dormir près d'un violon, et plus tard, quand elle comprit qu'il fallait avoir peur, l'arrivée de la jeune sœur Marie-Taupe, déguisée d'une cornette, accueillie à l'abbaye de la Blanche par une mère Élisabeth hilare.

Il y eut les allers-retours d'Esquirol vers l'Angleterre pour faire vivre le réseau qu'il avait fondé aux premiers jours de la guerre en mémoire de ses amis de la rue de Paradis. Il y eut la mélancolie d'Eckener regardant le reflet du ciel sur le lac de Constance. Il y eut le retour du bon docteur Basilio par le bateau des Éoliennes avec au cœur un serment reçu. Il y eut les fleurs qu'il se remit à changer chaque jour, dans cette attente, sur la table de la maison de Pollara. Il y eut la renaissance d'un monastère de l'autre côté de la mer avec assez de miel pour faire à nouveau du pain d'épice, avec des cloches secouées les soirs d'orage, mais sans Pippo Troisi qui avait rejoint ses champs de câpres et sa femme.

Puis il y eut à Paris la délivrance, les drapeaux, et les chars toujours, la fuite du commissaire Avignon le jour de la Libération, les coups de feu joyeux tirés en l'air, la meute hurlante autour de Nina Bienvenue. Il y eut les adieux de Mademoiselle sur le trottoir de La Belle Étoile et les larmes de Casimir Fermini. Il y eut un soldat russe, très jeune, qui s'appelait Andreï Ivanovitch, entrant avec son régiment dans un camp au sud de la Pologne, cherchant deux inconnus parmi les déportés qu'il venait de libérer.

– Monsieur et madame Atlas ?

Et, devant lui, des regards qui auraient aimé dire oui.

Il y eut des attentes. Il y eut des retours impossibles.

Enfin, il y eut un bel automne, les cloches de Notre-Dame qui sonnèrent sans raison, à tout rompre, et deux silhouettes serrées tout en haut d'une tour. Il y eut un dîner de fête à La Belle Étoile, où l'on se gonfla d'omelettes. Il y eut les Boulard, montés à Paris, en invités d'honneur, Paul en uniforme, couvert de médailles, il y eut des discours, du vin blanc, et, au bout de la table, la Taupe, très pâle, qui découvrait une lettre venue de Moscou.

Et puis il y eut un voyage. Est-ce qu'on ne part pas en voyage à ces occasions-là ? Il y eut une marche vers le fond d'un cratère tombant vers la mer, un hameau, et, au bout, une maison faite de deux cubes blancs. Il y eut Vango et Ethel passant entre les figuiers, bouleversés, à la limite de l'étouffement, et s'approchant inexorablement du but. Il y eut un faucon dans le ciel.

Il y eut une femme sortant de la maison près de la falaise, belle silhouette au fichu rouge sur des cheveux blancs, regardant attentivement, la main au-dessus des yeux, regardant ce qui descend entre les figuiers de Barbarie, ces deux êtres qui viennent vers ici, qui ne peuvent pas venir ailleurs.

Il y eut un cri, un appel. Et ce fut tout.

Table

Crédits :
Page 325 : Le Hindenbourg en flammes, © Corbis.

Timothée de Fombelle

L'auteur

Timothée de Fombelle est né en 1973. Il a passé une partie de son enfance au Maroc et en Côte d'Ivoire. D'abord professeur de lettres en France et au Vietnam, il se tourne tôt vers la dramaturgie. En 2006 paraît son premier roman pour la jeunesse, *Tobie Lolness*. Célébré par de nombreuses récompenses dont le prix Sorcières, le prix Tam-Tam et le prix Saint-Exupéry, ce récit illustré par François Place connaît un succès international. Entre *Céleste, ma planète* et *Victoria rêve*, vibrants plaidoyers pour l'écologie ou la force de l'imaginaire, Timothée écrit *Vango*, époustouflant roman d'aventures en deux tomes qui séduit les lecteurs comme la critique. En 2014, pour *Le Livre de Perle*, il reçoit la Pépite du roman adolescent européen, ainsi que le prix de la Foire de Brive.

Depuis, il a publié un conte musical illustré par Benjamin Chaud, *Georgia, tous mes rêves chantent*, qui réunit une pléiade d'artistes : Cécile de France, Alain Chamfort, Emily Loizeau, Albin de la Simone… Ce livre-disque lui rapporte une nouvelle Pépite à Montreuil, lors du Salon du livre et de la presse jeunesse.

Timothée est aussi l'auteur des albums *La Bulle*, illustré par Éloïse Scherrer, *Capitaine Rosalie*, illustré par Isabelle Arsenault, *Quelqu'un m'attend derrière la neige*, illustré par Thomas Campi. Il signe également le scénario d'une bande dessinée réalisée par Christian Cailleaux, *Gramercy Park*. Traduit dans le monde entier, reconnu comme l'un des plus grands auteurs pour la jeunesse de sa génération, Timothée de Fombelle continue également à écrire pour le théâtre et a publié un livre « pour les adultes » : *Neverland*.

Découvrez d'autres livres
de **Timothée de Fombelle**

dans la collection

TOBIE LOLNESS

I. LA VIE SUSPENDUE
n° 1528

Courant parmi les branches, épuisé, les pieds en sang, Tobie fuit, traqué par les siens… Tobie Lolness ne mesure pas plus d'un millimètre et demi. Son peuple habite le grand chêne depuis la nuit des temps. Parce que son père a refusé de livrer le secret d'une invention révolutionnaire, sa famille a été exilée, emprisonnée. Seul Tobie a pu s'échapper. Mais pour combien de temps ?

2. LES YEUX D'ELISHA
n° 1551

Le grand chêne où vivent Tobie et les siens est blessé à mort. Les mousses et les lichens ont envahi ses branches. Léo Blue règne en tyran sur les Cimes et retient Elisha prisonnière. Les habitants se terrent. Les Pelés sont chassés sans pitié. Dans la clandestinité, Tobie se bat, et il n'est pas le seul. Au plus dur de l'hiver, la résistance prend corps. Parviendra-t-il à sauver son monde fragile ? Retrouvera-t-il Elisha ?

CÉLESTE, MA PLANÈTE

n° 1495

Elle est apparue un matin dans l'ascenseur. On a monté cent quinze étages en silence. Puis elle est entrée dans l'école, comme moi. Pendant la récréation, elle est restée dans la classe. Moi, penché au parapet de la terrasse de verre, je me répétais : « Ne tombe pas, ne tombe pas, ne tombe pas. » J'avais peur de tomber amoureux. À l'heure du déjeuner, elle est partie et n'a jamais remis les pieds au collège. Il fallait que je la retrouve.